Jean-Pierre Charland

ODILE ET XAVIER

tome 2

Le parc La Fontaine

Roman historique

Hurtubise

Catalogage avant publication de Bibliothèque et Archives nationales du Québec et Bibliothèque et Archives Canada

Titre : Odile et Xavier / Jean-Pierre Charland.
Noms : Charland, Jean-Pierre, 1954- auteur. | Charland, Jean-Pierre, 1954- Parc La Fontaine.
Description : Sommaire incomplet : t. 2. Le parc La Fontaine.
Identifiants : Canadiana 20190026847 | ISBN 9782897814786 (vol. 2)
Classification : LCC PS8555.H415 O35 2019 | CDD C843/.54—dc23

Les Éditions Hurtubise bénéficient du soutien financier du gouvernement du Québec par l'entremise du programme de crédit d'impôt pour l'édition de livres et de la Société de développement des entreprises culturelles du Québec (SODEC). L'éditeur remercie également le Conseil des arts du Canada de l'aide accordée à son programme de publication.

Financé par le gouvernement du Canada | Canada

Illustration de la couverture : Jean-Luc Trudel
Conception graphique : René St-Amand
Maquette intérieure et mise en pages : Folio infographie

ISBN 978-2-89781-478-6 (version imprimée)
ISBN 978-2-89781-479-3 (version numérique PDF)
ISBN 978-2-89781-480-9 (version numérique ePub)

Dépôt légal : 1er trimestre 2020
Bibliothèque et Archives nationales du Québec
Bibliothèque et Archives Canada

Diffusion-distribution au Canada :
Distribution HMH
1815, avenue De Lorimier
Montréal (Québec) H2K 3W6
www.distributionhmh.com

Diffusion-distribution en France :
Librairie du Québec / DNM
30, rue Gay-Lussac
75005 Paris
www.librairieduquebec.fr

Imprimé au Canada
www.editionshurtubise.com

Les personnages

Blain, Xavier: Employé de la Royal Bank of Canada, il reprend son poste au siège social au mois de décembre 1922.

Brissette, Polydore: Employé de la Banque Hochelaga, rue Sainte-Catherine. Il porte un intérêt à Odile Payant.

Daunais, Élodie: Née Turgeon. Veuve, elle se lie à Xavier Blain. Elle a une fille âgée de huit ans, Camille.

Lanoue, Calixte: Originaire d'Iberville, il est curé de la paroisse Saint-Antoine, à Douceville.

Hamel, Jules: Directeur de la succursale de la Banque Hochelaga située rue Sainte-Catherine. Il emploie Odile Payant.

Hardais, Sylvio: Employé de la Banque Hochelaga située rue Sainte-Catherine.

Ménard, Bazile: Comptable d'une soixantaine d'années, employé à la Banque Hochelaga.

Nantel, Corinne: Fille d'Évariste et Délia Turgeon, elle a épousé Jules Nantel, avocat.

Nantel, Jules: Fils du juge de Douceville, il a épousé Corinne Turgeon, fille du docteur Évariste Turgeon.

Oligny, Blanche: Femme d'une trentaine d'années, coiffeuse dans le magasin Dupuis Frères.

Payant, Clarisse: Née Gauvin, originaire d'Iberville, elle habite maintenant à l'hôpital Saint-Jean, à Douceville. Veuve d'Isidore Payant, elle a une fille, Odile.

Payant, Odile : Fille d'Isidore et de Clarisse, elle travaille comme secrétaire à la succursale de la Banque Hochelaga, rue Sainte-Catherine.

Séguin, Simone : Propriétaire d'une maison de chambres avenue du Parc-La Fontaine.

Turgeon, Délia : Épouse du docteur Évariste Turgeon, mère de Corinne et Georges.

Turgeon, Évariste : Médecin, époux de Délia, père de Corinne et Georges.

Turgeon, Georges : Fils d'Évariste et Délia Turgeon, formé en médecine à Montréal et à Boston, époux de Sophie Deslauriers.

Turgeon, Sophie : Fille d'Alphonse Grégoire et de Clotilde Serre, elle a été élevée sous le nom de Deslauriers. Elle a épousé le docteur Georges Turgeon.

Chapitre 1

Odile gardait les yeux rivés sur la fenêtre du wagon afin de voir défiler le paysage. Pour elle, il s'agissait d'une expérience inédite. Après dix minutes, la jeune femme de dix-huit ans se trouva plus loin qu'elle n'avait jamais été de Douceville.

Détourner la tête pour regarder dehors lui permettait aussi de dissimuler ses émotions. Bientôt, elle dit d'une voix brisée :

— Je l'ai quittée sans même un au revoir.

— Parce que tu craignais qu'elle ne te convainque de rester ?

— Pas juste ça. J'ai honte de ne pas l'aimer. C'est ma mère, après tout. Il faut que je sois un monstre...

Dieu exigeait que l'on honore ses parents, et la nature qu'on les aime. Xavier chercha sa main.

— Ce qui est monstrueux, c'est qu'une mère n'arrive pas à se faire mieux aimer d'une gentille fille comme toi.

À ses yeux, les enfants apercevaient un premier visage aimant, et cela durait toute une vie. Il se souvenait du regard de Sophie pour Olivier quelques années plus tôt, et pour Clémence, plus récemment. L'attachement ne faisait pas de doute entre eux. Que le souvenir de son amie lui vienne à ce moment précis aurait dû le porter à la réflexion.

Une chose paraissait évidente : Clarisse était inimaginable dans ce rôle. Pourtant, elle avait dû lui procurer tous les soins nécessaires à un poupon.

— En même temps, je m'inquiète de ce qui lui arrive, continua sa compagne. Elle n'a plus rien.

Cette inquiétude, Odile l'avait refoulée au plus profond de sa conscience au cours des derniers jours. Autrement, jamais elle n'aurait trouvé le courage de partir.

— Quand je te dis que tu es une gentille fille, j'ai bien raison. Ne t'inquiète pas, elle dormira au chaud et sera suffisamment nourrie. En plus, elle augmente ses chances de finir au paradis.

Cette fois, Odile détourna le regard de la fenêtre pour le regarder avec ses grands yeux gris.

— Comment ça ?

— Je me suis assuré qu'elle trouve refuge chez les hospitalières.

— C'est pour les pauvresses âgées et malades.

Tous les hospices, depuis des siècles, recevaient cette clientèle. Et des infirmes, aussi.

— La plupart du temps. Mais il faut compter aussi les personnes pieuses qui décident de vivre comme si elles avaient prononcé des vœux.

Cette fois, la jeune fille eut un rire franc. Imaginer sa mère dans le rôle d'une femme pieuse, modeste et obéissante l'amusait. Puis elle retrouva son sérieux pour demander :

— Comment peut-elle payer pour vivre là ? Il n'y a que les personnes vraiment seules au monde qui y sont accueillies gratuitement.

Alors que Clarisse Payant avait une jeune fille de dix-huit ans, susceptible de subvenir à ses besoins.

— Elle pourra y rester aussi longtemps qu'elle ne tentera pas d'obtenir de toi les aliments nécessaires à la vie.

Il donnait toujours une curieuse inflexion au mot « aliment », utilisé dans le Code civil pour signifier la satisfaction des besoins essentiels. Comme une mise entre parenthèses. Odile ouvrit de grands yeux.

— Tu veux dire que…

Sa dette à l'égard de son bienfaiteur prenait des proportions astronomiques. Il payait pour lui procurer une part de liberté. Xavier comprenait très bien sa préoccupation.

— Ne t'inquiète pas.

Comment pouvait-elle prendre la chose à la légère ? Un jour, il lui faudrait bien rendre des comptes. Comme elle se trouvait réduite à la plus parfaite impuissance et que l'idée de retourner dans le petit appartement de la rue Longueuil lui répugnait, elle essaya de ne pas y penser.

Ce matin-là, Clarisse Payant avait entendu sa fille sortir de sa chambre, passer à la salle de bain, puis quitter l'appartement de la rue Longueuil. Malgré ses efforts pour ne faire aucun bruit, dans le silence ambiant, le moindre craquement devenait perceptible. Des sentiments contradictoires la tenaillaient. La colère contre sa fille qui l'abandonnait, contre Xavier qui la lui enlevait, et la peur devant un avenir incertain. Elle ressentait aussi de la tristesse à l'idée de se retrouver toute seule.

Elle avait présenté son visage maussade à l'église le temps de la messe, puis était rentrée à la maison.

Quand le train traversa le pont Victoria, la jeune femme arrondit les yeux, un peu inquiète. Le fleuve roulait ses eaux noires sous ses yeux. Cette fois, ce fut elle qui chercha la main de son compagnon.

— Il tient depuis soixante ans, la rassura Xavier avec un sourire.

— Je fais un peu habitante, je sais.

Une fois dans l'île de Montréal, le grand nombre de personnes, les tramways, les édifices hauts de six ou sept étages et les enseignes de toutes sortes accentuaient encore son sentiment d'étrangeté.

— Pour une fille élevée par Clarisse Payant et les sœurs de la congrégation Notre-Dame, l'adaptation à la grande ville ne devrait pas être trop difficile, dit Xavier.

La jeune fille prit cela comme une moquerie ; pourtant il disait vrai. Elle s'exprimait bien, connaissait les usages de la vie en société, commençait par observer et réfléchir avant d'exprimer une opinion ou de poser une question. Le nombre de ses impairs serait limité.

Bientôt, le train s'arrêta à la gare Windsor. Xavier la précéda sur le quai, puis se retourna pour lui tendre la main et l'aider à descendre. Il lui offrit son bras, elle l'accepta. Ses yeux allèrent vers le toit de verre protégeant des intempéries. Quand ils entrèrent dans l'immense salle, elle s'abstint de tout commentaire pour ne pas souligner encore son côté « habitante ». Ils la traversèrent sans s'arrêter. Sur le trottoir, elle regarda le grand édifice de pierre.

Quand la jeune fille eut satisfait sa curiosité, son compagnon lui désigna un alignement de voitures en disant :

— Nous prendrons un taxi pour aller chez moi une minute, surtout pour laisser mes affaires. Ensuite, nous irons chez toi.

Déjà, il ouvrait la portière arrière d'une Essex – une grosse berline noire. Odile n'osa répéter de nouveau : « C'est la première fois. » De toute façon, elle devinait maintenant que ces mots lui passeraient par la tête plusieurs fois par jour au cours du prochain mois. Autant se taire.

Dans le taxi, la banquette lui parut moelleuse, le cuir très doux au toucher. Le grand sac de papier contenant ses quelques vêtements déposé sur ses genoux, elle appuya son front contre la vitre afin de tout voir. Xavier donna son adresse rue Sherbrooke.

Quand le chauffeur s'arrêta devant le bel édifice à logements, l'homme dit au chauffeur :

— Vous allez nous attendre ici, le temps de monter et de redescendre.

— Pas trop longtemps.

— Vous me facturerez le temps d'attente.

Devant cette assurance, il marmotta : « C'est vous l'patron. » Une fois sur le trottoir, Xavier tendit encore la main pour aider sa compagne à descendre. Odile songea que le décor était aussi beau que dans le film vu l'autre soir au Théâtre Royal. Des portes de chêne de l'entrée à celle de laiton de l'ascenseur, en passant par le plancher de marbre, tout ajoutait à son sentiment de dépaysement. Quand la petite cage aux murs métalliques s'éleva, elle s'agrippa à son bras. Xavier serra ses doigts posés au creux de son coude.

Ce ne fut que dans l'appartement qu'elle osa murmurer :

— Je ne savais même pas qu'il existait des endroits aussi beaux.

— Je suis né dans une ferme à Iberville, alors ta surprise, je l'ai ressentie aussi un jour. Assieds-toi un instant, le temps que je dépose mon bagage dans ma chambre.

Il lui montra un fauteuil dans son petit salon.

— Je peux aller au…

Xavier mit un instant à comprendre.

— Ah, oui ! La porte est juste là.

Au moins, quand elle s'extasia sur le carrelage, sur la baignoire assez grande pour s'étendre de tout son long, ce fut sans témoin. Xavier la retrouva dans le salon. Il avait une valise de carton à la main.

— Mets ton sac là-dedans. Je la traîne depuis quinze ans, tu la garderas. Je suis à toi dans un instant.

Il s'assit à une petite table placée dans un coin, puis décrocha le cornet pour le porter à son oreille.

— J'aimerais parler à mademoiselle Séguin.

Il donna une adresse avenue du Parc-La Fontaine et attendit un instant. Quand on lui répondit, il donna son nom, puis annonça :

— Nous arriverons dans dix, quinze minutes tout au plus.

Ensuite, ce fut son tour d'aller s'enfermer dans le petit réduit. À son retour, elle demanda :

— J'ai un chez-moi à Montréal ?

Pendant toute sa vie, jamais elle n'avait pris une décision pour elle. Le fait d'avoir quitté sa mère n'y changeait rien, visiblement.

— Même si j'avais dix-huit chambres à ma disposition, te loger ici ferait scandale. Alors imagine, je n'en ai qu'une… Tu auras une chambre dans une pension, avenue du Parc-La Fontaine. Le parc est juste en face de la maison, tu pourras y prendre l'air. Je viens de téléphoner là-bas. Des connaissances m'ont dit le plus grand bien de ce quartier.

Il faisait allusion aux Turgeon, père et fils. Leur nouveau logis se trouvait à deux pas.

— Tu connais cette maison ?

— Pas vraiment. Viens, le gars en bas s'enrichit pendant notre conversation.

Il prit la valise, puis tous les deux sortirent de l'appartement. Dans le couloir, il continua :

— Je ne connais pas bien les pensions pour jeunes filles de Montréal. Quelqu'un de fiable à mon bureau m'a recommandé cet endroit.

— Ton bureau…

— Au siège social de la banque, rue Saint-Jacques.

Ils trouvèrent le taxi toujours stationné devant la porte. Quand ils montèrent, le chauffeur maugréa :

— Je commençais à m'inquiéter…

— Navré d'entendre ça. Nous allons maintenant au numéro 36, avenue du Parc-La Fontaine.

La voiture mit quelques minutes à arriver à destination. L'édifice se trouvait tout près de l'intersection de la rue Sherbrooke. Xavier régla le prix de la course. Pendant ce temps, sa valise à la main, Odile regardait le parc de l'autre côté de la rue. Le ciel gris rendait les grands arbres dénudés encore plus lugubres. Cependant, l'été, ça devait être ravissant.

— C'est une belle maison, dit Xavier.

— Très belle.

La bâtisse de pierre de couleur sable comptait un étage au-dessus du rez-de-chaussée. Une fenêtre en baie aux deux niveaux donnait un petit air bourgeois à la pension. Sept marches conduisaient à la porte. L'homme les gravit le premier, puis il attendit sa compagne avant d'appuyer sur la sonnette. Après un instant, une femme d'une quarantaine d'années, peut-être un peu moins, vint ouvrir.

— Monsieur Blain ?

— Oui, mademoiselle Séguin, répondit-il en tendant la main.

— C'est pour votre fille ?

La logeuse regardait Odile, qui se tenait un pas derrière.

— Non, plutôt la fille d'une amie de la famille.

Évoquer Clarisse de cette façon lui tira une petite grimace. Il fit les présentations. Peu après, ils entrèrent dans la maison.

— Je vous montre tout de suite la chambre. Si elle ne convient pas, nous n'irons pas plus loin.

Elle n'entendait visiblement pas perdre son temps. Ils se retrouvèrent au pied d'un escalier. La logeuse s'écarta pour les laisser monter en premier. À l'étage, elle sortit plusieurs clés attachées à un anneau de la poche de sa veste.

— Voilà, dit-elle en déverrouillant.

Odile entra, suivie de Xavier. Il s'agissait d'une toute petite pièce de huit pieds sur dix. L'inventaire des lieux prit une seconde : un lit étroit, une commode, un fauteuil et une minuscule penderie. Le tout offrait un confort très acceptable.

— Cela te convient ? demanda le banquier.

La jeune fille hocha la tête.

— Mademoiselle, ça ira.

— Vous pouvez laisser votre valise ici. Je verrouillerai derrière.

Odile obéit, un peu étourdie par la succession des événements. Dans le couloir, mademoiselle Séguin alla ouvrir une porte en disant :

— Voilà la salle de bain.

Même si les lieux étaient moins luxueux que dans le bel appartement du banquier, Odile fut heureuse de voir la baignoire. Comme si elle devinait ses pensées, mademoiselle Séguin précisa :

— Il faut la partager avec les autres occupants de l'étage. Alors impossible de faire trempette trop longtemps.

— Il y a beaucoup de locataires ?

— Au total, douze. Sept à cet étage, en plus de deux couples qui occupent des pièces doubles. Il y a une autre pensionnaire en bas.

— La clientèle n'est pas entièrement féminine ?

Xavier ressemblait à un père inquiet pour la vertu de sa fille.

— Dans les chambres individuelles, oui. Pas dans les plus grandes. Mais n'ayez crainte, ce sont des personnes tout à fait respectables.

— Je n'en doute pas.

Elle les précéda en bas pour leur montrer la salle à manger.

— Il est possible de déjeuner dès six heures trente, mais pas après huit heures. C'est à l'anglaise : la nourriture se trouve dans ces réchauds.

Elle leur désigna des dessertes poussées contre le mur. Des réchauds cylindriques étaient posés dessus.

— C'est-à-dire que chacun se sert. Le soir, le souper est à sept heures. Les dîners ne sont pas compris dans la pension.

Une porte double permettait d'accéder à un salon donnant sur la rue. Quatre locataires se trouvaient assises dans les fauteuils ou sur le canapé. Il y eut un échange de salutations, mademoiselle Séguin referma les portes, puis engloba les deux visiteurs du regard.

— Il faut payer d'avance.

— Évidemment. Un mois d'avance, pour la chambre et la pension. Et pour vous inspirer confiance, j'en profite pour verser le mois suivant.

— Mais je ne doute pas de vous !

Tout de même, elle ne refusa pas. Xavier sortit son portefeuille, compta cinquante-six dollars pour les lui tendre. Mademoiselle Séguin les empocha prestement, puis elle présenta deux clés à Odile.

— La plus grande ouvre la porte donnant sur la rue, l'autre celle de la chambre. Si vous entrez après dix heures, enlevez vos chaussures avant de monter et retenez-vous de tousser. Des gens seront déjà couchés pour dormir.

Une fois dehors, Xavier dit à Odile :

— Il est passé midi depuis un moment. En arrivant tout à l'heure, j'ai remarqué un café. Allons manger quelque chose.

Le commerce se trouvait au numéro 16. Avec un à-propos parfait, il s'appelait le Café La Fontaine. Une dizaine de tables permettaient de recevoir la clientèle. Deux se trouvaient toujours libres. Une fois assise, Odile observa les autres clients. Il s'agissait pour la plupart de jeunes couples.

Au moment de commander, comme elle ne voyait pas sur le menu les pièces de viande devenues familières lors de leurs soupers à Douceville, Xavier lui dit, un peu amusé :

— Prends un croque-monsieur, je crois que ça te plaira.

— Un croque…

Alors que le serveur s'approchait, il saisit le mot au vol :

— Un croque pour madame, et pour monsieur ?

— La même chose, et un café au lait pour nous deux.

Quand il fut reparti, Odile murmura :

— Je ne sais même pas ce que c'est.

— Du pain, du jambon et du fromage. C'est populaire en France depuis une dizaine d'années.

— Tu y es allé ?

Xavier fit oui de la tête. Quand les cafés furent posés sur la table, il avala une gorgée avant de poursuivre :

— Je suis revenu il y a un peu moins de trois ans. Je suis arrivé en 1917 pour les combats, et j'ai attendu jusqu'en 1919 pour mon retour en Amérique.

— Tu as combattu ?

— Si tu veux, je préférerais ne pas aborder ce sujet. En tout cas, pas aujourd'hui.

Odile baissa les yeux, déçue. Discuter des grands événements lui aurait permis d'oublier un peu sa situation.

— Tout à l'heure, tu as payé deux mois de ma pension. C'est sept dollars par semaine. Jamais je ne trouverai un emploi qui me permettra de payer ce prix.

— Moi, je pense que c'est possible. Les téléphonistes de la société Bell touchent quinze dollars par semaine. J'ai lu ça récemment dans le journal. À la banque, les secrétaires bilingues, un peu plus.

— Bilingues…

Les croque-monsieur arrivèrent à cet instant. Xavier attendit que sa compagne avale quelques bouchées.

— Et puis ?

— J'en prendrai encore, si l'occasion se présente.

Après une pause, Odile reprit :

— Je ne suis pas vraiment bilingue.

— Tu n'es pas si mauvaise. Cependant, si tu peux, remplace les livres de sténographie par une bonne grammaire anglaise. Et des romans, pour enrichir ton vocabulaire.

La jeune fille hocha la tête, songeuse. À la fin, occuper un meilleur emploi lui coûtait autant d'efforts que la manufacture de vinaigre.

— Je sais que c'est difficile, dit Xavier. Mais là tu seras bien logée, bien nourrie.

— Tu fais vivre ma mère et tu me fais vivre. Au fond, tu aurais dû l'épouser, et nous entretenir toutes les deux. En nous prenant avec toi sous le même toit, tu ferais des économies.

Cette fois, le rire de Xavier fut plutôt grinçant.

— Honnêtement, ça me semblerait la pire situation. Je la loge pour te permettre de lui échapper. Quant à moi, je n'ai pas l'intention de m'en approcher à nouveau.

Il y eut un long silence. Odile le rompit pour remarquer :

— J'ai regardé les offres d'emploi dans *La Presse*. Je ne saurais même pas où aller en premier. Tous ces noms de rues ne veulent rien dire pour moi.

— Donne-toi quelques jours pour te retrouver dans la ville. Ce n'est pas si difficile, les rues forment un grand damier. De mon côté, je connais plusieurs employeurs, des gens envers qui je me suis rendu utile à la banque. Je ferai quelques appels. Et pour tout de suite, voici ce que je te propose. Quand nous aurons terminé ce café, rentre à ta pension. Tu as vu ces gens dans le salon, tout à l'heure. Affiche ton meilleur sourire et essaie de te faire des amies, sinon tu te sentiras affreusement seule. Lors des jours à venir, j'aurai beaucoup à faire. En fait, il doit y avoir une pile de documents sur mon bureau, après mes mois d'absence. Je téléphonerai pour te fixer un rendez-vous. En attendant, marche dans la ville, essaie de te familiariser avec les lieux.

Tout en parlant, il avait sorti deux documents de la poche intérieure de son manteau.

— Voici un guide que j'ai acheté à mon arrivée ici, en 1919.

Odile lut le titre : *Trolley trip in and about Montreal.*

— Ç'a été publié par la compagnie de tramway. Et voilà l'argent que tu avais dans ton compte d'épargne. Comme tu ne seras pas payée avant un moment, ça te permettra de voir venir.

Elle plaça le guide et l'enveloppe dans sa poche. Peu après, ils quittèrent le café. Xavier la reconduisit jusqu'à la pension.

— Ne t'inquiète pas, dit-il devant son air sombre. Bientôt, tu oublieras même avoir vécu à Douceville.

Il se pencha pour lui embrasser la joue très légèrement. Le genre de geste qu'un ami de la famille Payant pouvait avoir pour sa protégée. À cette heure, la porte de la maison demeurait déverrouillée. Odile monta tout doucement à l'étage, comme une petite souris. Dans sa chambre, elle examina à nouveau les meubles. Oui, ce cadre lui conviendrait. Elle rangea son linge dans la commode et accrocha son manteau dans la penderie.

Elle s'étendit sur son lit et songea à dormir un peu. Les derniers jours – non, plutôt les dernières semaines – ne lui avaient guère permis de se reposer. Cependant, bien vite elle se releva pour descendre au rez-de-chaussée. Trois filles s'y trouvaient. La plus vieille avait tout au plus vingt-trois ans, la plus jeune, vingt. Les joues roses, elle tendit la main en disant :

— Je m'appelle Odile Payant.

Il lui avait recommandé de ne pas s'isoler des autres. Elle entendait suivre tous ses conseils.

Xavier regrettait bien un peu d'avoir laissé Odile à elle-même pour la majeure partie de la journée, mais d'un autre côté, il ne pouvait s'occuper d'elle sans interruption, comme on le faisait d'un enfant. Après l'avoir quittée, plutôt que de rentrer chez lui, il marcha vers le siège social de la Royal Bank of Canada. L'institution occupait le numéro 147, rue Saint-Jacques. L'édifice, plutôt étroit, avec seulement deux étages, comptait quatre colonnes en façade. En comparaison de la Banque de Montréal située tout près, dotée d'une grande coupole, l'établissement paraissait modeste.

Il sortit une clé de sa poche et accéda directement à la salle fréquentée par les clients. L'endroit ne payait pas de mine, avec des guichets placés dans des cages métalliques. L'effet était étrange : comme si les personnes responsables de donner et recevoir de l'argent se trouvaient en prison. Pourtant, les caissiers n'étaient pas si bien protégés. Dans le cas d'un cambriolage, les balles pouvaient passer entre les tiges de métal entrecroisées.

Le bureau de Xavier, au second étage, donnait sur l'arrière de la bâtisse. La porte portait son nom et le titre de sa fonction : inspecteur. Son pupitre occupait presque le tiers de la surface, avec une chaise derrière et une autre devant. À Douceville, son bureau était plus grand et plus confortable. Cependant, là il était beaucoup plus proche du pouvoir. Le président, Sir Herbert Samuel Holt, occupait un grand bureau en façade. Même s'il n'avait pas de relations directes avec lui, se trouver dans l'orbite du soleil pouvait lui valoir des avantages.

De sa fenêtre, il voyait le toit de l'édifice voisin, tout noir, et un ciel gris foncé. Après avoir poussé un long soupir, il prit un document sur le dessus de la pile, puis s'absorba dans de longues colonnes de chiffres.

Le coût relativement élevé de la chambre et de la pension faisait en sorte qu'on n'y trouvait guère d'ouvrières et seulement deux vendeuses. Xavier avait fait un choix judicieux en la plaçant dans un petit monde comme celui-là, avec des secrétaires, des commis, une téléphoniste. Toutefois, les échanges ne feraient rien pour ajouter à son assurance.

— Il y a une banque à Douceville ? demanda l'une.

— Il y en a même quatre.

— Quatre ! fit-elle avec une surprise feinte.

Pour une fille venant de Joliette, elle ne manquait pas d'air. Comme s'il lui fallait trouver une campagne plus profonde que la sienne, pour se rassurer.

— Adine, cesse de te montrer si prétentieuse, intervint une autre fille.

Adine Quintin. Elle travaillait comme secrétaire dans une société d'assurances dont les bureaux se trouvaient rue Notre-Dame. L'autre, Reine Émond, exerçait le même métier chez un marchand de meubles.

— Tu as travaillé longtemps dans cette banque ? voulut savoir cette dernière.

— Seulement quelques mois. Il y avait un changement de directeur, et puis j'avais envie de venir en ville.

Quoique foncièrement honnête, Odile savait très bien mentir. Toute sa vie, il lui avait fallu faire semblant de venir d'un milieu plus riche que le sien afin de préserver la dignité de ses parents. Par exemple, cela signifiait trouver de multiples raisons pour ne jamais inviter personne à la maison.

— Que comptes-tu faire ?

— Chercher un emploi. J'éplucherai les petites annonces à compter de demain.

Son optimisme amusa les deux autres.

— Ce n'est pas si facile, ricana Adine.

— Un ami de ma mère doit m'aider.

— Un ami… Elle a beaucoup d'amis susceptibles d'aider sa fille ?

Décidément, cette jeune femme saisissait toutes les occasions de s'amuser aux dépens de la nouvelle venue.

— Un ami connu à la petite école. Ne vous faites pas d'idées, elle habite avec les religieuses depuis son veuvage.

À nouveau, sa capacité de s'inventer une vie lui permettait de moins attirer l'attention. Elle savait enlever tout caractère équivoque à sa situation. La difficulté maintenant serait de ne pas s'emmêler dans sa fiction. Heureusement, la conversation porta bientôt sur les derniers films vus, et sur les prochains qui prendraient l'affiche. Pour la première fois, Odile entendait parler de Rudolph Valentino. Ce ne serait certainement pas la dernière.

À la fin, après avoir fait des efforts honnêtes pour s'intégrer à ce nouveau milieu, la jeune fille alla s'étendre un peu. À sept heures, elle redescendit au rez-de-chaussée pour le repas. Ce fut l'occasion de rencontrer les couples habitant la pension. Ceux-ci occupaient un bout de la table, et ils se livraient entre eux à des conversations sérieuses : la famille qui viendrait plus tard, l'état du marché immobilier. Les nouveaux quartiers en plein développement y prenaient beaucoup de place. Avoir trois ou quatre ans de plus que les autres, connaître les « choses de la vie », voilà qui leur donnait un petit sentiment de supériorité.

Odile n'avait pas l'habitude des repas comptant trois services, ni du café pour couronner le tout. Elle murmura à Reine :

— C'est toujours comme ça ?

Sa voisine devait venir d'un milieu semblable au sien, car elle comprit tout de suite.

— Nous sommes dimanche, mademoiselle Séguin fait un effort particulier.

— Et les autres jours ?

— C'est quand même très bien.

L'ordinaire fit l'objet d'un bout de conversation. Odile remarqua qu'une jeune fille anglaise participait encore moins qu'elle à la conversation. Lors de ses quelques interventions, son accent écorchait un peu les oreilles. Elle adressa à Odile le sourire timide des laissés-pour-compte.

Au moment de quitter la table, plusieurs pensionnaires se dirigèrent vers le salon. L'anglophone alla plutôt vers l'escalier. Odile lui emboîta le pas. En arrivant sur le palier, elle tendit la main en se présentant.

— Edith McDermott, dit l'autre en l'acceptant.

— Veux-tu venir dans ma chambre un instant ?

Edith pouvait avoir vingt ans. Ses cheveux noirs encadraient un visage aux yeux bleus et à la peau très pâle. Elle acquiesça d'un geste de la tête. Dans la chambre, elle occupa le fauteuil, alors qu'Odile s'assit sur le lit.

— Je viens d'arriver aujourd'hui.

C'était une évidence. Elle précisa :

— À Montréal, je veux dire.

— Moi, j'y suis née.

Elle faisait l'effort de parler en français, alors qu'Odile utilisait l'anglais.

— J'aimerais améliorer mon anglais.

— Et moi mon français.

L'apprentissage de l'anglais était essentiel pour tous les Canadiens français désirant faire autre chose que le travail en usine et la vente. Et encore, dans ce dernier cas il fallait que le propriétaire ait renoncé totalement à attirer une clientèle parlant l'autre langue. Que des anglophones apprennent le français était si rare qu'Odile demanda :

— Pourquoi ?

Edith haussa les épaules.

— Parce que ça peut m'être utile.

— Nous pourrions parler ensemble, pour nous améliorer.

Pour ne pas laisser l'impression de vouloir profiter de la situation, elle ajouta :

— Et puis je ne connais personne ici…

C'était une demande d'amitié, très pudique, comme d'autres faisaient des demandes en mariage sans en avoir l'air. Dans les minutes suivantes, Odile apprit que les parents de son interlocutrice étaient venus d'Irlande pour trouver une vie meilleure presque deux décennies plus tôt. L'aventure s'était terminée au fond d'une fosse, pendant l'épidémie de grippe espagnole de 1919. La jeune femme achevait sa scolarité au moment de leur mort. Un petit héritage lui avait permis d'aller d'emploi médiocre en emploi médiocre tout en se logeant plutôt bien, jusqu'à aboutir chez Bell Canada. Un couronnement professionnel, en quelque sorte. Son intérêt pour l'apprentissage du français se justifiait de cette façon.

Chapitre 2

Le lundi matin, Xavier Blain arriva au travail un peu avant ses collègues. Son passage de la veille lui avait fait mesurer l'ampleur du retard accumulé. Bientôt, son supérieur frappait à la porte : Gordon Towner, le « superintendant » de toutes les succursales de la banque.

— Tu décides de t'enfermer ici le jour de ton retour ? dit-il en s'approchant, la main tendue.

Xavier quitta sa chaise pour la serrer.

— C'est écrit « inspecteur » sur la porte, alors j'inspecte.

Puis il ajouta :

— J'étais là hier, et je ne me suis pas enfermé.

— Quelle détermination à satisfaire tes patrons ! Tu sais que Dieu est en bas ? Il est venu juste pour te serrer la main.

— Il a quitté le mont Saint-Bruno ?

Herbert Samuel Holt préférait le silence de la campagne à l'agitation de la ville. Même si la distance de chez lui jusqu'au siège social n'était pas si grande, le trajet prenait du temps. Il fallait emprunter un traversier et descendre au quai Longueuil.

— Comme le sage de la montagne.

— Pour me serrer la main ?

— Il est heureux d'avoir son héros, comme à Antigonish.

Presque quarante ans plus tôt, le directeur d'une minuscule succursale avait reçu deux balles en défendant le coffre-fort. L'histoire finissait bien : il avait survécu et pas un dollar n'avait été volé. Ensuite, tous les directeurs de succursale avaient été équipés d'un revolver de gros calibre.

— Seigneur ! Careau devrait avoir droit à cet honneur autant que moi.

— Je lui ai répété l'histoire. Vous recevrez tous les deux une lettre et une petite prime. Mais tu seras le seul à avoir droit à la poignée de main.

Sir Herbert Samuel Holt se tenait bien dans l'espace réservé aux clients. Son arrivée fut soulignée par des applaudissements. Même les *bank boys* ne pouvaient tenir un verre de whisky dans la main avant neuf heures du matin. Certains buvaient du café, d'autres du thé. Et la plupart, rien du tout. Après la salve d'applaudissements, il y eut quelques mots du président. Il s'exprimait avec un lourd accent irlandais. Dans sa bouche, le prénom Aristide était si mal prononcé que même sa mère n'aurait jamais deviné que l'on parlait de son fils. Toutefois, Xavier fut heureux que le grand patron joigne le nom de l'employé de Douceville au sien dans cette histoire.

— Bravo encore, monsieur Blain. Et merci à monsieur Careau.

Le patronyme passait infiniment mieux que le prénom.

— Merci, *sir*.

Le grand homme disparut bien vite, pour se rendre aux bureaux de la Montreal Light, Heat and Power dont il assumait aussi la présidence. Le tout n'avait pas duré plus de dix minutes. Peu après, Xavier retrouva ses chiffres.

Quand elle avait quitté le domicile de sa mère, Odile avait tout laissé derrière elle, excepté les vêtements payés par Xavier. Dans une certaine mesure, il s'agissait d'une renaissance : il y aurait un avant le 3 décembre 1922, et un après.

Cependant, cela comportait un inconvénient. Elle n'avait plus rien ; il lui faudrait tout acheter, du portefeuille à la brosse à dents. Y compris un réveille-matin. Elle dormit mal, entre autres parce qu'elle craignait de rater l'heure du déjeuner. Dans sa situation, manquer un repas déjà payé aurait été absurde. Cette crainte s'avéra bien inutile : dès avant six heures, ses voisines ouvraient et fermaient leur porte, marchaient dans le couloir et échangeaient quelques mots.

En conséquence, peu après sept heures, elle faisait connaissance avec ce déjeuner servi « à l'anglaise ». Du pain grillé, des œufs brouillés, des pommes de terre, du bacon. Ses voisines évoquaient leur journée de travail à venir, les collègues masculins qu'elles seraient susceptibles de rencontrer – aucune des célibataires du groupe n'entendait le demeurer –, et les difficultés avec leurs supérieurs hiérarchiques. Cela ne pouvait manquer, Adine demanda :

— Odile, où comptes-tu chercher une place, ce matin ?

— Des commerces de la rue Sainte-Catherine offraient des emplois dans les pages de *La Presse*, je vais y aller.

— Les vendeuses ne gagnent pas grand-chose.

— Si je reste à ne rien faire, je gagnerai encore moins.

Le sujet les occupa pendant un instant, puis les pensionnaires se dispersèrent. Après une heure passée dans sa chambre, la jeune femme sortit à son tour pour se diriger vers la rue marchande. Bientôt, elle aperçut le grand magasin des Canadiens français, Dupuis Frères. Il s'agissait d'un assemblage de quelques bâtisses, réunies lors d'agrandissements successifs. L'une comptait trois étages et les autres, deux.

Pendant tout le trajet, le froid l'avait fait frissonner, aussi piqua-t-elle tout de suite vers le rayon des vêtements pour femmes. Dans la vitrine, un panneau annonçait une « grande vente à rabais ». Le manteau le moins cher coûtait quatorze dollars, mais l'étiquette indiquait un prix courant de vingt-quatre dollars. Pour avoir une garniture de fourrure au col et aux manches, il fallait compter trente dollars. Cinq semaines de travail dans la manufacture de vinaigre et deux au salaire d'une téléphoniste. Bientôt, ce serait une dépense absolument nécessaire, car un vilain rhume coûterait encore plus cher. Une robe coûtait huit dollars, des bas, trente cents.

Mentalement, elle faisait des additions. Bien vite, le chiffre atteignit le montant de son prochain mois de salaire pour un emploi qu'elle n'avait pas encore. Avant de sortir, elle chercha le gérant du « département des vêtements féminins » afin de lui offrir ses services.

Si l'accueil s'avéra sympathique, elle apprit que le personnel était déjà complet.

Comme elle n'avait rien de mieux à faire, Odile continua son exploration de la rue Sainte-Catherine. Elle s'arrêta au magasin Au bon marché – un nom emprunté à un établissement de Paris –, et ensuite chez Vallières, Almy's, Godwin's, Lamy, Murphy et chez Scroggie's. Au-delà de la rue Saint-Laurent, elle n'entendit à peu près plus un mot de français. Parfois, comme chez Cohen's ou chez Morgan, le chic des vêtements placés en vitrine l'empêcha d'entrer, tellement sa propre tenue lui faisait honte.

Même si la période précédant les Fêtes s'avérait la plus active pour tous les commerces de détail, personne ne paraissait avoir besoin d'une jeune fille venue tout droit de la campagne. À la fin, Odile acheta un sandwich à un marchand ambulant pour le manger tout en retournant vers le parc La Fontaine. Ensuite elle s'assit sur un banc devant l'étang jusqu'à ce que le vent glacial la ramène à sa pension.

Toute la journée du lundi, malgré son engagement auprès de monsieur le curé, Clarisse Payant s'était entêtée à demeurer dans l'appartement. En soirée, Jean-Baptiste Vallières frappa à la porte. Comme elle ne répondit pas, il décida d'ouvrir. À titre de propriétaire, il avait la clé du logement.

— Sortez de chez moi ! dit-elle sans quitter sa place à table.

Comme à son habitude, elle tuait le temps à faire des patiences.

— Depuis que vous ne payez pas, vous n'êtes plus chez vous. Si vous ne quittez pas les lieux d'ici demain matin, je demanderai à la police de vous sortir d'ici.

Sans un mot de plus, il repartit. Clarisse savait qu'il mettrait sa menace à exécution. Alors elle alla dans sa chambre, sortit une valise de sous le lit pour y mettre ses meilleurs vêtements et ses papiers. Certaines de ses possessions allèrent dans un sac de papier brun. Le reste de ses biens – quelques meubles, des vêtements tout juste bons à servir de guenilles – demeurèrent sur place. Elle en aurait tiré trop peu pour que cela vaille la peine de les vendre. En quelque sorte, elle faisait la charité au prochain occupant de l'appartement. Un dernier petit luxe.

Le mardi 5 décembre, la femme descendit l'escalier une dernière fois, puis marcha en direction de l'hôpital

Saint-Jean. Une sœur portière l'accueillit avec une certaine rudesse :

— Madame Payant, vous deviez arriver hier !

— J'étais tellement absorbée dans mes bonnes œuvres, je n'ai pas vu le temps passer.

La religieuse demeura interdite, ne sachant pas trop si elle devait la prendre au sérieux.

— Des bonnes œuvres, vous pourrez en faire ici. Nous avons une douzaine de vieux et de vieilles qui ne reçoivent jamais personne, et là les Fêtes s'en viennent.

Ce fut au tour de Clarisse de demeurer muette un instant. Évidemment, ces religieuses s'attendaient à la voir afficher sa compassion. L'autre profita de son avantage :

— Comme vous êtes capable de marcher sans aide, c'est tout en haut. Sœur Saint-Georges occupe une chambre sur le palier. Elle vous montrera votre cellule.

Clarisse s'engagea dans l'escalier et monta jusque sous les combles. La vieille nonne se trouvait bien là, un chapelet dans les mains.

— Madame Payant ?

La nouvelle venue répondit d'un hochement de la tête. L'effort pour se lever de son siège tira une grimace à la sœur. Elle s'engagea la première dans un couloir étroit. Clarisse vit des portes entrouvertes. Des femmes âgées perdues dans leurs pensées, ou alors murmurant des prières, seraient ses voisines.

— C'est là.

La religieuse lui montra une petite pièce, puis s'en alla.

— Une cellule ! murmura Clarisse.

Jamais une appellation pour un logis ne lui était apparue plus juste. Même étroit, le lit semblait prendre la moitié de la place. Il y avait aussi une chaise et une penderie.

— Mon salaud, maintenant tu l'as, ta revanche.

À même pas quarante ans, elle se trouvait isolée parmi des vieilles femmes, un peu gâteuses dans certains cas. Surtout, désormais, elle vivrait de la charité. «Non, je vis de la charité depuis le début de l'été», se corrigea-t-elle. Nourrie par sa fille, logée par un ancien prétendant rejeté vingt ans plus tôt, elle ne se faisait pas d'illusion sur sa condition.

Elle ferma la porte et se laissa tomber sur son lit.

Quand Odile revint de sa longue promenade, un peu déprimée d'avoir encore entendu quelques employeurs lui déclarer qu'ils n'avaient besoin de personne, mademoiselle Séguin l'arrêta alors qu'elle s'engageait dans l'escalier.

— Mademoiselle, quelqu'un a téléphoné pour vous. J'ai pris son message en note.

Quand elle lui tendit le morceau de papier plié en deux, son regard semblait dire: «Je veux bien recevoir vos appels, à condition que cela arrive très rarement.»

— Je vous remercie.

— Je ne veux pas être indiscrète, mais vous paraissez déçue. C'est à cause de votre recherche d'emploi?

Décidément, elle devenait curieuse.

— Oui. Je croyais que ce serait plus facile, surtout à cette période de l'année.

— J'ai cru comprendre que vous aviez un peu d'expérience dans le secrétariat.

— C'est vrai. Mais avant de tenter ma chance dans ce genre d'emploi, j'attends que monsieur Blain me rende compte de ses démarches.

— Je crois que cela ne tardera pas. Il m'a semblé quelqu'un d'important. Tous les billets qu'il m'a donnés venaient de la Banque Royale.

Toutes les banques émettaient les leurs. Mademoiselle Séguin s'attendait certainement à en entendre plus sur cet homme. Devant le silence de son interlocutrice, elle retourna dans la cuisine.

Odile continua vers sa chambre. Une fois la porte refermée, elle déplia le bout de papier pour lire: «Jeudi, j'aimerais dîner avec toi. Fais-moi savoir si c'est impossible. Xavier.» Suivait l'adresse d'un restaurant donnant sur la place Jacques-Cartier.

☙

Ses voisines à table lui avaient dit vrai: si les soupers du dimanche étaient élaborés, les autres jours, ils étaient quand même plus généreux que ce dont elle avait l'habitude. Elle arriverait à bien subsister grâce aux deux repas quotidiens pris à la pension.

— Alors, cette recherche d'emploi? demanda Adine dès qu'elle se présenta dans la salle à manger.

— Je continue de me présenter dans tous les commerces sur mon chemin.

— La liste des magasins n'est pas interminable…

— Adine, tu devrais nous parler de tes mois de chômage, l'été dernier, commenta Reine. Combien de fois tu t'es fait dire non?

Ce rappel eut l'heur de ramener un peu de modestie chez mademoiselle Quintin. Comme pour enfoncer le clou, Odile adopta un ton compatissant pour demander:

— Tu as vraiment chômé pendant des mois? Comment as-tu fait, pour ici?

— Mon parrain m'a donné un coup de main.

L'admission lui mit un peu de rose sur les joues.

— Tu as de la chance. Je n'ai ni oncle ni tante. Heureusement, il y a cet ami de la famille.

Pendant quelques minutes, toutes parurent s'étonner qu'il existe même une seule famille canadienne-française qui ne pouvait aligner au moins trente personnes lors d'un repas des Fêtes.

Pour la seconde fois, Edith vint dans la chambre d'Odile pour un échange bilingue. La visiteuse déclara :

— Parfois, Adine devient… *a pain in the ass*.

L'expression tira un sourire amusé à son interlocutrice. Elle pensa que mieux vaudrait ne pas l'utiliser au travail.

— Ça lui donne sans doute un sentiment de supériorité, continua-t-elle.

— Ce n'est pas grave.

— D'autant plus que la prochaine fois, tu pourras lui parler du chômage, et de son gentil parrain.

Ce serait sans doute la meilleure façon de la faire taire. Toutefois, Odile n'arrivait pas à s'en amuser.

— Ça t'inquiète ? murmura Edith.

— Un peu. J'aurais aimé trouver quelque chose par moi-même.

— Quelqu'un devait t'aider, non ?

— Justement.

Odile souhaitait dépendre un peu moins de Xavier. D'un autre côté, la seule fois où elle avait obtenu quelque chose par ses propres efforts, cela avait été pour embouteiller du vinaigre dix heures par jour.

— Pourquoi ne prendrais-tu pas… un *break* de tes démarches, en attendant de voir ce qu'il aura à te dire ?

D'abord, tu dois geler avec ton petit manteau, puis ça te déprime.

— Cela me déprimerait encore plus de rester ici à regarder le plafond.

— Alors va à la bibliothèque municipale.

Comme la jeune fille soulevait les sourcils, Edith eut un rire amusé.

— Si j'étais Adine, je te dirais: "Quoi, vous n'avez pas de bibliothèque à Douceville?" Juste devant le parc, tu as sûrement remarqué le grand édifice avec des colonnes à l'avant, non? C'est là. C'est ouvert de dix heures le matin à dix heures le soir, sauf le dimanche, où ça ouvre à deux heures.

— Je peux rentrer, juste comme ça?

— Juste comme ça. Tu verras, c'est plus beau qu'une église! Et si tu préfères lire à la place de contempler le plafond, il y a vingt mille volumes.

Elle se promit d'y aller dès le lendemain.

Xavier n'avait pas eu envie de passer une troisième soirée d'affilée à la banque. Cependant, cela ne signifiait pas pour autant des heures de repos. À la fermeture, il plaça de nombreux documents dans une serviette de cuir, puis il quitta les lieux. En marchant vers la sortie, il salua quelques collègues au passage.

Une fois rendu chez lui, il monta à son appartement dans le but de laisser ses dossiers, son chapeau, son manteau et ses couvre-chaussures pour redescendre immédiatement avec un journal venu de New York. La salle à manger se trouvait en demi-sous-sol. Quelques locataires occupaient des tables. Il les salua au passage et s'installa dans un coin. Ce fut les yeux fixés sur les pages de son journal qu'il mangea. L'ironie de sa situation ne lui échappait pas : ces soirées en solitaire lui pesaient, toutefois il s'assurait d'ériger un mur autour de lui.

Odile avait passé quelques heures dans la bibliothèque municipale. Les dix colonnes en façade, la balustrade sur le toit, l'immense salle de lecture, tout cela ajoutait à son sentiment d'être une souris des champs perdue dans la grande ville. Même si elle avait ouvert un grand livre sur la table, c'est surtout la contemplation des lieux qui l'occupait. Des lieux, et de la clientèle. En fin d'après-midi, des garçons de l'École normale, de l'université ou des collèges environnants envahirent la salle de lecture. Fille unique scolarisée chez les sœurs, pour elle, ces êtres demeuraient bien mystérieux.

Le lendemain très tôt, Clarisse Payant se présenta à la porte du presbytère de la paroisse Saint-Antoine pour attraper son curé au passage. Après la messe basse, il rentrait chez lui pour déjeuner. Le prêtre eut un mouvement de recul en la voyant devant sa porte.

— Monsieur le curé, je ne peux pas endurer ça !

— Bonjour, madame. À quelles souffrances vous exposez-vous cette fois ?

— L'hôpital. Je ne peux pas habiter dans un endroit pareil.

— Pourquoi donc ?

L'ecclésiastique faisait preuve de la plus grande incompréhension.

— Une chambre grande comme une cellule de prison et de la nourriture infecte !

— Lors de ma dernière visite paroissiale, j'ai vu où vous habitiez. Et je me doute que le salaire d'Odile ne permettait pas de faire bombance tous les jours.

— Maintenant, ce n'est plus le salaire d'Odile, c'est celui de Xavier.

Même si Calixte Lanoue se faisait parfois une bien piètre opinion de ses semblables, cette paroissienne arrivait encore à le surprendre.

— Xavier n'a aucune obligation à votre égard. Vous connaissez sa proposition. Il vous loge à une condition : vous laissez Odile tranquille.

— Il va finir par l'épouser. Il me fait vivre avec ces femmes au ventre sec pour me punir.

Lanoue la regarda des pieds à la tête, sans répondre. Clarisse craignit d'être allée trop loin. Son ton se fit presque mielleux quand elle demanda :

— Vous n'allez pas m'inviter à entrer, monsieur le curé ?

— Je suis très heureux de devoir me presser pour aller visiter les malades. Alors non, je ne vous invite pas à entrer. Si vous croyez être capable de vous procurer un meilleur gîte et un meilleur couvert, vous êtes libre. Moi, je me suis assez fait geler sur ce perron.

Il ouvrit la porte, entra puis referma derrière lui. Un bref instant, la paroissienne eut envie de se plaindre à l'archevêché pour l'insolence de son pasteur.

Le lendemain matin, après avoir demandé des renseignements à Edith, Odile se livra à une expédition ambitieuse dans la ville. « Tu prends Sherbrooke vers l'ouest, tu descends Saint-Denis jusqu'à Notre-Dame, puis tu marches encore un peu vers l'ouest. Tu ne pourras pas la manquer, tu as l'hôtel de ville d'un côté, le palais de justice de l'autre. »

Les indications étaient simples, effectuer le trajet était plus compliqué. D'abord à cause de la distance. Le « ce n'est pas très loin, peut-être un mille et demi » lui parut très imprécis. Ensuite, il y avait toujours le risque de se tromper. Dès dix heures, elle quitta la pension. Le froid humide de décembre la fit frissonner, aussi accéléra-t-elle le pas pour se réchauffer un peu. Rue Saint-Denis, elle contempla les beaux édifices de pierre : l'Université de Montréal, la bibliothèque Saint-Sulpice, le théâtre Saint-Denis, l'École polytechnique.

Odile arriva au bout de la rue Saint-Denis sans avoir croisé Notre-Dame. Un passant la convainquit de continuer en suivant la rue Bonsecours. Plus d'une heure avant le rendez-vous, elle se tenait au pied de la colonne Nelson. Sous ses yeux, de nombreux cultivateurs offraient leurs marchandises aux ménagères. Certains étaient venus là à bord d'un petit camion, mais la plupart conduisaient toujours des charrettes. À un peu plus de deux semaines de Noël, l'offre de volailles, de quartiers ou de moitiés de porc alimenterait de nombreux réveillons. Certains n'offraient rien d'autre que des sapins. Cela lui rappela sa mère demeurée seule à Douceville. Devrait-elle aller la voir, célébrer avec elle ?

À la fin, trop timide pour chercher refuge dans un commerce, elle continua jusqu'à la basilique Notre-Dame, à quelques minutes de marche. Le grand édifice flanqué de deux tours pouvait accueillir dix mille fidèles. Construit plus de quatre-vingt-dix ans plus tôt, il était demeuré longtemps le plus vaste d'Amérique. Odile entra par l'une des trois grandes portes en façade. Le bleu de la voûte, la statuaire, le décor de feuilles d'or témoignaient de la richesse et de la puissance de l'Église dans la province.

C'est assise à l'arrière de la nef, parmi quelques dévotes, qu'elle attendit de longues minutes. Privée de montre, elle ne s'attarda pas trop afin de ne pas être en retard à son rendez-vous. Après avoir fait le pied de grue devant une maison à l'architecture ancienne, elle vit Xavier s'approcher à grands pas.

— Tu vas bien ?

— Oui. Même si je m'inquiète de ne pas avoir de travail.

Il exerça une légère pression sur son bras et lui sourit.

— Cette inactivité devrait prendre fin bientôt.

Puis il la vit frissonner.

— Entrons.

À l'intérieur, ils trouvèrent une clientèle bigarrée, composée d'agriculteurs venus vendre leurs produits et d'hommes travaillant dans les environs, la plupart embauchés dans des banques ou des maisons de commerce. Les femmes étaient très peu nombreuses, aussi plusieurs la suivirent des yeux.

Quand ils furent assis, Xavier demanda :

— Comment se passe la vie chez mademoiselle Séguin ?

— Très bien. La chambre est confortable, la plupart des voisines, gentilles.

— La plupart ?

Odile eut un sourire en songeant à Adine.

— Rien de très méchant. Il y a une Irlandaise dans le lot. Nous conversons le soir. Elle parle français, moi anglais.

L'homme eut un mouvement de la tête pour approuver. Un serveur s'approcha, ce qui permit à Odile de renouer avec le verre de bière et la pièce de viande de leurs repas précédents.

— Tu as pu te démêler dans les tramways pour venir ici ?

— Je suis venue à pied.

Devant son regard étonné, elle expliqua :

— Je n'ai presque pas d'argent, et je ne travaille pas. Le premier jour je me suis acheté un sandwich, après je m'en suis privée pour économiser.

— Tu ne devrais pas. Je peux t'en prêter un peu, tu sais.

— Non, merci…

— De toute façon, ça devrait changer bientôt. Tu as un rendez-vous demain avec Jules Hamel, le directeur de la succursale de la Banque Hochelaga, rue Sainte-Catherine.

Tout en parlant, Xavier avait sorti l'une de ses cartes professionnelles de sa poche. À l'arrière, il avait écrit les coordonnées de ce rendez-vous.

— À la Banque Hochelaga ? Mais tu travailles à la Banque Royale.

— Ce qui me met en relations avec de nombreux collègues dans d'autres institutions. Va le voir demain. Si ça ne se passe pas bien, tu me le diras à notre prochaine rencontre, je te donnerai d'autres adresses. À la Banque d'épargne du district et de la ville de Montréal, par exemple. Ou à la Banque nationale du Canada. J'essaie de trouver des établissements dirigés par des Canadiens français, avec surtout une clientèle qui parle français.

— C'est bien la peine que je fasse des efforts pour apprendre l'anglais !

La voix de la jeune femme exprimait un petit dépit. Sa réaction amusa son interlocuteur.

— À Montréal, parler anglais demeure une absolue nécessité pour une secrétaire. Toutefois, ça sera plus simple de ne pas avoir à écrire toute la correspondance dans cette langue.

Quand les assiettes arrivèrent devant eux, ils accordèrent toute leur attention au repas. Après quelques minutes, Odile dit :

— On dirait que je n'arrive à rien par moi-même. J'ai dû offrir mes services dans dix commerces depuis lundi matin, toujours sans succès.

— Je t'avais dit d'attendre de mes nouvelles.

— J'aurais aimé me montrer plus indépendante. Les autres filles de mon âge se font embaucher. Moi, la seule chose que j'ai obtenue, ç'a été de travailler à la manufacture de vinaigre.

Xavier comprenait sa déception. Évidemment, de nombreux jeunes gens quittaient leur campagne en ne misant que sur leurs seules ressources pour s'établir dans un milieu étranger et y gagner leur vie. Lui-même l'avait fait. Le désespoir écrasait certains, en motivait d'autres. Odile faisait partie de la première catégorie. En le lui disant, il aurait miné encore plus son assurance.

— Dans la province, bien peu de personnes se présentent comme ça pour se faire embaucher.

L'homme claqua des doigts.

— Tout le monde appartient à une tribu susceptible de le soutenir. Tu es allée chez Dupuis Frères ?

Odile acquiesça de la tête.

— Ils embauchent des centaines de filles, dans le magasin et dans des ateliers. Chacune a quatre ou cinq sœurs, vingt-cinq cousines. Elles parlent de ces parentes à leur chef de rayon, qui accepte ou non de leur donner une chance. L'intervention peut aussi venir d'un ami, d'une relation d'affaires. J'ai parlé de toi à Hamel. Il accepte de te voir en se disant qu'un bon matin je lui rendrai service à mon tour.

Et si elle décevait, la relation entre ces deux hommes en serait affectée. Déjà, elle s'en inquiéta. Désireuse de changer de sujet, elle dit, après un silence :

— Pour toi, ce doit être difficile de revenir à ton travail habituel…

— C'est pour ça que j'ai bien peu profité des avantages de la grande ville depuis dimanche. Je n'arrête pas, mais bientôt j'aurai pris le dessus. Je peux t'inviter au cinéma, samedi prochain ? Nous pourrions nous rejoindre devant le théâtre Saint-Denis. Ce n'est pas tellement loin de chez toi.

— Je sais, je suis passée devant en venant ici.

— C'est bien, tu te donnes des repères.

— Lundi, j'ai parcouru toute la rue Sainte-Catherine. Je connais donc l'emplacement des grands commerces.

— En rentrant chez toi, passe par cette rue. Ça te permettra de voir la banque et les environs. Maintenant, si tu as une minute, nous pourrions nous arrêter dans un magasin de vêtements. Tu as besoin d'un manteau un peu plus chaud et de couvre-chaussures.

— Non, je ne peux pas accepter. Je te dois déjà trop.

— La plupart des personnes de ton âge ont quelqu'un pour les loger, les nourrir et les habiller.

— Leurs parents...

— Ce serait plus simple pour toi si c'était le cas. Mais pour le moment, tu n'as pas mieux que moi.

La jeune femme secoua la tête, comme si accepter encore ne se faisait pas.

— Écoute, si ça peut te permettre de te sentir mieux, cherchons un commerce où trouver des vêtements usagés.

Odile aurait aimé protester à nouveau, mais dans une semaine, il ferait plus froid encore. Xavier leva la main pour attirer l'attention du serveur. Bientôt, ils sortirent sur la place Jacques-Cartier. En voyant à nouveau les fermiers offrant des sapins de Noël aux badauds, elle remarqua :

— Je devrais aller voir maman, pendant les Fêtes.

Il se tourna vers elle pour voir ses yeux au moment de demander :

— Tu n'as pas peur qu'elle arrive à te retenir là-bas ?

La question la laissa interdite pendant un moment.

— Comment pourrait-elle me forcer à demeurer sous le toit familial s'il n'y a pas de toit ?

Chapitre 3

Boulevard Saint-Laurent, en allant vers le nord, ils passèrent devant de nombreux commerces – des boulangeries, des boucheries, des épiceries, des librairies – aux affiches rédigées dans diverses langues : l'italien, le russe, l'ukrainien, le hongrois, mais aussi le yiddish. Et parmi eux, il y avait des magasins de vêtements. Plusieurs très miteux, certains de meilleure tenue.

— Nous pourrions essayer ici, dit-il en s'arrêtant devant l'un de ces derniers.

En plus des caractères hébreux, quelques mots en anglais permettaient de faire un inventaire de la marchandise.

— Tu connais ces magasins ?

— Je connais surtout les restaurants, parce que je travaille tout près.

Xavier posa sa main à plat dans le dos d'Odile pour la pousser vers la porte. À l'intérieur, beaucoup d'étagères présentaient divers vêtements. Sur des tuyaux placés à l'horizontale, des cintres permettaient d'accrocher des manteaux, des robes et des chemisiers.

En anglais, il expliqua au propriétaire qu'il cherchait un manteau pour sa compagne, insistant sur la qualité. Le vendeur répétait « *yes, yes, yes* » tout en cherchant sur l'une des tringles. Il commença par lui montrer un paletot de mouton de Perse.

— Ça coûte des centaines de dollars, murmura Odile en secouant la tête de droite à gauche.

Ses visites dans les grands magasins lui avaient permis de se faire une idée des prix.

— Tu as raison. Tu vois, des gens s'imaginent devenus riches, alors ils en achètent un, mais ils doivent le vendre ensuite pour manger.

Odile se représentait bien ce genre de situation. Ses parents s'étaient livrés à cet exercice. Le marchand leur montra d'autres manteaux. L'un d'eux, en laine de couleur noire, attira l'attention de la jeune fille. Elle voulut bien l'essayer devant un miroir accroché au mur.

— Qu'en penses-tu ?

Xavier hocha la tête de haut en bas. Quand elle l'enleva, il tendit la main pour le prendre. Il commença par vérifier la doublure, puis inspecta les coutures soigneusement.

— Je tiens à m'assurer qu'il est suffisamment chaud et que les mites n'en ont pas fait leur repas.

— Tu n'achètes pas des vêtements usagés pour la première fois.

— Tu sais, il y a plusieurs années, je me suis retrouvé commis dans une banque. Ce que je portais à la manufacture ne convenait pas et je ne pouvais rien me payer de neuf.

Puis il dit au marchand :

— Il faut aussi un chapeau et un foulard.

Ce dernier chercha sur les étagères, Odile procéda à l'essayage. L'opération se termina par les couvre-chaussures. Quand elle eut choisi, Xavier négocia ferme pour obtenir un prix raisonnable.

— Mets le manteau, le chapeau et le foulard tout de suite. Je demande un sac pour que tu puisses transporter tes vêtements. Ce sera plus chaud pour retourner au parc La Fontaine.

À la fin, il arrivait à se comporter comme un père attentionné. Quand ils sortirent, l'homme prit son bras à la hauteur du coude.

— Ça te dit de m'accompagner jusqu'à mon bureau ? C'est à deux pas.

Comme elle acquiesça, il l'entraîna rue Saint-Jacques. Il lui montra un édifice majestueux :

— Ça, c'est la Banque de Montréal. Je ne travaille pas là, mais plutôt ici.

Ils se tenaient devant les *Four Pilars*, le nom que l'on donnait à la Royal Bank of Canada à cause des quatre colonnes en façade.

— Tout de même, c'est impressionnant.

Comme si elle voulait le rassurer.

— Les statues, à l'étage, c'est qui ?

Il y en avait une au-dessus de chaque colonne.

— Je ne sais pas, sans doute des déesses de l'argent. Sir Herbert Samuel a toutefois de grands projets immobiliers. Un gratte-ciel de près de trente étages. Nous aurons bientôt des locaux parfaits pour cette noble institution.

La précision lui tira un sourire. Il s'exprimait comme quelqu'un désirant souligner sa propre importance.

— Je suis certaine que ça sera très bien.

Le ton un peu moqueur l'amusa.

— Moi aussi. Sir Samuel doit protéger sa réputation. Alors nous nous retrouvons samedi devant le cinéma à sept heures trente ?

— D'accord.

— Bonne chance pour demain. Ne t'inquiète pas trop, tu es une fille sympathique et compétente.

Odile Payant remonta le boulevard Saint-Laurent, qui marquait la frontière entre la ville française et la ville anglaise. Tout le long du chemin, son attention fut attirée par les vitrines des nombreuses boutiques. Trois fois sur quatre, elle ne comprenait pas un mot de la langue utilisée dans l'affichage. Et la tenue des passants lui paraissait souvent aussi étrange. Ils portaient des vêtements que jamais elle n'aurait pu nommer : schtreimel, papakha, ouchanka, kippa, caftan, rekel, spodik, bekeshe, gartel. Elle avait l'impression de se trouver à l'autre bout du monde.

À l'intersection de la rue Sainte-Catherine, elle s'engagea vers l'est. Au numéro 272, elle trouva un bel immeuble de pierre tout pâle, comptant un étage. Au-dessus de la porte, les mots Banque Hochelaga attiraient l'attention. L'endroit était à la fois plus élégant et plus grand que la succursale où elle avait travaillé à Douceville. Tout autour, des cafés et des boutiques diverses lui donneraient quelque chose à faire, si un jour elle devait tuer le temps.

Pendant tout le reste du trajet, elle alla de l'espoir de travailler à cet endroit à la crainte de faire une mauvaise impression le lendemain. Pendant le dernier segment du trajet, le vent glacial lui fit apprécier ses nouveaux vêtements. Au moment du souper, l'alternance des sourires et des froncements de sourcils sur son visage suscita la curiosité de ses voisines.

— Tu as trouvé quelque chose ? avança Adine.

— Non, mais j'ai visité la moitié de la ville aujourd'hui. Quand j'aurai un peu d'argent à dépenser, ce sera plus intéressant que Douceville… ou Joliette, dit-elle, un peu moqueuse.

Cependant, au moment de monter à sa chambre en soirée, Edith demanda dans un murmure :

— Je commence à te connaître. Il y a quelque chose qui t'inquiète ?

— Demain, je dois rencontrer le directeur d'une succursale bancaire. Si tu savais comme j'ai peur de tout gâcher !

— Viens chez moi.

Cette fois, elles se retrouvèrent dans la chambre de la jeune Irlandaise. Une réplique exacte de celle d'Odile.

— Pourquoi t'en fais-tu ? Tu travaillais dans une banque, chez toi.

— Seulement pendant quelque mois.

— Assez longtemps pour te faire mettre à la porte si tu avais été incompétente.

Comment pouvait-elle lui expliquer ? « L'ancien prétendant de ma mère m'a prise sous son aile. » Cela amènerait des questions susceptibles de la mettre mal à l'aise.

— À Douceville, tout le monde se connaît. On peut compter sur plus de gentillesse qu'avec de parfaits inconnus.

— Où se trouve cette banque ?

— Dans la rue Sainte-Catherine, c'est la Banque Hochelaga.

— Le travail de secrétaire, qu'est-ce que ça comporte ?

Odile évoqua la prise de rendez-vous, le clavigraphe, la prise de lettres en dictée et le classement des documents.

— Tu as déjà fait tout ça.

— Pour un patron particulièrement affable.

— Si tu lui adresses ton meilleur sourire, lui aussi sera affable.

Même après un aussi court séjour à cet endroit, Odile avait déjà entendu parler à table des employeurs sensibles au charme de leurs employées.

— Voilà un jeu que je ne connais pas vraiment. J'ai eu mon premier emploi en sortant tout juste du couvent.

À nouveau, elle rééditait soigneusement l'histoire de sa vie.

— Ce sera encore mieux. Une parfaite ingénue.

Le terme lui apparut infiniment plus respectueux que celui utilisé par sa mère: innocente. Edith poursuivit sur le thème des patrons un peu trop attentionnés pour leurs jeunes employées, tout en se réjouissant d'avoir une contremaîtresse, plutôt qu'un contremaître, chez Bell Canada. À la fin, Odile se coucha encore plus angoissée qu'elle ne l'était avant cette conversation.

Le lendemain matin, elle revenait devant le 272, rue Sainte-Catherine. Quand elle poussa la porte, elle retrouva l'espace familier d'une banque, avec deux guichets situés derrière des barreaux de laiton. «Ton meilleur sourire», avait dit Edith. Elle s'approcha pour dire à l'un des commis:

— Bonjour, j'aimerais rencontrer monsieur Hamel.

L'homme répondit à son sourire.

— Vous avez un rendez-vous?

— Il sait que je dois venir. Ce monsieur s'est entendu avec lui à ce sujet.

Elle fit passer la carte professionnelle de Xavier Blain sous les barreaux. Le commis la prit, et après y avoir jeté un coup d'œil, il murmura: «Je reviens.» Il se dirigea vers la porte permettant l'accès à la section réservée au personnel. Odile eut l'impression de se trouver à Douceville, tellement l'endroit ressemblait à celui où elle avait travaillé. Peut-être un peu plus spacieux, toutefois.

— Monsieur Hamel vous attend dans son bureau.

De la main, le commis lui désigna une porte ouverte. Odile se retrouva devant un petit homme d'une cinquantaine d'années, les cheveux et la moustache déjà blanchis. Il avait quitté son siège pour s'avancer, la main tendue.

— Mademoiselle Payant, c'est ça?

— Oui, monsieur. Merci de me recevoir.

Il lui désigna l'une des deux chaises devant son bureau et retrouva sa place.

— J'ai eu l'occasion de faire des affaires avec Blain. Comme ça, vous étiez dans la banque quand ce forcené est entré pour tuer tout le monde ?

Xavier l'avait peut-être entretenu des événements, mais cet homme pouvait tout aussi bien évoquer les articles publiés dans les journaux. Ce genre d'attaque permettait toujours de noircir beaucoup de pages. La jeune femme hocha la tête pour acquiescer.

— Toute une histoire ! Heureusement, j'y ai échappé pendant les trente ans où j'ai travaillé dans une banque.

Puis il continua après une pause :

— Blain, c'est l'une de vos vieilles connaissances ? Il s'est montré très positif, au téléphone.

Évidemment, recommander si chaudement une jeune fille avec si peu d'expérience méritait des explications.

— C'est un ami de ma mère. Comme elle est devenue veuve l'an dernier, il me vient en aide.

Son interlocuteur prononça un « Ah ! » entendu. Elle jugea utile d'ajouter :

— Ils se sont connus à la petite école, mais l'été dernier, il la revoyait pour la première fois depuis vingt ans.

— Combien de temps avez-vous travaillé à la succursale de la Banque Royale à Douceville ?

— Quelques mois. Je suis sortie de l'école en juin dernier.

D'un côté, elle précisait avoir bien peu d'expérience, de l'autre, elle soulignait que sa scolarité était beaucoup plus longue que celle de la plupart des jeunes filles.

— C'est ce que j'avais compris. Toutefois, il m'a dit aussi que vous vous tiriez bien d'affaire. Pouvez-vous commencer lundi ?

— Je peux commencer tout de suite.

Jules Hamel sourit devant tant de bonne volonté.

— Lundi, ça sera très bien.

Odile rougit furieusement et hésita un moment avant de demander d'une toute petite voix :

— Combien ?

Xavier lui avait dit que les téléphonistes chez Bell gagnaient quinze dollars, Edith le lui avait confirmé.

— Quinze dollars par semaine ?

Elle hocha la tête pour dire oui.

— Quelque chose me dit que j'aurais pu donner un chiffre plus bas et recevoir une réponse positive. Je suis un mauvais négociateur.

— Une voisine à la pension reçoit ce salaire et son travail me semble plus facile que celui d'une secrétaire.

Son interlocuteur hocha la tête, comme pour dire : « Je ne suis peut-être pas si mauvais, finalement... »

— Venez, je vais vous présenter les autres.

Il la précéda dans la salle voisine et alla frapper à une porte tout à l'arrière de la bâtisse. Un homme d'une soixantaine d'années était assis à un bureau. Il portait des manchons de serge bleue afin de protéger les manches de sa chemise blanche des taches d'encre.

— Odile, je vous présente notre comptable, Bazile Ménard.

L'homme leva la tête pour la regarder. Des poils de barbe sur les joues avaient échappé à son rasoir, ce matin-là, d'autres sortaient de ses narines et de ses oreilles.

— Je suis enchantée, monsieur Ménard.

Sans quitter son siège, il grommela quelque chose.

— Mademoiselle Payant commencera lundi.

À nouveau, un grognement servit de réponse. Puis il replongea dans ses gros registres. Après avoir refermé la porte, Hamel murmura :

— Ne prenez pas son attitude de façon personnelle. Il est comme ça, mais il sait compter. Vous aurez à taper des lettres pour lui.

En l'absence de clients au comptoir, les commis occupaient deux pupitres placés l'un en face de l'autre. Le directeur commença :

— Monsieur Hardais, voici Odile Payant, notre nouvelle secrétaire.

Celui-là se donna la peine de quitter sa chaise pour lui tendre la main.

— Enchanté, mademoiselle.

La mi-vingtaine, les cheveux bruns, sa fine moustache rappelait celle de Douglas Fairbanks dans le film *Le masque de Zorro*. Non pas qu'Odile se pâmât devant ce comédien, mais à Montréal, ce détail capillaire devait lui valoir l'attention des représentantes du sexe faible.

— Ici, nous avons monsieur Brissette.

Celui-ci reprit les mêmes mots, le même geste. Il était aussi blond que l'autre était brun, plus grand et plus mince toutefois. Ses traits délicats avaient quelque chose de féminin.

— Elle commencera lundi prochain.

Puis le directeur lui montra une table poussée contre un mur.

— Vous vous installerez là.

Une grosse machine à écrire trônait sur le meuble. Gentiment, Jules Hamel la reconduisit jusqu'à la porte donnant sur la rue. Il lui tendit la main en disant :

— Nous nous reverrons la semaine prochaine. Arrivez un peu avant huit heures trente.

— Entendu, monsieur, et merci.

Au moment de sortir, elle demanda :

— À l'étage, c'est aussi la banque ?

— Non. Ce sont des notaires.

Quand elle fut sur le trottoir, Odile remarqua la seconde porte au bout de la façade, avec une plaque de laiton à côté.

Même si elle avait maintenant un emploi, Odile n'était pas encore riche. Aussi, encore une fois, elle se passerait de dîner. À la place, elle se dirigea vers la rue Sherbrooke pour se réfugier dans la bibliothèque municipale et occuper une table dans la salle de lecture. Les petits tiroirs contenant les milliers de fiches lui permirent de faire l'inventaire de toute la collection des livres du programme de commerce des frères des Écoles chrétiennes.

À la fin de l'après-midi, elle regagna sa pension. Elle trouva mademoiselle Séguin dans la cuisine, occupée à la préparation du repas en compagnie d'une jeune domestique.

— Pourrais-je utiliser le téléphone ?

Comme la logeuse ne répondit pas tout de suite, elle précisa :

— J'aimerais faire savoir à monsieur Blain que j'ai déniché un emploi à la Banque Hochelaga, et surtout le remercier de m'avoir recommandée.

Son interlocutrice lui adressa un sourire, celui d'une femme maintenant certaine d'être payée tous les mois. De quoi la mettre dans de meilleures dispositions.

— Bien sûr, allez-y.

Bientôt, Odile occupa une chaise dans le bureau de la propriétaire. Dans le bottin, elle trouva les coordonnées de la Royal Bank of Canada rue Saint-Jacques, puis le nom de Xavier Blain. La téléphoniste la mit en communication avec lui.

— Je te remercie de m'avoir recommandée. Monsieur Hamel m'a embauchée. Je commence lundi.

— Bravo. Je savais que tu lui ferais bonne impression. Tu as rencontré le comptable ?

— Oui.

— Comment l'as-tu trouvé ?

Comme elle demeura silencieuse, il éclata de rire :

— Tout le monde le connaît comme monsieur Malgracieux, dans le milieu. Si un jour tu lui tires un sourire, ta réputation de gentille fille sera définitivement établie.

Odile se demanda s'il lui lançait un défi.

— Nous nous en parlerons demain. Là, je dois aller à une réunion.

— Oui, bien sûr. Je voulais juste t'annoncer la nouvelle.

— Je te remercie, c'est gentil. À bientôt.

Sa façon un peu abrupte de mettre fin à la conversation la troubla.

❧

— Avec ce sourire-là, vas-tu nous annoncer que tu as trouvé un livre à l'Index à la bibliothèque ? railla Reine.

Tous les locataires se trouvaient là, autant les célibataires que les couples. L'allusion à des lectures interdites attira l'attention de ces derniers, assis à l'autre bout de la table.

— Pour une jeune fille innocente, ça peut produire tout un choc, déclara l'un des hommes. Tu devrais demander à ma femme de te rassurer. Elle est bien informée des choses de la vie.

Puis il eut un rire gras. Son épouse lança un « Édias ! » impatient. Colérique, même.

Dans un autre contexte, Odile aurait rougi. Cependant, elle répondit plutôt :

— Non, pas du tout. Je me suis trouvé un emploi de secrétaire aujourd'hui.

Elle affichait sa fierté. Pour une femme, avec les occupations d'infirmière et d'institutrice, il s'agissait d'une carrière respectée. Peut-être moins que les deux autres, mais certainement plus payante.

— Tu feras combien ? demanda Adine.

La jeune femme souhaitait sans doute établir une comparaison flatteuse pour elle-même. Odile se troubla. Elle allait répondre quand Edith intervint :

— En voilà une question ! Parler de ça à table, c'est aussi déplacé que d'évoquer les mauvais jours du mois !

L'allusion tira un « Oh ! » des personnes les plus prudes dans la petite assemblée. Dont Odile.

— À la Banque Hochelaga ? continua la jeune Irlandaise.

— Oui. Je commence lundi matin.

— Il y a des célibataires, parmi le personnel ?

— Deux hommes dans la vingtaine, mais je ne connais pas leur statut matrimonial.

Puis elle ajouta en riant :

— Il y a aussi le comptable, un monsieur Ménard. Adine, si jamais l'occasion se présente, ça me fera plaisir de te le présenter.

La jeune fille fronça les sourcils, certaine que l'on se moquait d'elle. Odile continua :

— Vraiment, vous êtes faits pour aller ensemble.

Le lendemain, Odile alla à nouveau passer une grande partie de la journée à la bibliothèque. Comme elle savait que son chômage prendrait fin bientôt, ses lectures portèrent encore sur des sujets professionnels.

Au moment du souper, ses voisines voulurent connaître ses projets pour la soirée du lendemain.

— Je vais au cinéma.

— Tu peux te joindre à nous, proposa l'une des jeunes femmes.

— Je vous remercie, mais pas cette fois. Je dois accompagner un ami.

— Tu as un ami à Montréal ? dit l'homme dont la femme en savait tant sur la vie. Petite cachottière.

— Un ami de ma mère, en fait. Comme je suis seule à Montréal, il veille sur moi.

— Ben oui…

Décidément, il réussissait à se montrer désagréable avec toutes ces allusions. Quand il regagnerait sa chambre avec sa femme, il y aurait sans doute des mises au point. De son côté, occupée à faire le service, mademoiselle Séguin fronça les sourcils. Quand elle chercherait de nouveaux occupants pour l'une de ses chambres doubles, elle favoriserait des femmes prêtes à vivre ensemble. Ou peut-être une veuve avec des moyens financiers lui permettant d'avoir plus d'espace. Les présences masculines pouvaient nuire à la tranquillité des lieux.

En quittant la maison après le souper, Odile regretta que Xavier ne soit pas venu la chercher, quitte à attiser encore plus la curiosité. Cela l'obligeait à faire le trajet toute seule. Même si les rues Sherbrooke et Saint-Denis étaient considérées comme sûres, les femmes respectables devaient tout de même avoir une escorte. Dans le cas contraire, des hommes se sentaient autorisés à les aborder avec des propositions malhonnêtes.

Ce fut donc en pressant le pas qu'elle effectua le trajet. Si vite qu'elle arriva devant le cinéma une bonne dizaine de minutes avant l'heure convenue. Heureusement, l'éclairage des rues et celui de la façade du cinéma la mettaient en pleine lumière. Bientôt, elle vit la silhouette familière. En arrivant à sa hauteur, il se pencha pour lui embrasser la joue, puis lui demanda :

— Ça va ?

— Oui, même si je commençais à trouver le temps long.

Il consulta sa montre pour s'assurer qu'il n'était pas en retard.

— La prochaine fois, on se donnera rendez-vous dans un café. Remarque, là aussi tu risques d'être abordée par quelqu'un. C'est le malheur des jolies filles.

Sa compagne le soupçonna de se moquer, mais se rendit compte qu'il était bien sérieux.

— Nous entrons ? proposa-t-il.

Odile acquiesça d'un geste de la tête.

— Tu es certain de trouver encore des places disponibles ?

— Dans les meilleures rangées, oui.

Dans l'entrée, il acheta deux billets pour la mezzanine. Elle comprit alors que les prix rendaient ces sièges inaccessibles à la clientèle d'étudiants vivant dans les parages. À l'intérieur, le décor somptueux mais très kitsch – un terme lui étant totalement inconnu – lui coupa le souffle : les lustres de strass, les moulures de plâtre en haut des murs et sur le plafond, le tapis d'un beau rouge sang. Ils avaient gravi la moitié des marches quand il remarqua ses yeux écarquillés.

— Ce n'est pas le Théâtre Royal de Douceville, n'est-ce pas ?

— Rien ne ressemble à Douceville, dans cette ville. Combien de personnes peuvent se réunir ici ?

— Trois mille. On l'a ouvert en 1916.

Il prit son bras pour la guider vers les rangées de sièges près de la balustrade de la mezzanine. Les fauteuils étaient recouverts de velours rouge. Quand ils furent assis, Xavier demanda :

— Jules t'a fait une bonne impression ?

Il lui fallut un moment avant de comprendre l'allusion à son nouveau patron.

— Oui. Il paraît affable.

— Pour endurer son comptable, il l'est certainement.

Décidément, le pauvre monsieur Ménard avait atteint une certaine notoriété avec sa mauvaise humeur.

— De ton côté, as-tu passé une bonne semaine ?

— Oui, si on en juge par le travail effectué. Au point de ne rien faire d'autre. J'y ai passé toutes mes soirées.

Il préféra changer de sujet de conversation :

— Et toi, tu aimes Montréal ?

— Oui, même si je n'ai fait que marcher dans la ville. J'ai aussi découvert la bibliothèque. Je vais en profiter de façon régulière, à l'avenir.

À ce moment, la pénombre se fit dans l'immense salle, puis les lourds rideaux s'ouvrirent. D'abord, de courts films évoquèrent des sujets d'actualité : la révolution en Allemagne, la révolution en Italie, la révolution en Russie. En comparaison, le Canada paraissait un havre de paix. Une femme s'assit au piano placé près de la scène. Son jeu devait souligner les moments joyeux, tragiques ou inquiétants de l'action. La projection du programme principal commença. Il s'agissait du film dont tout le monde parlait en Amérique du Nord : *The Sheik*.

Et pourtant, l'histoire était tellement peu plausible. Une Anglaise, Diana Mayo, se déguisait en femme arabe pour se rendre – bien imprudemment – dans un casino d'Afrique du Nord. Elle se trouvait forcée de participer à une étrange loterie: des hommes jouaient pour gagner des femmes. Le cheik Ahmed Ben Hassan venait à son secours et l'emmenait chez lui, dans le désert. Après bien des péripéties, Diana déclarait son amour à Ahmed. Heureusement, pour les personnes réfractaires aux mariages interraciaux, elle savait déjà qu'il n'était pas un Arabe, mais le fils d'un Anglais et d'une Espagnole.

Quand on alluma les lumières, Xavier aida sa compagne à remettre son manteau, puis le couple s'engagea vers la sortie dans le flot humain. Quand ils arrivèrent sur le trottoir, il lui dit:

— J'aimerais que nous terminions cette soirée dans un café, mais il y aura foule dans tous ceux des environs. Prenons un taxi pour aller dans celui de ta rue.

Les voitures étaient nombreuses, justement à cause de cet achalandage. Bientôt, ils roulaient rue Sherbrooke. Le samedi soir, la clientèle du La Fontaine était totalement composée de couples. Ce fut devant un café que la conversation se poursuivit.

— Alors, qu'as-tu pensé de ce cheik?

Comme elle demeura silencieuse, il précisa:

— Je veux parler de Rudolph Valentino.

— Il était bon.

— Il était bon! dit Xavier, un peu moqueur. Tu dois bien être la seule femme d'Amérique du Nord à ne pas être follement amoureuse de lui.

Le rose monta aux joues de la jeune femme.

— Pour moi, un bel homme c'est un paroissien de Douceville pas trop vieux, pas trop chauve, pas trop gros. Pas quelqu'un qui semble s'être cousu une robe dans de vieux rideaux, pour la porter toute détachée ici.

De la main, elle indiqua le haut de sa poitrine. Elle se faisait une idée de couventine du pudique et de l'impudique.

On ne la verrait pas de sitôt sur une plage vêtue d'un maillot de bain.

— J'espère qu'à tes yeux, je partage tous ces "pas trop".

— Toi, tu es très bien.

L'admission était venue après une hésitation, avec pas mal de rouge sur les joues.

— Tant mieux. Je ne me voyais pas me mettre de la brillantine dans les cheveux et les lisser vers l'arrière pour être à la mode.

Comme elle paraissait ne prendre aucun plaisir à ce badinage, il en vint bien vite à parler de la pension, de la banque, du temps de plus en plus froid. Après une quarantaine de minutes, il lui proposa de la reconduire jusqu'à sa porte. Sur le trottoir, ils se firent face un instant.

— Demain midi, accepterais-tu de venir manger avec moi ?

Elle hésita juste assez longtemps pour qu'il juge bon d'ajouter :

— Autrement, tu devras te passer de dîner.

— Oui, avec plaisir.

— Ensuite, nous pourrions retourner au cinéma, mais je ne ferai pas un effort particulier pour trouver un autre film avec Valentino.

À nouveau, l'humour parut lui échapper tout à fait.

— Je suis certaine que ton choix sera excellent.

— Bon, je passerai ici à midi. Nous pourrons aller rue Sainte-Catherine, pour faire changement.

Il posa sa main gantée sur la nuque de la jeune femme et se pencha pour l'embrasser sur la bouche. Il prolongea le contact pendant quelques secondes. Si Odile ne fit pas mine de s'éloigner, même pas de se raidir, elle ne fit pas le geste de l'enlacer, ni de montrer un peu de langueur.

— Dors bien. À demain.

Elle lui rendit son souhait, puis monta les quelques marches jusqu'à la porte. Après avoir enfoncé sa clé dans la serrure, elle se retourna pour dire :

— Je te remercie. Pour tout.

Ensuite, elle disparut dans la maison. Le petit chat errant croisé à Douceville semblait toujours aussi perdu, quoique moins misérable. Cet homme ayant plus de deux fois son âge la laissait de marbre. Malgré la douceur de ses gestes, elle ne prenait pas vraiment de plaisir à ses baisers. Toutefois, elle se sentait l'obligation de les accepter. Impossible pour elle de le laisser insatisfait.

Quant à Xavier, il décida de rentrer chez lui à pied, afin de prendre l'air et de réfléchir à leur relation.

Chapitre 4

— Tu as vu *The Sheik* ?

Au ton de Reine, Odile comprit que la veille, elle aurait dû s'extasier. Ce fut encore plus clair quand une autre, Mathilde, ajouta :

— Moi, quand je le vois, ça me fait un effet ici.

Son geste de la main, englobant tout son buste, témoignait d'une émotion envahissante. Pourtant, mariée à Édias, celui qui en connaissait tant, les amours fantasmées ne devaient plus rien représenter pour elle. Ou peut-être était-ce tout le contraire.

La nouvelle venue avait rejoint ses voisines pour le petit-déjeuner. Seulement huit locataires étaient là.

— Je ne lui ai rien trouvé de particulier.

Ses compagnes arrondirent les yeux, comme si elle venait de prononcer une énormité.

— Tu es sérieuse ? dit Adina. À quoi ressemblent les gars, à Douceville ?

— Ils ne se promènent pas avec une nappe sur la tête et une robe de chambre sur le dos.

Cette fois, la moitié des jeunes filles éclatèrent de rire, les autres parurent blessées de voir leur soif d'exotisme tournée en ridicule. Jusqu'à la fin du repas, une demi-douzaine d'acteurs firent les frais de la conversation et se virent accorder un pointage entre un et dix. Un peu avant dix heures, une petite procession se forma sur le trottoir, juste devant la maison. Si les deux couples préféraient assister à la messe ailleurs – personne n'osait imaginer qu'un locataire manquait à son devoir dominical –, toutes les célibataires se dirigeaient vers l'église de l'Immaculée-Conception située tout près, rue Rachel, au coin de Papineau.

Odile et Edith marchaient trois pas derrière les autres.

— Sérieusement, dit la seconde, tu ne trouves pas Valentino à ton goût ?

— Pas vraiment.

Comme pour s'excuser, elle ajouta :

— Mais tu sais, j'ai fini mes études au couvent il y a quelques mois. Je n'y connais rien.

— J'ai fréquenté les sœurs aussi. Ça ne m'a jamais empêchée de voir les garçons à l'église. Ou les amis de mes frères à la maison.

— Ma mère me répète souvent que je suis innocente. Je suppose qu'elle a raison.

Edith prit son bras.

— Ne t'en fais pas. Il y a beaucoup d'acteurs. Charles Chaplin, Buster Keaton ou Harold Lloyd si tu les aimes drôles ; Douglas Fairbanks ou Wallace Reed pour les athlètes. Et pour les gros, Oliver Hardy et Fatty Arbuckle. Si finalement aucun ne te plaît, tu pourras toujours devenir une bonne sœur.

— Avant d'avoir l'emploi à la banque, je souhaitais justement faire une bonne sœur.

Cette fois, Edith éclata franchement de rire. Elle ne retrouva son sérieux qu'au moment d'entrer dans l'église de l'Immaculée-Conception.

Au moment où Odile revint de la grand-messe avec quelques voisines, Xavier était de l'autre côté de la rue, feignant de se passionner pour les sous-bois du parc La Fontaine. Quand la jeune fille l'aperçut, elle se retourna pour dire à ses compagnes :

— Je vous quitte ici.

— Tu as encore un rendez-vous galant ? demanda Adina à voix basse.

— Voyons, je vous l'ai dit, c'est un ami de la famille.

Puis elle s'empressa de traverser la rue afin de mettre fin à cet échange. La préoccupation qui se lisait sur le visage de la jeune fille convainquit Xavier d'omettre la bise.

— As-tu passé la nuit à rêver de Rudolph Valentino ? demanda-t-il, un peu ironique.

— Non, mais mes voisines, peut-être. Ce matin, elles m'ont toutes dit à quel point j'étais chanceuse d'avoir vu ce film.

— Voilà qui m'amène à me sentir un peu coupable de ne pas avoir choisi d'aller voir *The Young Rajah* aujourd'hui.

Il s'agissait du dernier succès de cet acteur. Parmi les loisirs offerts à la population un dimanche, le cinéma occupait la première place. Il continua :

— J'ai plutôt penché vers le dernier succès de Mary Pickford. D'après un journaliste américain, c'est le meilleur film de l'année.

Pickford était aussi inconnue à Odile que Valentino. Déjà, le couple semblait avoir ses habitudes. C'est machinalement qu'ils se dirigèrent vers le café La Fontaine. Parce qu'elle ne voulait pas demander de nouveau à son compagnon de lui expliquer en quoi consistaient les plats offerts sur le menu, Odile opta pour un croque-monsieur.

Ensuite, en tenant son bras, la jeune femme marcha en direction de la rue Papineau, puis remonta un peu vers le nord jusqu'à l'intersection de Mont-Royal. De chaque côté de la porte d'entrée du cinéma, des affiches donnaient le titre du film, *Tess of the Storm Country*. Une histoire d'achat de maison, de meurtre et d'amour.

Après les sables du désert, Odile voyagea dans la campagne anglaise. Au moment où Xavier l'abandonna devant la pension, il se pencha pour lui embrasser la joue. Il allait lui dire au revoir quand elle commença :

— Monsieur Blain…

— Tu ne crois pas que tu devrais utiliser un langage moins formel avec moi ? Tu me tutoies depuis des semaines.

— Je ne peux pas utiliser ton prénom…

« Tu préfères mettre une distance entre nous », songea-t-il. Dans la même conversation, le tutoiement témoignait de la familiarité avec l'homme qui l'avait embrassée à pleine bouche dans une banque obscure ; et tout de suite après le « monsieur » exprimait le malaise ressenti devant un employeur, et maintenant un bienfaiteur au statut un peu obscur.

Il fut un peu plus abrupt au moment de poursuivre :

— Que voulais-tu me dire ?

— Bientôt, je recevrai un salaire. Il conviendra alors que je commence à te rembourser tout ce que je te dois.

— Non, ce n'est pas nécessaire. Avec cet argent, tu devras enrichir ta garde-robe, faire face à certaines dépenses. Par exemple des sorties sans moi, de quoi manger le midi. Ensuite, tu dois mettre un peu d'argent de côté. Parce que si tu as besoin d'aller chez le médecin, de payer des médicaments, des lunettes, tu seras coincée.

Comme il vit le visage devant lui se crisper, il jugea préférable de ne pas évoquer le coût de la pension de Clarisse à Douceville. Sinon la somme de ses dettes lui donnerait le vertige.

— Tu devras payer ta pension à compter de février. Pour le reste, je suis prêt à t'accorder une quittance.

«Me faire la charité», se dit la jeune fille. Évidemment qu'il lui faisait la charité, depuis le jour où il lui avait payé à souper pour la première fois à Douceville. Il n'avait pas cessé depuis. Ils se quittèrent sur un dernier «au revoir», sans échange de baiser cette fois.

Après une semaine, Odile en était venue à apprécier son existence dans la pension de mademoiselle Séguin. Enfant unique, élevée par des parents hostiles l'un à l'autre, elle considérait le voisinage de jeunes femmes de son âge comme une agréable nouveauté.

Ce fut donc avec plaisir qu'elle évoqua le sujet du film de l'après-midi. Les histoires d'amour compliquées, mais avec une fin heureuse, plaisaient à toutes.

— Parlant d'amour, intervint Adina, cet homme, cet après-midi, portait sur toi un regard très intéressé.

— C'est un ami de la famille.

— Oui, tu nous as déjà dit ça. Mais lui, est-il au courant?

Une conversation tenue dans la succursale bancaire de Douceville revenait à la mémoire de la jeune femme. Une étrange déclaration d'amour en fait, où il avait été question d'un petit chat errant. Soulignée par un baiser brûlant. Après ça, lors de chacune de leurs rencontres, Xavier avait affiché plus de retenue. Ses lèvres se posaient parfois sur les siennes, mais sans trop insister. Autrement dit, sans passion.

Odile demeurait cependant certaine que sa retenue ne signifiait pas la disparition de son désir.

— Il a été un prétendant de ma mère. Si elle lui avait dit oui, ce serait mon père.

Edith lui rappela une évidence :

— Si elle lui avait dit oui, tu n'existerais pas. Pour lui, tu es une jeune femme sans aucun lien de parenté.

Adina avait le chic pour formuler des vérités un peu troublantes :

— Peut-être souhaite-t-il se reprendre avec la fille, après avoir raté son coup avec la mère.

Heureusement, plus terre à terre, Reine demanda :

— Je l'ai trouvé élégant. Que fait-il dans la vie ?

— Il travaille à la Banque Royale. Un poste important, d'après ce que j'ai compris.

— Il est veuf ?

— Non, célibataire.

Il y eut un « Oh ! » de la part d'Adina, des sourcils levés chez toutes les autres. Quand un homme atteignait quarante ans sans jamais avoir été marié, un petit doute s'installait dans les esprits.

— Il y a certainement eu des femmes dans sa vie, murmura Edith.

— Je ne sais pas. Nous n'avons jamais abordé ce sujet.

— Même s'il a de l'argent, intervint encore Adine, il peut bien avoir des caprices de vieux garçon.

Au moment de monter, Odile Payant se demanda de quels « caprices » il était question. De son bel appartement dans l'ouest de Montréal ?

Le lundi 11 décembre, vers huit heures, Odile se présenta à la Banque Hochelaga. Pour l'occasion, elle avait revêtu sa jupe noire et son chandail gris, et par-dessus, son nouveau manteau. Elle trouva la porte fermée à clé. Quand elle frappa, un des commis vint ouvrir. Le blond, celui qui était plutôt grand.

— Bonjour, vous vous souvenez de moi ?

— Mademoiselle Payant, le patron nous a présentés il y a quarante-huit heures. Alors oui, je me souviens.

Il s'effaça pour la laisser entrer.

— De votre côté, vous souvenez-vous de mon nom ?

Il la précéda du côté de la grande salle réservée aux employés.

— Moi, je me cherchais un emploi. J'étais plutôt nerveuse.

— Alors, recommençons. Je m'appelle Polydore.

Odile accepta la main tendue.

— Et notre joyeux collègue s'appelle Sylvio.

Elle donna une seconde poignée de main.

— Je ne dirai pas la même chose du comptable. Vous vous souvenez du vieux monsieur bourru ?

Un hochement de tête pour dire oui.

— Il s'appelle monsieur Ménard. Je ne pense pas que le prêtre lui a donné un prénom lors de son baptême.

— Bazile. Dans son cas, je l'ai retenu, répondit Odile.

Son interlocuteur rit franchement. Il lui montra une porte étroite en disant :

— Vous pouvez mettre votre manteau et votre chapeau là-dedans.

La jeune femme rangea ses effets et ses couvre-chaussures près des autres. Elle remarqua les regards des deux commis sur elle. Ce genre d'attention lui rosit les joues.

— Monsieur Hamel est-il arrivé ?

— Non, mais il ne tardera certainement pas.

— Bon, je vais l'attendre.

Elle occupa la chaise placée devant sa table de travail. Cela n'allait pas décourager ses collègues.

— Nous pouvons nous tutoyer ? demanda Polydore.

À Douceville, si Aristide se permettait d'utiliser son prénom, il en était resté au vouvoiement. La grande ville semblait autoriser une plus grande familiarité.

— Oui, bien sûr.

— Tu habites Montréal depuis longtemps ?

Pendant les minutes suivantes, ils échangèrent des fragments de biographie. Soigneusement édités, dans le cas de la jeune femme, et des autres aussi, sans doute. Il était huit heures quarante-cinq quand le directeur Hamel montra le bout de son nez. Après des échanges de civilités avec les commis, il regarda la nouvelle en disant :

— Mademoiselle Payant, venez avec moi.

Pendant une heure, il lui décrivit ses tâches de la journée et de la semaine.

&

Xavier Blain allongeait ses présences à la banque depuis quelques jours. Cela signifiait qu'il demandait parfois à un restaurant des environs de la Royal Bank of Canada de lui apporter son repas du soir. Dans ces cas-là, il mangeait sur un coin de son pupitre, de grands registres sous ses yeux.

Ce mercredi, le superintendant des succursales, Gordon Towner, frappa sur le cadre de sa porte alors qu'il terminait sa tasse de thé. La surprise le fit sursauter.

— Moi qui me croyais tout fin seul dans la bâtisse, dit-il en désignant la chaise devant lui.

— Tu l'as été au cours de la dernière heure, mais Sir Herbert m'a téléphoné à la maison pour me ramener à mon devoir. Il ressent de petites inquiétudes pour la succursale de Moncton.

Towner posa un dossier au sommet d'une pile. Xavier le prit, parcourut des yeux le feuillet sur le dessus.

— De petites inquiétudes comme un directeur qui met une partie des épargnes des clients dans sa poche ?

— Pas à ce point-là. Tout de même, pourrais-tu faire un petit saut là-bas pour en être certain ?

— Un petit saut ? Mon dernier a duré des mois.

— Il aurait pu être plus court, non ?

Xavier hocha la tête. Son absence aurait dû être infiniment plus courte. En haut lieu, on l'avait laissé prendre le temps de renouer avec son milieu d'origine.

— Celui-là sera très court, continua le superintendant. Tu y vas, et tu reviens.

— Bon, je peux faire le trajet cette nuit, le temps de passer à la maison pour prendre une paire de bas de rechange.

— Et quelques autres vêtements, j'espère.

Xavier acquiesça de la tête en regardant la seconde page en diagonale.

— Je lirai tout ça en chemin.

— Tu peux laisser en plan ce que tu faisais ?

— Si Sir Herbert a attiré ton attention sur cette histoire en soirée, je suppose qu'il y voit une urgence. Je serais malvenu de le faire attendre.

⁂

Jules Hamel avait dit à sa nouvelle employée que le comptable souhaitait lui donner du travail de copie. Odile marcha vers la pièce du fond avec une certaine appréhension.

— Monsieur, vous vouliez me voir ?

— Oui, mademoiselle.

Du doigt, il lui désigna la chaise devant son bureau. Puis il lui tendit une liasse de feuillets.

— Pouvez-vous lire ça ?

Si d'emblée la question l'étonna, elle comprit au premier coup d'œil. L'écriture faisait penser à de petits coups de plumes sur le papier.

— Je peux y arriver pour les lettres. Mais je pense qu'une erreur sur les colonnes de chiffres portera à conséquence dans une banque.

— Vous avez raison. Alors je vérifierai ces premiers documents après votre travail. La prochaine fois, vous saurez certainement déchiffrer ces hiéroglyphes.

Si ce dernier mot lui était inconnu, elle en devinait le sens. Elle hocha la tête et quitta le bureau pour retourner à sa table de travail. Elle en était à la moitié de la première feuille quand Sylvio vint se pencher sur elle pour lui demander :

— Alors, notre ogre n'a pas formulé le désir de te dévorer ?

— Monsieur Ménard s'est montré très correct.

— Ah ! Il fallait une ingénue comme toi pour lui rogner les crocs.

Quand il regagna son guichet, Odile fronçait les sourcils. Cet homme ressemblait à tous les autres, lui semblait-il. Et il n'était certainement pas plus maussade que son propre père.

La vie à la banque prenait un cours confortable, comme ça l'était devenu à Douceville. Au sujet du travail effectué bien sûr, mais aussi de ses relations avec ses collègues. Chaque matin, Sylvio avait la responsabilité de déverrouiller la porte. Odile arrivait sur ses talons. Elle allait mettre son manteau et son chapeau dans la penderie, puis regagnait son poste. Parfois, elle se présentait si tôt qu'elle devait l'attendre un peu. Polydore, quant à lui, n'était jamais en avance – ni en retard.

De son côté, Jules Hamel se présentait toujours un peu avant neuf heures. La secrétaire lui laissait le temps de s'installer à son bureau, puis allait frapper sur le cadre de sa porte en demandant :

— Monsieur, je peux entrer ?

Leur premier entretien de la journée se déroulait toujours derrière une porte close. Les deux pupitres des commis étaient placés l'un en face de l'autre, ce qui favorisait la conversation. Conversation qui portait souvent sur la petite nouvelle...

— Qu'est-ce que tu penses d'elle ?

Polydore désigna la porte du patron des yeux.

— De notre couventine ? Comme toutes les couventines, elle est parfaite.

— Je te parle sérieusement : qu'en penses-tu ?

— C'est une gentille fille. Parfaite, je te dis. Au travail, et certainement à l'extérieur.

Après une pause, Sylvio demanda, sarcastique :

— Serais-tu sur le point de tenter ta chance ?

— J'ai vingt-trois ans, une bonne position…

Voilà qui ne témoignait pas de la plus grande passion. Mais tous les hommes responsables se faisaient exactement les mêmes réflexions. Mieux valait convoler à un âge raisonnable et offrir une honnête sécurité matérielle à l'heureuse épousée.

— Tu habites toujours chez ta mère. Tu la laisserais seule ?

La question contenait un sous-entendu un peu blessant.

— Comme je suis fils unique, il serait tout à fait inconvenant de le faire. Si je me marie un jour, elle demeurera avec moi.

— Dans ce cas, je suppose que notre chère Odile lui paraîtra un parti tout à fait convenable. Bien tournée, de beaux yeux gris…

Polydore fronça les sourcils.

— Tu en parles comme si elle t'intéressait aussi…

— Non, je pense qu'elle est trop sage pour moi. Même ma mère la trouverait trop sage.

Sur ces entrefaites, la jeune secrétaire sortit du bureau du directeur. Le regard de ses deux collègues sur elle la troubla. Une fois assise à sa table, discrètement, elle regarda le devant de sa robe, pour constater l'absence de tout accroc, de toute tache.

Elle mit une feuille sous le rouleau de la machine à écrire et commença à taper sa première lettre de la journée. L'obligation de tourner le dos à ses collègues masculins la gênait. Elle avait l'impression d'être soumise en permanence à leur examen.

Odile s'était familiarisée avec la succursale de la Banque Hochelaga et ses nouveaux collègues. Son patron, Jules Hamel, se révélait aimable et bienveillant. Elle soupçonnait que Xavier avait cherché quelqu'un possédant ces traits de caractère pour mieux la rassurer.

De son côté, la jeune femme se montrait invariablement polie et reconnaissante qu'on lui fournisse du travail. Toujours appliquée, elle apprenait rapidement ce qu'on attendait d'elle.

Le samedi après-midi, un peu avant la fermeture, le directeur sortit de son bureau avec de petites enveloppes. Contrairement à monsieur Latulipe, de la manufacture de vinaigre, il ne distribua pas les payes en fonction de l'ordre alphabétique, mais selon l'ancienneté. Bazile Ménard avait déjà eu la sienne.

— Sylvio…

Le commis s'approcha, puis ensuite Polydore.

— Et mademoiselle Odile !

Pour afficher un sens parfait des convenances, Hamel n'oubliait jamais de faire précéder son prénom du « mademoiselle ». Cette précaution servait aussi à la rassurer. D'un geste discret, elle regarda à l'intérieur de l'enveloppe pour voir des billets de un dollar et deux dollars émis par la Banque Hochelaga.

— Il ne s'est pas trompé, j'espère ? lui lança Sylvio tout en allant chercher son manteau dans la penderie.

Elle eut l'impression d'avoir été prise en faute.

— Non, bien sûr que non.

Tout de même, au moment de rentrer à la pension, elle s'arrêterait sous la lumière d'un réverbère afin de s'assurer que le compte y était. Cinq billets de deux dollars, et cinq de un dollar.

Afin de pouvoir communier à la grand-messe, Odile avait choisi de se priver de déjeuner. Même si sa dernière confession datait de quelques semaines, elle avait la certitude de n'avoir commis aucun péché grave. Elle descendit juste à temps pour se joindre à la petite procession de locataires allant vers l'église de l'Immaculée-Conception.

— Alors, où l'ami de la famille doit-il te sortir, aujourd'hui ? demanda Adina.

— Nulle part. Il a d'autres amis que moi.

— Dans ce cas, tu pourras te joindre à nous, dit tout de suite Edith.

Comme mademoiselle Séguin n'offrait pas les dîners, celles qui n'allaient pas manger avec leur famille ou un amoureux tendaient à se retrouver ensemble.

— Que ferez-vous ?

— Il y a un film de Buster Keaton au cinéma Electra, sur Sainte-Catherine. On ira prendre une bouchée dans les environs.

Depuis deux semaines qu'elle vivait à Montréal, Odile avait entendu parler de cet acteur comique. Elle accepta l'invitation avant d'avoir atteint le parvis de l'église.

À son retour chez lui après son expédition à Moncton, Xavier avait trouvé une carte dans sa boîte aux lettres pour l'inviter à souper chez les Turgeon le dimanche suivant. Aussi, il se présenta devant un bel édifice de pierres grises. L'appartement du rez-de-chaussée portait déjà deux plaques de laiton avec les noms et prénoms des praticiens. Le visiteur se surprit d'une pareille rapidité d'exécution, pour se rendre compte bientôt qu'on les avait rapportées de Douceville pour les fixer à cet endroit.

Évariste et Délia occupaient l'appartement du premier étage. Il y accéda par un escalier extérieur doté de jolies rampes en fer forgé. Plutôt qu'une domestique, ce fut Délia qui vint ouvrir la porte. Après les salutations, il remarqua :

— Je suis surpris de vous voir ouvrir vous-même.

— Notre personnel a préféré demeurer à Douceville.

Xavier savait que la cuisinière avait pris cette décision, il l'apprenait pour la bonne.

— La personne que nous venons d'embaucher en a plein les mains avec la préparation du repas. Ça me permet de mettre la main à la pâte, comme une jeune mariée !

Le ton trahissait un véritable amusement. Délia envisageait sa nouvelle existence comme une aventure. Elle le précéda dans le couloir. Le temps de faire trois pas et ils entrèrent dans le salon donnant sur la rue Sherbrooke. De grandes fenêtres permettaient de contempler les arbres du parc La Fontaine.

— Je vous laisse à ces messieurs et à Sophie. Moi, je dois retourner à la cuisine.

Évariste quitta son siège, la main tendue, en disant :

— Bienvenue dans notre nouveau logis.

— Vous l'appréciez ?

— Oui, mais c'est un jugement encore bien superficiel.

Il tourna sur lui-même, comme pour regarder les meubles trop gros et trop lourds pour cette pièce.

— Nous sommes ici depuis trois jours seulement. S'il n'y a pas de boîtes dans le salon ou dans la salle à manger, c'est que nous avons payé quelqu'un pour ranger. Il faudra tout réaménager pour que cet espace devienne convenable. Je vous prépare un martini ?

Le visiteur acquiesça. Son hôte gardait le même enthousiasme pour ce cocktail. Pendant ce temps, Georges vint lui serrer la main à son tour.

— Je suppose que de nombreux dossiers s'étaient entassés pendant ton absence...

— Jusqu'au plafond. En plus, j'ai passé une partie de la semaine à Moncton.

Il passa un moment à évoquer cette excursion. Bientôt Sophie vint les rejoindre dans le salon, avec sa fille dans les bras et son fils marchant trois pas derrière. Xavier apprécia la robe bleue et les cheveux bien coiffés. Chaque fois qu'il la voyait, il la trouvait séduisante.

Il y eut un échange de salutations, puis Olivier annonça :

— Je vais aider dans la cuisine.

— Essaie juste de ne pas nuire, ça sera suffisant...

La recommandation maternelle lui tira un haussement de sourcil. La femme s'approcha du visiteur pour dire :

— Elle veut dire bonjour à son parrain.

Elle lui mit Clémence dans les bras. C'était devenu une habitude, car elle s'amusait de son malaise. Xavier la tint comme s'il avait peur de la laisser tomber. Il y eut un échange de gazouillis inintelligibles, sauf pour les principaux intéressés. Ensuite, il demanda à la mère :

— Tu es satisfaite ?

Vague à souhait, la question permettait diverses interprétations. Toutefois, tous les deux n'avaient qu'un sujet en tête. Sophie eut un petit sourire en disant :

— Je me sens plus en sécurité.

Georges tendit un martini à son ami et un verre d'eau minérale à sa femme.

— En haut, êtes-vous déjà bien installés ? demanda Xavier.

— Pas vraiment, dit Sophie.

— Mes parents possédaient tous les meubles, sauf ceux de notre chambre à coucher et de celle des enfants. Nous avons fait le tour des magasins, ces derniers jours, sans avoir rien trouvé. Au point où nous prenons nos repas ici, et ce sera le cas pour quelques jours encore. Autrement, nous devrions nous asseoir sur le sol, précisa Georges.

Pendant un moment, ils discutèrent des meubles offerts dans le grand magasin Valiquette. Puis Délia vint annoncer que le repas était prêt. Pour accéder à la salle à manger, il fallait ouvrir les portes coulissantes la séparant du salon. Au passage, la maîtresse de maison murmura au visiteur :

— Soyez indulgent…

Une femme d'une cinquantaine d'années poussant une desserte apparut bientôt dans l'entrée de la pièce.

— Je vais vous aider, dit Sophie.

Puis elle ajouta à l'intention de sa belle-mère :

— Asseyez-vous, Délia.

— Voyons, je peux m'en occuper.

— Nous abusons déjà beaucoup de votre hospitalité, laissez-moi me rendre utile.

La cuisinière se prénommait Géraldine, apprit bientôt Xavier. Le coût d'établissement d'une nouvelle clinique médicale fit ensuite les frais de la conversation.

⁂

Après le repas, les convives se déplacèrent vers le salon pour un digestif et un brin de conversation. On en était à échanger sur le déplacement prochain de l'hôpital Notre-Dame à quelques pas de là, juste à l'est de la rue Plessis. Évariste déclara en quittant son fauteuil :

— Attendez-moi un instant, je vais vous montrer quelque chose.

Il revint bien vite avec une copie de *La Presse* du samedi précédent. En première page du supplément illustré, sous une mosaïque présentant plusieurs notables, parmi lesquels figurait une grande majorité de médecins, une illustration montrait une élévation d'architecte d'un grand édifice. Et en guise de titre, « L'édifice projeté de l'hôpital Notre-Dame ».

— Impressionnant, remarqua le visiteur.

— N'est-ce pas ?

Le vieux praticien ne dissimulait pas son enthousiasme, comme un jeune homme heureux d'entamer une carrière. Xavier chercha le regard de Georges. Il gardait un air maussade, comme si le plaisir de son père le blessait. En tout cas, son attitude démontrait que l'esprit d'aventure n'était pas passé du père au fils.

— Les fondations doivent être creusées dès l'été 1923 et son ouverture est prévue pour l'année suivante.

— Moi, ce qui m'étonne un peu, commenta Délia à l'intention du visiteur, c'est que vous connaissiez déjà ce projet l'été dernier.

— Le conseil d'administration recherche du financement depuis deux ans, maintenant. Pour une entreprise de cette envergure, il faut amasser une véritable fortune.

Plus tard, Sophie finit par évoquer la nécessité de mettre les enfants au lit. Olivier exprimait sa fatigue en se faisant un peu bruyant. Clémence, quant à elle, dormait déjà profondément dans les bras de sa mère. Sophie s'attarda un moment afin de permettre au parrain de dire un mot à sa filleule. Elle lui dit à voix basse :

— Si l'envie d'aller dans un salon de thé te tenaille, pense à moi. Mais pas tout de suite, nous n'avons encore embauché personne, et cette jeune fille ne se garde pas toute seule.

— Je t'inviterai certainement, dès que tu pourras te libérer. Fais-le-moi savoir.

Même en décembre, inutile de mettre un manteau ou des couvre-chaussures pour rentrer chez eux : il suffisait de sortir sur le balcon et d'emprunter la porte voisine afin de se rendre à l'étage. Georges alla ouvrir la porte à sa femme, puis il s'adressa à Xavier :

— Les Turgeon vont prendre beaucoup de ton temps, maintenant. Que dirais-tu de manger avec moi, un midi de cette semaine ? On pourrait faire ça dans les environs de la banque.

— Quand tu voudras. Avertis-moi seulement quelques heures à l'avance, pour que je me réserve assez de temps.

Ce fut à son tour de s'engager dans l'escalier conduisant à l'étage supérieur, en tenant la main de son fils. Xavier se retourna vers Évariste et Délia en disant :

— Je vais rentrer aussi.

Le couple insista juste un peu pour qu'il reste encore. Si peu que cela ressemblait bien à une invitation à partir. Le vieux médecin alla chercher son manteau et son chapeau déposés dans une chambre. Pendant ce temps, Délia posa sa main sur l'avant-bras de son visiteur en disant:

— Xavier, nous comptons sur votre présence le 24 décembre, pour le réveillon.

— C'est très gentil de votre part, mais il s'agit d'une fête familiale.

— Justement. Tout le monde doit se trouver en famille ce jour-là. Après tout, nous avons un engagement commun envers une petite fille.

Juste à ce moment, une voix vint du couloir.

— Si cela ne suffit pas à vous convaincre, vous devez bien ça à celui qui vous a recousu.

Xavier ne put qu'accepter. Après des souhaits de bonne nuit, il quitta les lieux à son tour, pour rentrer à pied. Au moment de croiser l'intersection de l'avenue du Parc-La Fontaine, il songea à Odile.

Chapitre 5

Odile était revenue à la pension satisfaite de son après-midi ; du hot-dog mangé en vitesse aux films vus avec ses amies. En effet, il y avait eu plusieurs films, car ceux de Keaton duraient environ vingt minutes chacun. *The Blacksmith*, *The Frozen North*, *The Bad Man* et *The Electric House* figuraient au programme. Ces films avaient meublé les conversations pendant toute l'heure du souper. Les commentaires de celles qui les avaient vus étaient enthousiastes, mais mitigés chez tous les autres. Les hommes, surtout, se posaient en experts : Édias, Origène et Israël.

Le repas terminé, le dernier de ces messieurs avait suggéré :

— Ce soir, il y a un concert sur les ondes de la CKAC. Si vous le voulez, je vais chercher mon poste de TSF pour vous permettre de l'entendre.

— Tu veux dire que nous allons nous passer des écouteurs de l'un à l'autre ? demanda Édias.

Cette perspective ne paraissait pas le réjouir. Si des haut-parleurs munis d'un grand cornet semblable à ceux des gramophones existaient bien, d'habitude, on écoutait la radio avec des écouteurs rappelant ceux d'un téléphone.

— Des gars au bureau m'ont parlé d'un moyen… Je reviens.

Israël quitta son siège pour aller frapper à la porte de la cuisine. Quand mademoiselle Séguin ouvrit, il lui demanda :

— Avez-vous un grand bol de cristal ? Je suppose que ça fonctionne aussi avec du verre.

— Comme un bol à soupe ? Ou à salade ?

— Non, ça doit être assez grand. Comme ça, précisa-t-il avec ses mains. C'est pour écouter la radio.

Il lui montrait un cercle d'une bonne douzaine de pouces.

— Pour écouter la radio ?

L'homme hocha la tête pour dire oui. Finalement, la curiosité l'emporta.

— J'ai un grand bol à punch.

Bientôt, elle lui remit un contenant en verre taillé. Il le posa au milieu de la table et demanda :

— Tu viens m'aider, Origène ?

Les deux hommes se dirigèrent vers la pièce double donnant sur la rue à l'étage. Pendant leur absence, Odile murmura :

— Les trois lettres, TSF... Qu'est-ce que ça signifie ?

— Télégraphie sans fil, dit Édias. C'est un appareil radio. Et CKAC, c'est l'indicatif du poste du journal *La Presse*.

CKAC, pour Canada Kilocycle America-Canada. La station avait été fondée au mois de mai précédent et elle présentait une programmation régulière depuis septembre. Des stations émettaient déjà aux États-Unis. Par beau temps, on pouvait même les capter à Montréal. Chaque jour, l'horaire des émissions était publié dans les quotidiens, et de nombreuses annonces proposaient des appareils de réception.

Les deux hommes revinrent avec un appareil gros comme une petite caisse, une batterie et une paire d'écouteurs. Ceux-ci allèrent au fond du bol. Lorsqu'ils eurent tout branché et manipulé quelques boutons, des bruits étranges se firent entendre, puis une voix :

— Madame Germaine Meloche-Marquette va nous interpréter *Historiettes* au piano.

Tout le monde s'approcha pour entendre. Le son sortait des écouteurs et se propageait dans le contenant de verre, aigrelet, mais tout à fait audible. Il y eut des Oh ! et des Ah ! Ils purent s'extasier aussi devant les prouesses de la soprano Blanche Archambault, du baryton Hercule Lavoie et du violoncelliste S.-G. Lortie.

Après une heure, le son se fit inégal, puis se perdit tout à fait.

— Ça, c'est la batterie qui se meurt.

Il y eut un soupir de déception. Les hommes ramenèrent l'appareil dans la chambre d'Israël. Puis tous les couples se retirèrent. Il ne resta que quelques jeunes filles dans le salon.

— Je n'avais jamais entendu une radio auparavant, admit Odile.

Pour une fois, Adina ouvrit la bouche pour autre chose que se moquer :

— Moi, j'ai entendu la TSF au magasin. Ils ont fait une petite démonstration pour les employés. Pas dans un grand bol, mais en se passant les écouteurs de l'un à l'autre.

Pour toutes les autres, c'était aussi une première. Adina continua :

— Si Israël et sa femme sont encore dans une maison de chambres, c'est sans doute à cause de cette radio. Ce modèle-là, c'est vingt semaines de mon salaire. Ou huit mois du coût d'un beau loyer de six ou sept pièces.

Plus de trois cents dollars en fait. Elles convinrent toutes que cet appareil ne serait pas pour elles avant longtemps. Peut-être même jamais.

Après un long silence, Edith demanda :

— Resterez-vous ici à Noël, comme moi ?

Ce serait effectivement le cas pour Adine, Reine et Delphine. Celles qui demeuraient sur place tous les dimanches.

— Mademoiselle Séguin va certainement nous préparer un réveillon. Elle l'a fait l'an dernier.

— Je serai aussi ici le 24 décembre, remarqua Odile. Le lendemain, par contre, j'aimerais faire l'aller-retour à Douceville, pour voir ma mère.

Elles seraient donc cinq avec leur logeuse à essayer de s'inventer une famille pour l'occasion.

Quand elle monta à l'étage, Odile s'arrêta chez Edith pour continuer un moment la conversation. Un fil tendu en travers de la chambre supportait quelques vêtements. Elle s'excusa en les enlevant très vite.

— Ne t'en fais pas, c'est pareil chez moi.

La jeune Irlandaise l'avait compris, puisqu'une journée avec la robe succédait toujours à celle avec le chandail gris et la jupe noire. Sa garde-robe était à peine un peu plus riche.

— Comme nous sommes de la même taille, nous pourrions nous prêter nos vêtements.

Après une hésitation, Edith ajouta :

— Pas les dessous, évidemment.

Cet échange permettrait à Odile de se montrer autrement qu'avec du noir ou du gris. Le deuil ou le demi-deuil, pour son père, avaient duré bien assez longtemps.

Pour accéder au dernier étage de l'immeuble acheté par les Turgeon, il fallait utiliser un escalier donnant sur le balcon du premier. En arrivant en haut, Georges alluma l'électricité, révélant une pièce qui serait éventuellement la salle à manger. Comme il ne s'y trouvait aucun meuble pour l'instant, la petite famille prenait ses repas dans la cuisine, deux personnes à la fois, car les chaises étaient comptées.

— Va mettre Olivier au lit, je m'occupe de la petite.

Sophie évoquait le changement de couche, la mise du pyjama, et surtout l'allaitement.

Quand Georges revint dans la chambre, il remarqua :

— Parfois, j'ai l'impression que mon père retombe en enfance. Tu l'as vu avec son journal ? Comme s'il avait vingt ans et qu'il commençait sa carrière.

Sophie était assise dans une grande chaise berçante, le devant de sa robe détaché, les pans écartés. Elle rappelait les madones de la Renaissance.

— Dans ce cas, peut-on dire que tu tombes en vieillesse ? Toi, on dirait que tu en as soixante-cinq, tellement vivre de nouvelles expériences te trouble.

L'homme accusa le coup.

— Il a choisi de quitter Douceville, pas moi.

Sophie arriva difficilement à garder son calme. Heureusement, avec un poupon dans les bras, elle ne pouvait faire de grands gestes ou élever la voix.

— Quand tu es venu me rejoindre à Medford en 1914, il me semble t'avoir dit que me ramener à Douceville ferait peser sur moi une menace constante. À l'époque, tu paraissais résolu à tout faire pour m'éviter ça.

Pendant un long moment, tous les deux se défièrent du regard. La bonne volonté affichée dans les environs de Boston résistait mal à l'épreuve des faits. À la fin, Georges baissa les yeux en disant :

— Tu sais que je n'aime pas ce genre de changement. Je ne me suis jamais senti à l'aise à l'hôpital Sainte-Elizabeth.

Il faisait allusion à l'hôpital américain où il avait travaillé. Voilà qui ne ressemblait pas à des excuses pour l'humeur affichée depuis un mois.

— Le seul endroit où tu te sens à l'aise, c'est celui où je ne peux pas habiter.

— Nous habitons Montréal, maintenant, déclara-t-il en s'asseyant sur le lit, en face d'elle. J'ai voulu faire ma vie avec la première femme que j'ai aimée, et dans un endroit que j'aime depuis toujours.

L'homme présentait maintenant un air un peu contrit.

— Tu ne peux avoir les deux.

— J'ai abandonné Douceville.

— Si tu le faisais avec une meilleure grâce, cela rendrait la chose plus facile. Non seulement pour nous deux, mais pour Olivier. Lui aussi se trouve confronté à un nouvel environnement.

Puis elle ajouta en baissant les yeux sur sa fille :

— Même elle doit sentir la tension qui règne dans la maison. Bon, maintenant tu devrais te coucher. Moi, j'en ai encore pour quelques minutes.

Il se glissa sous les couvertures et elle prolongea plus que nécessaire son tête-à-tête avec sa fille.

Parce qu'il ne comptait jamais ses heures de travail, Xavier s'autorisait parfois des absences prolongées à l'heure du dîner. Ce lundi-là, il descendit du tramway rue Sainte-Catherine, coin Saint-André. Au magasin Dupuis Frères, il s'adressa au premier vendeur rencontré pour demander où était la « salle ecclésiastique ». Comme l'autre l'examina de la tête aux pieds, sceptique, il précisa :

— Je ne suis pas l'ecclésiastique, je suis son invité.

L'argument suffit à rendre l'employé plus affable. Il lui indiqua les bureaux administratifs, au dernier étage. Xavier dut demander son chemin une seconde fois avant de frapper à une porte. Ce fut l'abbé Calixte Lanoue qui vint lui ouvrir.

— Ah ! Te voilà enfin, dit-il en tendant la main.

Puis il l'invita à entrer dans une pièce minuscule. À l'intérieur, madame Curé se leva péniblement de son siège pour tendre sa joue.

— Vous aimez la grande ville, madame ?

— Tout le monde parle juste de ça : la vie moderne des grandes villes. Faut ben que je vienne voir c'est quoi.

— Et puis, votre verdict ?

— J'aime ça. J'aurais mieux apprécié à vingt ans, je pense. Asteure, les belles toilettes m'font pas aussi ben.

— Mais je me souviens de vous à trente ans, et là…

Xavier arrondit les yeux pour mimer la gourmandise. Le rire de son interlocutrice ressembla à un gloussement.

— Toé, à parler d'même, fallait vraiment que la Gauvin soit stupide pour pas se laisser enfirouaper.

Gauvin, le nom de jeune fille de Clarisse Payant.

— Ça, ça veut dire qu't'as été mauditement chanceux, parce que si elle t'avait dit oui…

« Ma vie aurait été plus misérable encore. » Il y eut un silence inconfortable, typique de la gêne éprouvée quand quelqu'un était allé trop loin.

— Bon, dit Calixte, je leur fais signe que nous sommes prêts.

L'instant d'après, l'ecclésiastique revenait.

— J'espère que le menu te conviendra. On n'offre pas de nombreux choix, ici.

Xavier lui assura que tout le satisferait.

— Alors c'est ça, la salle ecclésiastique de Dupuis Frères, dit Xavier. L'endroit qui permet aux membres du clergé de se sustenter sans se mêler aux humbles mortels.

Si la présence de ce salon dans ce grand magasin était connue, peu de gens y avaient accès.

— Pas rien que ça. Nous pouvons donner une liste de nos achats, et quelqu'un se charge d'aller tout chercher dans les rayons. Pas juste de longs caleçons pour l'hiver, mais des vêtements ecclésiastiques, de la vaisselle sacrée…

Il évoquait les calices, les ciboires et tout le reste. La conversation se poursuivit sur les excellentes relations entre l'Église et le grand magasin des Canadiens français. Une femme frappa à la porte et entra en poussant une desserte. Quand le premier service fut sur la table, Xavier demanda :

— Tu arrives facilement à prendre des congés pour une journée ?

— Pour une journée, oui. J'avertis le curé de Notre-Dame-Auxiliatrice et je demande à la téléphoniste de lui transmettre tous mes appels. Avec un peu de chance, les malades retarderont leur décès jusqu'à demain. Sinon, mon collègue se dévouera.

— Moi, dans des circonstances semblables, je le retarderais de trente ans, juste pour te rendre service.

— Voilà un bon chrétien, ricana Calixte. Plus sérieusement, prendre congé pour plus d'une journée, c'est très difficile.

Le second service succéda au premier, ils comparèrent les obligations des curés et des banquiers, pour conclure que les différences n'étaient pas si grandes. Après tout, il s'agissait de fouiller la vie intime des gens.

Puis Xavier changea de sujet :

— Tout à l'heure, madame Lanoue parlait de Clarisse… Elle se porte bien ?

— Elle a emménagé un mardi, et le mercredi, elle arrivait au presbytère en furie. Selon elle, tu serais l'homme le plus cruel depuis Attila le Hun.

— Je la loge et je la nourris.

— Dans un couvent. Ce ne serait pas assez bien pour madame…

— Pourtant, elle n'a certainement pas connu mieux depuis longtemps.

Son interlocuteur en convint facilement. Les bons et les mauvais côtés de la vie parmi les religieuses les retinrent un moment, puis madame Curé voulut satisfaire sa propre curiosité :

— Comment va la petite ?

— Elle travaille depuis une semaine dans une banque pas très loin d'ici, rue Sainte-Catherine. Elle a une chambre dans une jolie petite pension.

— Ça, je veux ben. Mais avec toé ?

Venant d'une autre, la question lui aurait paru très intrusive. Cependant, il ne doutait pas de la bienveillance de madame Lanoue.

— Je la sors la fin de semaine. Et elle s'est prise d'un certain engouement pour la bibliothèque municipale.

— Cette banque, c'est un bon emploi ? voulut savoir le curé.

— Je l'ai recommandée à un directeur bienveillant. Le salaire est tout à fait convenable.

Ils passèrent une heure à échanger encore sur divers sujets. Des festivités de fin d'année aux produits que madame Lanoue désirait acheter avant de reprendre le train vers Douceville.

Odile était assise sur une chaise dans le bureau de son patron, un bloc de sténo dans les mains. Comme elle ne connaissait pas cette méthode, il lui servait seulement à prendre des notes. Jules Hamel lui donnait la liste des meilleurs clients de la succursale, ceux à qui il convenait d'envoyer une carte de vœux.

Quand il eut terminé, il demanda :

— Alors, mademoiselle Payant, aimez-vous travailler ici ?

— Beaucoup. Je vous remercie, cela tient à votre bienveillance.

Il lui sourit, conscient qu'un patron moins patient lui aurait rendu la vie difficile.

— Il y a tant de choses que j'ignore encore, admit-elle.

— Et tant de choses que vous avez déjà apprises depuis votre départ de l'école.

Odile le remercia d'un geste de la tête, certaine que son émotion aurait rendu sa voix inintelligible. D'ailleurs, elle s'accorda quelques secondes avant de lui dire :

— Je vous apporte les cartes à signer, ensuite je m'occuperai d'adresser les enveloppes.

— Vous ferez ça demain matin, répondit le patron en lui désignant des yeux la pendule posée sur une tablette. Si vous vous rendez au bureau de poste avant midi, elles arriveront à temps.

— Je le ferai en arrivant. Il ne faut pas tarder, après tout, il reste exactement une semaine avant Noël.

Un bref instant, elle regretta de paraître lui faire la leçon. D'ailleurs, il le comprit bien ainsi.

— Merci de me rappeler à l'ordre.

Heureusement, son sourire disait son amusement, pas sa colère.

— Maintenant, vous pouvez partir.

Lui-même quitta son siège pour aller chercher son chapeau accroché à une patère, puis il endossa son manteau. Odile quitta le bureau pour aller ranger son bloc. En se dirigeant vers la porte, il dit encore :

— Sylvio, je te laisse le soin de fermer. À demain tout le monde.

Avec ses employés masculins, il utilisait les prénoms et les tutoyait. La jeune femme se demanda si le fait qu'il demeure plus formel avec elle devait l'inquiéter. Quand il fut parti, Sylvio remarqua :

— Moi non plus je ne veux pas m'attarder. Alors, ouste.

Odile alla vers la penderie pour mettre son chapeau et son manteau, puis elle passa dans la section réservée aux clients pour enfiler ses couvre-chaussures. Polydore la rejoignit bientôt pour faire la même chose.

— Je peux marcher avec toi, Odile ? Je pense que tu vas vers le nord, toi aussi.

L'instant suivant, tous les deux sortaient en disant au revoir à leur collègue.

— Je pense que si nous empruntons la rue Amherst, nous arriverons tout près de chez toi.

Ainsi, il s'était arrangé pour connaître son adresse.

— Oui, tu as raison.

Au nord de la rue Sherbrooke, Amherst devenait l'avenue du Parc-La Fontaine. Ils marchèrent quelques minutes en silence, puis elle dit :

— Monsieur Hamel me paraît très gentil.

— Comme patron, on trouverait difficilement mieux.

— Tu travailles pour lui depuis longtemps ?

— Plus de trois ans. La banque, c'est mon deuxième emploi. Après l'école, j'ai d'abord travaillé dans un magasin. Toi, tu as travaillé dans une succursale de la Banque Royale ?

— Quelques mois.

— Pour un parent, je pense…

Décidément, il s'était livré à une véritable enquête. Ces informations ne pouvaient venir que de Hamel, le directeur. Déjà, sa relation avec Xavier lui valait de nombreuses questions à la pension. Maintenant, il en irait de même au travail.

— Un ami de ma mère.

Cette présentation pouvait prêter à de nombreuses interprétations. Elle décida de se faire explicite.

— En réalité, il a déjà été son fiancé, elle a rompu avec lui. Quand il est revenu à Douceville, il nous a aidées. Actuellement, il paye même sa pension chez les religieuses.

— Il s'agit de ton…

La jeune fille mit un moment avant de comprendre.

— Franchement, dit-elle avec un peu de colère, tu lis trop de feuilletons dans les journaux. Il ne s'agit pas du *Capitaine Fracasse*.

Pourtant, elle jugea utile de préciser :

— Quand j'ai été conçue, il vivait depuis longtemps aux États-Unis.

— Je m'excuse. Je ne voulais pas dire que…

Pourtant, c'était exactement le sens de son sous-entendu. Heureusement, ils arrivaient à la rue Sherbrooke.

— Après, c'est la rue Cherrier, dit-il. Moi je vais à gauche, vers Mentana.

— Pour moi, c'est tout droit.

Quand ils furent à l'intersection, le jeune commis commença :

— Je te remercie de m'avoir accompagné.

— C'est plutôt à moi de le faire.

Le ton de la jeune fille trahissait un certain amusement.

— Si tu veux faire le trajet avec moi, nous pourrions nous rejoindre ici, le matin.

— Je ne sais pas…

— Préfères-tu que je m'abstienne ?

Après un moment de réflexion, elle murmura :

— Je serai là.

Ils se quittèrent sur un « au revoir ». Odile continua vers sa pension, songeuse. Polydore voulait être son ami. Tout comme Edith ou Reine. Et peut-être même Adina, malgré son attitude désagréable. Son emménagement à Montréal lui procurait toutes sortes de nouvelles expériences.

Georges Turgeon se manifesta dès le mardi. Pareil empressement témoignait certainement de ses préoccupations. Quand il téléphona le matin, le banquier lui donna l'adresse d'un restaurant de la rue Saint-François-Xavier. Il le rejoignit à midi. Après l'échange de poignées de main, ils passèrent leur commande. Puis il demanda :

— Alors ?

Ce simple mot déclencha un long monologue.

— Présentement, j'habite dans un appartement sans meubles, au-dessus d'une clinique sans meubles.

Il énuméra par le menu tout ce qu'il lui faudrait acheter afin de retrouver le confort lui étant familier.

— Toutes des choses que ton père a mises à ta disposition jusqu'à maintenant. Tu devrais t'estimer chanceux de l'avoir eu aussi facile.

La remarque laissa son interlocuteur interdit. Xavier venait de lui rappeler sans ménagement qu'à trente-cinq ans, il en était à meubler un premier logis. Son désarroi à l'idée de quitter la maison paternelle était tout à fait puéril. Pendant un moment, tous les deux mangèrent en silence.

— Je ne suis pas comme toi, dit enfin le jeune médecin. Tu es parti de Douceville à dix-huit ans avec quelques dollars, pour revenir en banquier prospère ! J'ai eu besoin de mon père.

Un besoin toujours présent chez lui.

— À partir du moment où j'ai décidé de vivre, après que ton père m'a recousu le poignet, il ne me restait qu'à chercher une façon de m'en sortir. Finalement, le cours commercial des frères des Écoles chrétiennes s'est révélé très utile.

Il s'en serait sans doute sorti aussi bien avec les humanités latines, ou un cours technique. Une question de détermination. Georges se révélait beaucoup moins apte à tirer son épingle du jeu. Peut-être parce que depuis sa naissance, il avait été protégé de l'adversité.

— Tu as fait des démarches auprès de l'hôpital Notre-Dame ?

— Il y a dix jours, au téléphone d'abord. Puis en personne à la fin de la semaine dernière.

— Alors ?

— La directrice est une vieille hospitalière un peu édentée. Je pense qu'elle me soupçonnait des pires péchés lors de notre première rencontre. Après tout, j'ai vécu aux États-Unis. Je suppose qu'elle a contacté Lanoue et que le curé a témoigné de ma bonne moralité, car le lendemain je parlais au directeur médical, le docteur Ducharme. Imagine un Jean-Baptiste très myope.

Devant le regard intrigué de son ami, il évoqua une tête blonde bouclée, avec des verres épais.

— Il est passé par les hôpitaux de Paris. Il s'est montré disposé à faire une petite place à quelqu'un passé par Boston.

— Si petite, la place ?

— Travailler dans un hôpital ne rapporte pas grand-chose. Mais ça rendra infiniment plus facile la composition d'une clientèle privée. Ça, et aussi ma carte professionnelle reproduite dans les quotidiens. Même ceux publiés en anglais.

Ainsi, il ne faisait pas que pleurnicher sur ses aménagements domestiques, il prenait les moyens d'assurer sa subsistance.

— Et dans le cas de ton père ?

— Lui, il va se contenter de l'annonce. Ensuite, il entend relancer tous ses confrères parmi les Chevaliers de Colomb et même se joindre à la Société Saint-Jean-Baptiste.

Xavier imaginait sans mal Évariste distribuant sa carte aux diverses personnes croisant son chemin. Sympathique, il ne mettrait sans doute pas trop de temps à se former une clientèle.

— Je pense que ces stratégies valent aussi pour toi.

— Pour élargir les chances de succès, je devrais peut-être me faire franc-maçon.

— Ou mieux encore, devenir membre d'un club de golf. Tu y as pensé, à Douceville… Au bureau, des collègues parlent de celui de Saint-Lambert.

La conversation se poursuivit sur ce ton pendant de longues minutes. À la fin, Georges paraissait plus optimiste. Xavier se sentit autorisé à s'informer des autres membres de la maisonnée.

— Vous avez pu trouver une école pour Olivier ?

— En septembre, l'expérience des frères des Écoles chrétiennes de Douceville a été éprouvante pour lui. Sophie lui a déniché une école des sœurs de Sainte-Croix. Il recommencera en janvier.

— Je suppose que les religieuses sont un peu moins effrayantes que les religieux. Et Sophie ?

— Son sourire ne quitte plus jamais son visage. Même quand elle me voit soucieux.

En disant cela, il présentait un visage exagérément optimiste. Xavier grimaça devant cette façon de présenter les choses. Ramener sa femme à Douceville cinq ans plus tôt avait été faire preuve de négligence ; lui tenir rigueur de sa satisfaction d'échapper à des rumeurs assassines s'avérait pire encore. Après ça, il trouva très vite un motif pour retourner au bureau.

Chapitre 6

Jeudi matin, quand Jules Hamel entra dans la banque, il tourna sur lui-même dans la salle réservée aux clients. Un homme qui se tenait devant le guichet lui dit :

— Pensez-vous la même chose que moi ? Ça fait chenu.

— Pardon ?

— Tous les commerces de la rue sont décorés, sauf ici.

— Maintenant que vous me le dites, je constate que vous avez raison.

Le client sortit bientôt. En passant dans la section des employés, Hamel entendit Sylvio lui dire, gouailleur :

— Patron, il ne vous l'a pas envoyé dire ! Même les protestants décorent. C'est comme si notre banque appartenait à des Juifs !

Cette façon de présenter la situation amena le directeur à prendre une décision sur-le-champ.

— Mademoiselle Odile, êtes-vous occupée ou très occupée ?

— Je suis très occupée, mais je peux l'être un peu plus, si vous voulez me confier une tâche supplémentaire.

— Ah ! Mademoiselle, vous êtes imprudente. Je pourrais bien vous demander de faire le ménage ici tous les soirs et économiser sur votre dos.

Comme elle écarquillait les yeux, il éclata de rire.

— Vous allez accompagner Polydore chez Dupuis pour acheter un sapin et des décorations.

Hamel sortit de l'argent de sa poche pour le remettre au garçon.

— Je serai seul à travailler au guichet, aujourd'hui ? protesta Sylvio.

— Même si ça fait longtemps, je dois encore être capable de m'occuper de retraits et de dépôts, répondit le directeur. Alors si les clients arrivent en foule, vous viendrez me chercher.

Les deux employés ainsi envoyés en mission allèrent chercher leur manteau et leur chapeau dans la penderie. Quand ils furent dehors, Odile demanda :

— Il y a des sapins à vendre chez Dupuis ?

— Les propriétaires laissent des cultivateurs s'installer sur le trottoir devant leur porte.

Tous les deux passèrent quarante minutes à choisir des boules, des glaçons et des guirlandes, comme un véritable couple. La jeune femme prit beaucoup de plaisir à cet exercice, une première pour elle. Au retour, Polydore porta le sapin acheté d'un cultivateur en plus d'un sac de décorations de Noël, et sa compagne, deux autres sacs.

Toute la matinée se passa à monter cet arbre. Un vieux seau à charbon rempli de terre – le sol ne gelait pas dans la cave – servit à le faire tenir droit. À la fin, ils se mirent à quatre pour y placer les décorations. Quand Odile monta sur une chaise pour parer les branches les plus hautes, Sylvio se fit un plaisir de lui tenir les hanches.

— Un accident est si vite arrivé, prétexta-t-il, je doute que les assurances de la banque couvrent les membres cassés en faisant l'arbre de Noël.

Le contact fit rougir la jeune femme, mais elle n'osa protester. Ce fut Polydore qui intervint :

— Tout de même, certaines choses ne se font pas.

— Oh! Un chevalier servant, ricana Sylvio.

Plus tard dans la journée, quand les deux employés furent hors de portée de voix de la jeune femme, Sylvio dit à Polydore d'un ton bien peu amène:

— Coudon, as-tu pris un titre de propriété?

— Ce genre de familiarité est dégradant.

Comme Odile sortait du bureau du directeur à ce moment, Sylvio préféra en rester là.

✥

Quand Odile passa à table en soirée, l'une de ses voisines, Reine, demanda:

— Ton nouveau chevalier servant continue-t-il de t'escorter soir et matin?

Elle reprenait exactement les termes de Sylvio. À vivre au milieu d'une dizaine de jeunes femmes, il était impossible que personne ne remarque la présence d'un garçon à ses côtés depuis le lundi précédent.

— Il s'agit d'un collègue, tout bonnement.

— Moi, aucun collègue ne m'escorte ainsi, commenta Adina.

— Il habite sur Mentana, c'est à deux pas d'ici. J'aurais l'air de quoi si je faisais un détour pour éviter de le croiser?

Mademoiselle Séguin arriva à ce moment pour poser la soupière au milieu de la table.

— Vous avez rencontré quelqu'un, Odile?

— Il s'agit de mon collègue.

Le rouge sur ses joues convainquit la propriétaire de changer de sujet. L'attention de la petite communauté se porta sur une autre locataire. Henriette s'était présentée avec un exemplaire de *La Presse*.

— Tu sais qu'elle ne veut pas que nous lisions à table, remarqua Reine à voix basse.

— Il paraît que ça fait mal élevé, renchérit Adina. Tu sais, si un jour nous allons souper avec des gens de la haute, il faut tenir le petit doigt en l'air, éviter certains sujets et, surtout, ne pas lire.

— Ce n'est pas pour lire.

Cependant, elle ouvrit le journal, le plia en quatre pour le poser sur la table.

— Vous croyez que c'est moi ?

Elle leur montra la photographie d'une femme dont tout le haut du corps était caché par un parapluie. Au-dessus, il y avait un titre : « Portiez-vous ce costume ? » Devant l'air intrigué des autres locataires, elle précisa :

— C'est un concours. La personne qui se reconnaît gagne cinq dollars.

— On ne voit pas le visage, dit Henriette.

— C'est ça l'idée, intervint son époux Israël. Cinquante mille femmes s'abonneront au journal juste pour vérifier tous les jours si leur photo se trouve imprimée.

S'il décrivait bien les intentions des organisateurs du concours, il exagérait lourdement sur le nombre.

— Il est écrit que la photo a été prise vendredi passé au coin des rues Sainte-Catherine et Champlain, à six heures. Je passe dans ces parages tous les après-midi.

Pendant le reste de la soirée, les jeunes femmes comparèrent les vêtements portés par leur voisine à ceux de l'inconnue de la photo. Le lendemain, c'est en criant : « Je l'ai gagné, je l'ai gagné ! » qu'Henriette arriva dans la salle à manger de la pension. À *La Presse* tout le monde avait convenu qu'il s'agissait d'elle.

Les neuf jeunes femmes et les trois hommes terminaient de souper quand mademoiselle Séguin vint les rejoindre pour proposer :

— Qui veut décorer le sapin ?

Elles furent quatre à offrir de participer à l'opération.

— L'arbre est sur la galerie arrière. Je l'ai traîné depuis le coin de la rue, j'espère que les branches ne sont pas trop en mauvais état.

Un peu plus tard, un sapin envahissant occupait une bonne partie du salon. Il avait fallu pousser un peu certains meubles pour faire de la place. Alors qu'Odile occupait un fauteuil, un magazine dans les mains, Adine demanda :

— Vous ne faites pas de sapin, à Douceville ?

— Aussi souvent qu'à Joliette. Cependant, puisque j'ai décoré celui du bureau hier, je préfère laisser la place aux autres.

❧

Odile travaillait à la Banque Hochelaga depuis deux semaines, déjà. D'ailleurs, elle recevrait sa seconde paye ce jour-là. Elle appréciait ses rapports avec ses collègues. Sylvio formulait parfois des remarques un peu lestes, mais sans jamais se montrer vraiment déplacé. Polydore comptait certainement parmi les plus gentils garçons. Quant à Jules Hamel, toujours affable, il était un patron formidable.

Un seul membre du personnel demeurait très distant, sans pour autant être désagréable : Bazile Ménard. À la fin de l'après-midi, elle alla frapper à la porte du bureau du comptable. Une voix plutôt revêche lui dit : « Entrez. »

— Monsieur Ménard, nous ne nous croiserons peut-être pas d'ici la fermeture. Je voulais vous souhaiter un joyeux Noël.

Comme d'habitude, il portait ses manchons de serge bleue pour préserver sa chemise.

— Venez vous asseoir un instant, mademoiselle.

Surprise, elle obéit.

— Vous vous faites à notre petit groupe?

La jeune femme acquiesça d'un geste de la tête.

— Tout le monde est gentil.

— Vous m'englobez dans ces gens gentils?

À nouveau, elle dit oui d'un geste. Le comptable eut un rire bref.

— Je ne pense pas que ça correspond à la description qu'on fait de moi d'habitude.

— Vous avez été gentil avec moi.

Cette fois, un sourire tira la commissure des lèvres de Ménard, révélant quelques dents manquantes.

— Vous êtes perspicace, mademoiselle. Ne pas avoir beaucoup de motifs de se montrer jovial ne veut pas dire que l'on est acrimonieux.

Il marqua une pause avant de poursuivre:

— Je vous remercie pour vos bons souhaits, et je vous offre les mêmes. Vous rentrerez dans votre famille, pendant ce congé?

— Lundi, j'irai voir ma mère à Douceville. Vous, votre famille est à Montréal?

Ménard fit oui de la tête. Puis le silence se prolongea assez longtemps pour que la jeune femme soit mal à l'aise.

— Je vous souhaite une bonne fin de journée. Je dois retourner au travail.

— Bonne fin de journée aussi, mademoiselle Payant.

Le samedi 23 décembre, Xavier était passé directement à la Banque Hochelaga à la fin de sa journée de travail. Il arriva juste avant la fermeture de la succursale. Au guichet, il s'adressa à Sylvio Hardais :

— J'aimerais dire un mot à monsieur Hamel.

— Vous avez un rendez-vous ?

— Il m'attend. Xavier Blain.

De sa place, Odile le regardait, intriguée. Il ne lui avait pas parlé de sa visite, et il ne figurait pas sur la liste des personnes attendues ce jour-là.

— Bien sûr, monsieur.

L'instant d'après, Xavier ouvrait la porte donnant accès à la section réservée aux employés. Au passage, il salua la jeune femme. Puis dans le bureau du patron, il lança :

— Alors Jules, comment vas-tu ?

Son hôte quitta son siège pour s'approcher, la main tendue.

— Très bien. Attends-moi un instant.

Hamel prit quatre enveloppes pour les remettre à Sylvio en disant :

— Je te charge de la distribution.

Puis il referma la porte et retourna vers son fauteuil.

— Le ralentissement d'après-guerre est bel et bien terminé. Les affaires sont excellentes. Cela doit être la même chose chez les Anglais.

— Oui, c'est la même chose.

Pendant un moment, ils discutèrent du prix du charbon et de la multiplication des barrages hydroélectriques. La province semblait résolument sur la voie du succès économique. Puis Xavier changea de sujet :

— Ma jeune protégée te donne satisfaction ?

— Elle est pleine de bonne volonté. Je suis content de la compter parmi mon personnel.

— Heureux d'entendre ça. À Douceville, elle répondait aux attentes, mais je suppose que les défis sont plus élevés ici.

— Elle se montre à la hauteur.

Le visiteur hocha la tête. Puis il se leva et dit :

— Je suis en train de te mettre en retard pour le souper. Je te remercie de m'avoir accordé un peu de temps.

— Je suis certain que ma femme ne m'en tiendra pas rigueur.

Au moment de le reconduire à la porte, il demanda :

— Tu t'occupes de près de cette jeune fille, je pense…

— Une promesse à sa mère. Je dois m'assurer qu'elle est assidue au travail et sage dans sa vie personnelle.

Cette façon de présenter la situation aurait certainement provoqué un grand éclat de rire chez Clarisse.

— Tu pourras lui dire qu'au travail, je ne lui reproche rien. Quant à sa vie personnelle, je ne sais trop.

— Je l'emmène souper, j'essaierai de lui tirer une confession complète.

Il y eut une poignée de main. L'instant suivant, Xavier retrouvait Odile. Celle-ci demanda à son patron :

— Je peux partir, monsieur ?

— Bien sûr. À mardi, mademoiselle.

— À mardi.

Elle alla chercher son manteau et son chapeau dans la penderie, puis quitta la banque en compagnie de Xavier.

Dehors, l'homme offrit son bras à Odile. Un peu passé six heures, l'obscurité régnait sur Montréal. Selon le journal, la veille, il s'agissait de la journée la plus courte de l'année. Les réverbères jetaient des cercles de lumière jaunâtre sur les trottoirs.

— Ce soir, je te propose une sortie au théâtre, pour faire changement. Auparavant, nous pouvons manger dans un petit restaurant de la rue Saint-Denis.

Odile donna son assentiment. Quand Xavier lui demandait ce qu'elle aimerait faire la prochaine fois, sa réponse ne variait jamais. « Comme je ne connais rien à Montréal, mieux vaut que tu décides. » Ils remontèrent vers le nord avant d'entrer dans un établissement modeste, fréquenté surtout par des étudiants. Si Xavier avait deux fois l'âge de l'ensemble des clients, la jeune femme était tout à fait à sa place.

Quand ils eurent commandé, Odile commença :

— Je t'ai parlé de mon idée de visiter ma mère à Noël ou au jour de l'An, mais tu m'as semblé t'y opposer.

— Pendant mes années d'exil aux États-Unis, je suis revenu quatre fois à Iberville. La dernière juste avant de m'embarquer pour l'Europe avec l'armée américaine. Alors, je ne suis pas un modèle d'amour filial. Et puis ta relation avec ta mère est un peu particulière. J'ai eu l'impression d'aider quelqu'un à s'échapper de prison. Si tu retournes à Douceville, je crains que tu ne puisses pas en revenir.

— Voyons, ce serait juste un aller-retour.

Xavier la regarda dans les yeux et lui dit :

— En tout cas, moi je m'en tiendrai à mon engagement. Si tu ne reviens pas, Clarisse devra payer elle-même sa pension.

Cette fois, la jeune fille demeura interdite. S'il lui prenait l'envie de retourner à Douceville, ça signifierait prendre sa mère à sa charge.

— Je comprends. Tu n'as aucune raison de vouloir la soutenir. Après ce qu'elle t'a fait…

— Ma raison de la soutenir se trouve assise en face de moi. Il n'y en a pas d'autre.

Après cela, Odile eut bien du mal à avaler une bouchée. Sa situation était sans issue. Refuser de faire comme Xavier le lui demandait pouvait signifier la perte de son emploi. Après tout, son patron et lui s'entendaient fort bien, il en avait fait la démonstration moins d'une heure plus tôt. S'il l'avait embauchée sur sa recommandation, il pourrait tout aussi bien la renvoyer.

Après cela, ce fut un peu machinalement qu'elle prit son bras pour l'accompagner en direction du Théâtre Canadien-français. Sous la marquise, les mots « Théâtre du peuple » soulignaient le caractère de sa programmation. La pièce, *Fiançailles tragiques*, était présentée comme un « drame de la vie réelle ».

Le temps plutôt doux leur permit de marcher ensuite jusqu'à la pension de mademoiselle Séguin. Quand ils furent devant la porte, il lui dit :

— Demain, nous ne pourrons pas nous voir. Je dois aller chez les Turgeon.

Elle acquiesça d'un geste de la tête.

Quand il se pencha pour lui embrasser la joue, Odile se détourna un peu pour lui offrir ses lèvres. Comme si l'inquiétude l'amenait à se montrer plus généreuse de sa personne. Le contact fut bref et maladroit.

Troublée, la jeune femme essaya de monter sans faire de bruit. La moindre question de ses voisines sur ses rapports avec l'ami de la famille lui serait souverainement tombée sur les nerfs. Elle attendit que celles-ci se succèdent dans la salle de bain avant de s'y rendre à son tour. Une pensée la tracassait : Xavier ne serait pas chez les Turgeon pour dîner et pour souper. Il passerait ce dimanche sans la voir parce qu'il préférait qu'il en soit ainsi.

Comme Noël serait célébré un lundi, cela signifiait que les bons chrétiens assisteraient à deux offices religieux le 24 décembre. Le groupe habituel des jeunes femmes de la pension de mademoiselle Séguin se dirigea vers l'église de l'Immaculée-Conception un peu avant dix heures le matin. Comme d'habitude, elles restèrent à l'arrière, appuyées contre le mur. Puisque de nombreux garçons se regroupaient aussi au même endroit, l'occasion prêtait à bien des œillades. Surtout en cette période de festivités, alors que les agapes avaient commencé dès le déjeuner. Heureusement, les membres de la garde paroissiale entendaient garder tout le monde dans un pieux recueillement.

Au moment du prône, le curé fit un aparté pour dire :

— Vous avez tous entendu parler des événements survenus à Québec. La basilique de la paroisse Notre-Dame a été détruite par le feu. Je vous invite à faire une place particulière dans vos prières à nos frères et nos sœurs de la capitale.

Il y eut un murmure dans tout le temple. La radio et les journaux avaient rapporté la nouvelle la veille.

— Prochainement, une quête spéciale sera faite afin de les aider à reconstruire.

Tous les catholiques de la province mettraient sans doute la main à leur gousset plus d'une fois, car selon les journalistes, les pertes étaient évaluées à plusieurs millions, et les assurances ne couvriraient que deux cent cinquante mille dollars.

Au moment de revenir à la maison, Adine affirma avec l'assurance d'une experte des incendies criminels :

— Quelqu'un a mis le feu.

— Ce n'est pas ce que disait le chef Lorrain de la police provinciale, dans *La Presse* d'hier, opposa Reine.

— Comme s'il pouvait le dire en public... Ça, c'est un coup des communistes.

La révolution russe, les affrontements sanglants entre les blancs et les rouges, les luttes armées dans les rues des villes allemandes finissaient par effrayer la jeune fille née à Joliette.

— Ou ce sont les anarchistes, renchérit Delphine. Il paraît qu'ils sont pires encore.

— Comment peut-on faire pire que tuer les prêtres et violer les religieuses ?

Adine tenait à ce que ses propres méchants l'emportent sur les autres, quant aux horreurs commises.

Les locataires de la pension de mademoiselle Séguin avaient cherché un endroit où acheter de quoi manger en sortant de la grand-messe. La plupart des cafés préparaient volontiers des sandwichs « pour apporter ». Odile se considérait déjà comme une fidèle cliente du La Fontaine. C'est dans sa chambre, en compagnie d'Edith, qu'elle mangea le sien.

Tout l'après-midi se passa à lire les journaux et les magazines s'entassant dans le petit salon. Après avoir parcouru le sien, chacun le laissait là afin d'en faire profiter les autres. Dans la pension, il ne restait que les laissées-pour-compte : celles qui n'avaient ni amoureux – c'est-à-dire une accointance assez intime pour se rendre dans sa famille –, ni parents assez proches pour pouvoir aller les voir pendant les deux jours de congé.

Le souper fut frugal. Personne ne voulut regagner sa chambre, ensuite. La conversation, entrecoupée de longs silences, porta sur les Noëls d'antan. Déjà, ces jeunes femmes se remémoraient des temps plus doux… À onze heures, elles se dirigèrent vers l'église de l'Immaculée-Conception pour la seconde fois de la journée en se tenant par le bras, occupant toute la largeur du trottoir, au risque de devenir une nuisance pour les autres. Les paroissiens s'interpellaient l'un l'autre bruyamment, lançant des « Joyeux Noël ! » à des voisins, des connaissances, des parents ou même à de purs inconnus. Les voix un peu traînantes prouvaient que la consommation d'alcool avait précédé de plusieurs heures le réveillon.

L'église avait été abondamment décorée – la fabrique ne manquait pas de moyens, dans ce milieu plutôt prospère –, et la chorale s'était enrichie de plusieurs membres pour l'occasion. Les chants joyeux chassaient les idées moroses. Les jeunes femmes se dirigèrent vers la crèche située au bout de l'une des allées latérales, devant un autel secondaire. Les commentaires sur la statue de Joseph – « Le pauvre, il ne sait pas qui est le père », dit l'une d'elles en ricanant, au grand scandale des autres –, celle de la Vierge, du bœuf, de l'âne, des moutons et des bergers témoignaient de la culture – ou de l'inculture – de chacune.

— Je ne vois pas les rois mages, dit Adine.

— Ben tu le sais pas ? dit Edith. Ils arrivent à l'Épiphanie.

— Évidemment, je le sais. Moi aussi je suis allée au couvent.

Comme toutes les autres femmes de ce petit groupe. Jésus aussi manquait. Une procession d'écoliers des deux sexes de la congrégation Notre-Dame le porterait juste avant la messe jusqu'à la crèche, sous les yeux de parents très fiers.

Debout à l'arrière de la nef, elles assistèrent ensuite à la messe de Noël. Le curé y alla d'un sermon de circonstance sur la nativité. Le retour s'effectua ensuite dans un esprit festif. Les jeunes femmes trouvèrent des couverts déposés sur la table, des tartes et des gâteaux au milieu. Mademoiselle Séguin avait revêtu une jolie robe, et même la jeune domestique ne portait pas son uniforme habituel.

— Mesdemoiselles, nous allons commencer par prendre un verre de porto à notre santé, et à celles de nos proches, qu'ils soient ici ou au loin.

La boisson fit grimacer certaines. Le thé et le café rallièrent plus facilement tous les suffrages, de même que les pâtisseries. La conversation alla bon train.

— C'est tout de même une pitié de nous retrouver ainsi, entre nous, plutôt que chez un fiancé… murmura Delphine.

— Vous croyez vraiment que la nourriture y aurait été meilleure, ou la compagnie plus agréable ? intervint la logeuse.

— Sans doute pas, dit Delphine. Mais si toutes les réunions sont identiques à la nôtre, ça fera pas des enfants forts. Tant pis pour le "croissez et multipliez-vous" de la Bible.

Mademoiselle Séguin fit la moue.

— Nous ne devons pas savoir nous y prendre avec les garçons.

Le visage d'Edith trahissait sa déception. Adine se leva en disant :

— Mais quelqu'un peut nous l'expliquer !

Ses pieds heurtèrent les marches avec bruit, puis elle revint avec une page du journal *La Presse*. Un grand cercle rouge encadrait un entrefilet.

— C'est signé "Une qui aime". Voici sa question : Dites-moi ce qu'il faut faire pour avoir un amoureux ?

— Ça s'adresse à qui ? demanda Odile.

— Colette. La personne qui rédige la page féminine dans *La Presse*.

— Et la réponse ?

Delphine paraissait impatiente d'apprendre la manière de ne pas célébrer son prochain Noël entre filles. Adine lut à haute voix :

— Soyez gentille, simple, aimable, gaie et sage ; sortez un peu dans les familles d'amies ou confiez tout bas, à quelques amies de votre maman ou de votre grand-mère, que vous aimeriez avoir un amoureux, et vous verrez que votre désir ne tardera pas à se réaliser.

— Si les amies de grand-maman choisissent, commenta Edith, ça sera pas un homme tellement à la mode.

La réponse de la courriériste n'était pourtant pas dépourvue de bon sens : le bouche-à-oreille pouvait faire des merveilles dans une société tissée aussi serré...

Odile devait se sentir un peu sceptique cette nuit-là, car elle demanda :

— Cette femme, Colette, est mariée et a une famille nombreuse ?

— Elle se nomme Édouardina Lesage, intervint mademoiselle Séguin. Elle approche les cinquante ans et elle est aussi vieille fille que moi.

— Pourtant, elle donne des conseils sur les rapports amoureux, les fiançailles, les mariages et l'éducation des enfants !

Le ton déçu d'Adine ressemblait à celui d'un enfant apprenant l'inexistence du Père Noël.

— Ce doit être une grande lectrice, pour connaître tout ça. Pensez-vous que les choses apprises dans les livres valent autant que le savoir venu de l'expérience ?

La logeuse s'était levée. Elle n'avait guère l'intention de répondre à sa propre question.

— Maintenant, je vais dormir. Faites comme moi, placez votre vaisselle et votre couvert dans la grande bassine posée sur la table.

Son départ agit comme un signal. Elles suivirent toutes son exemple. La pauvre domestique en aurait pour le reste de la nuit à nettoyer.

Chapitre 7

Dans son immeuble, personne ne se souciait de sa pratique religieuse, alors Xavier ne se donna pas la peine d'assister à la messe du matin, ni à la messe de Minuit. Il n'en allait pas de même pour les Turgeon. Ne pas se faire voir à l'église serait du plus mauvais effet sur la clientèle des deux professionnels.

Xavier quitta son domicile un peu après onze heures. Le temps étonnamment doux pour la fin décembre lui permit de faire le trajet à pied. Malgré quelques chutes de neige depuis le début du mois, il n'en restait aucune trace au sol. Il ne s'était même pas muni de couvre-chaussures. Peu désireux d'arriver avant ses hôtes, il occupa un banc du parc La Fontaine, juste en face de leur domicile.

Bientôt, il les vit arriver, les deux couples marchant l'un derrière l'autre. Un enfant accompagnait le second. À six ans révolus, Olivier avait eu le droit d'aller à sa première messe de Minuit, sans doute après avoir promis de ne pas se montrer désagréable pendant toute la journée du lendemain, faute de sommeil. Xavier leur laissa le temps d'entrer chez eux, puis traversa la rue Sherbrooke. Quand il frappa, il entendit Délia à l'intérieur :

— Vous êtes déjà là ? Vous n'avez tout de même pas eu le temps de vous occuper de Clémence ?

Quand elle ouvrit, elle eut un rire amusé.

— Excusez-moi, j'ai cru que c'étaient Sophie et Georges qui redescendaient. Entrez.

La femme s'écarta un peu pour le laisser passer, puis tendit les bras pour prendre son chapeau et son manteau.

— Elle souhaitait allaiter sa fille…

La liberté de langage dans cette famille l'étonnait toujours un peu. Tout ce qui concernait la conception, la naissance et les soins au poupon ne faisaient pas l'objet de conversations, d'habitude. Enfin, pas entre hommes et femmes.

— Suivez-moi.

Au passage, elle déposa ses vêtements sur un lit. Ceux des autres visiteurs iraient là aussi. Puis elle le précéda dans le salon pour dire tout de suite :

— Je vous laisse, je dois aller dans la cuisine.

Quand Évariste lui demanda ce qu'il souhaitait boire, il fit preuve d'audace.

— J'aimerais briser une tradition : pas de martini, mais un whisky serait parfait.

— Seigneur, vous vous faites moins timide.

Il y eut de nouveau des coups contre la porte, et ensuite la voix de Délia :

— Veux-tu aller répondre ?

Son hôte lui tendit son verre, puis se dirigea vers l'entrée. Depuis son fauteuil, Xavier entendit un échange.

— Vous êtes venus seuls ?

— Comme monsieur et madame Nantel seront à la maison demain midi, je préfère que Flore fasse une nuit complète.

Peu après, Jules et Corinne Nantel arrivaient dans le salon à leur tour. Il y eut un échange de poignées de main, puis la jeune femme alla dans la cuisine aussi pour aider à la préparation du réveillon. Bientôt, ce fut le tour de Sophie,

Georges et Olivier de se joindre aux autres. Tout de suite, Délia les invita à passer à table.

La conversation porta rapidement sur le grand événement survenu l'avant-veille.

— Xavier, demanda Évariste, vous avez entendu parler de l'incendie de la basilique de Québec ?

— Oui, même mes patrons protestants en ont fait leur premier sujet de conversation.

— Soupçonnent-ils aussi que des bolcheviques ont fait le coup ?

Depuis la grève générale de Winnipeg en 1919, bien des Canadiens craignaient que leur pays ne soit mis à feu et à sang par les hordes communistes.

— C'est l'une des hypothèses souvent formulées. Mais pas celle qui a le plus de partisans.

— Alors, qui soupçonnent-ils ?

— Le Ku Klux Klan.

— Mais ils s'attaquent aux Noirs aux États-Unis. Pas aux basiliques.

Née dans la foulée de la guerre de Sécession dans le sud des États-Unis, l'organisation s'en prenait surtout aux Noirs récemment libérés de l'esclavage. À peu près disparue dix ans plus tard, elle renaissait en 1915 au moment de la parution du film *The Birth of a Nation*, réalisé par David Wark Griffith. La vedette en était Lillian Gish. Les grandes robes, les chapeaux pointus, les chevauchées dans la nuit, les incendies, les attaques - souvent mortelles - contre des Noirs apparaissaient dans de nombreuses scènes du film.

— Ils s'en prennent aussi aux juifs et aux catholiques.

— Mais pas au Canada.

— Il y a juste un mois, le Collège de Saint-Boniface, au Manitoba, a été incendié. Rasé. Il semble bien que ce soit l'œuvre du Klan. Mes collègues sont convaincus que la basilique, ce sont eux aussi.

Tous les convives le regardèrent avec effarement. Olivier demanda d'une toute petite voix:

— C'est quoi, le clan?

Il questionnait directement Xavier, qui faisait figure d'expert.

— Des idiots qui s'imaginent plus intelligents que les autres. Heureusement, ils sont faciles à reconnaître. Ils portent des robes.

— Comme des femmes?

— Non, des robes d'homme.

Délia se sentit l'obligation de mettre fin à cette conversation.

— Olivier, tu as vu le Père Noël dans le magasin Scroogie's, je crois…

Comme le Klan, Santa était une importation américaine. Le garçon s'exprima sur le sujet en affichant un sain scepticisme. Sophie profita que son attention soit portée sur un autre sujet pour dire à Xavier, en lui adressant un sourire un peu moqueur:

— Je comprends que parmi les hommes vêtus d'une robe, il y a les religieux et les prêtres.

— Georges me disait la semaine dernière qu'Olivier fréquentait une école tenue par des religieuses. Les robes des frères des écoles chrétiennes ruinaient sa sérénité, il paraît.

— Tout de même…

— Tout de même, je pense lui avoir instillé un brin de sagesse. Mieux vaut se méfier des gens qui pensent connaître ce qui est bon pour les autres.

Si Sophie n'était pas de son avis sur ce sujet, elle ne s'insurgea pas. Sa propre histoire la rendait prudente. Après tout, plusieurs années plus tôt, son père portait une robe d'homme, prêchait la chasteté et se livrait à une relation torride avec une paroissienne prénommée Clotilde. Il s'y entendait pour tromper ses ouailles. Que ses intentions aient été bienveillantes ne le rendait pas moins hypocrite.

Ensuite, les convives purent soigneusement éviter les sujets susceptibles de les entraîner dans une controverse. La météo, la prospérité économique, les achats pour meubler l'appartement de Georges et Sophie occupèrent la conversation. Xavier apprit ainsi qu'un bel ensemble de salle à manger en noyer coûtait quatre cent cinquante dollars – une fortune. Et pour deux cents, ils auraient un canapé et deux fauteuils. Le banquier devina que leur installation dans un nouveau logement représentait un investissement de plus de mille dollars.

Ensuite, à deux heures du matin, Corinne et Jules Nantel regagnèrent leur appartement de la rue Saint-Hubert, ce qui signala le moment du départ pour tous les autres. Xavier remercia chaleureusement ses hôtes en leur serrant la main. Alors qu'il sortait avec ses amis, Georges dit à sa femme :

— Sophie, voudrais-tu monter avec Olivier, le temps que nous échangions un mot ?

La femme dit au revoir à son ami, lui promit de l'inviter à la maison très prochainement. Ce serait la première fois qu'il leur rendrait visite, et non pas à leurs parents, depuis son départ des États-Unis en 1917.

Quand elle se fut engagée dans l'escalier, Georges demanda :

— Accepterais-tu de servir de chevalier servant à Sophie après-demain ?… Non, je veux dire demain, mardi. Moi, je ne peux pas.

Sophie n'aurait pas pu demander elle-même ce service, cela aurait trop prêté à interprétation. Dans ces circonstances, l'époux la confiait à un homme en qui il avait toute confiance.

— Avec plaisir.

— Elle veut participer à la distribution de jouets du journal *La Presse*, en après-midi.

— Alors je serai au travail.

Le ton exprimait une réelle déception.

— Je l'accompagnerai jusqu'au journal, dit Georges. Mais comme c'est à deux pas de ton bureau, je peux lui demander d'aller te rejoindre à la banque à la fin de l'exercice. Vous pourrez manger ensemble, puis tu la ramèneras à la maison.

— Entendu. Ça me donnera un excellent prétexte pour partir du bureau à une heure raisonnable.

Ils se quittèrent sur une poignée de main. En marchant jusque chez lui, Xavier se rendit compte qu'il avait terriblement hâte.

⁂

Sophie paraissait préoccupée.

— Je me demande ce que Xavier fera demain, dit-elle à son mari.

Sa présence chez les Turgeon lui avait évité de passer la veille de Noël dans la solitude. Toutefois, la journée du 25 décembre se déroulait habituellement en famille.

— Je suppose qu'il va traîner au lit toute la matinée, qu'il descendra dans la salle à manger de l'édifice, puis qu'il passera la journée bien au chaud dans son beau logis.

— Ce n'est pas une façon de passer Noël.

— Je veux bien, mais nous ne pouvons lui demander de venir s'asseoir sur le plancher dans le salon.

« Et puis nous ne l'avons pas encore adopté, que je sache », songea-t-il.

❧

Même si elle s'était couchée très tard, au petit matin, Odile fit à pied tout le trajet jusqu'à la gare Windsor. Le train s'arrêta près du quai avec un certain retard, une véritable foule en descendit, une autre y monta. Elle voyagea debout dans un wagon de deuxième classe. Heureusement, une heure suffisait à parcourir la distance.

En descendant à Douceville, elle se sentit inquiète. Comme si une menace pesait au-dessus de sa tête. La veille, elle avait utilisé le téléphone de la banque – son patron le lui avait permis « si c'est pour votre maman ». Quelques minutes plus tard, elle arriva à l'hôpital.

La religieuse de faction près de la porte lui jeta un regard soupçonneux.

— Je viens voir ma mère. Clarisse Payant.

— Je sais qui est votre mère.

Visiblement, elle aurait préféré ne pas la connaître.

— Prenez l'escalier, là, et allez tout en haut. Son nom est sur sa porte.

Odile monta très lentement, comme pour retarder cette rencontre. Sous les combles, elle trouva un alignement de portes des deux côtés d'un couloir. Certaines étaient ouvertes. Cela lui permit de voir des vieilles femmes assises dans des berçantes qui attendaient des visiteurs. En vain pour la plupart.

Elle frappa sur la porte identifiée au nom de sa mère. Une voix revêche dit « Entrez ».

— Voilà un beau manteau, dit Clarisse en guise de bonjour. Il te l'a payé ?

— Oui. Il a déjà eu un propriétaire, mais de toute ma vie, je ne me souviens pas d'en avoir eu un aussi beau et chaud.

Clarisse portait une vieille robe noire. Elle prétendait maintenant respecter un deuil permanent. Le personnage de la veuve éplorée valait mieux à ses yeux que celui de pauvresse incapable de se vêtir mieux.

— Qu'est-ce que tu fais pour le rembourser de ses largesses ?

— De nous deux, celle qui veut se faire entretenir c'est toi, pas moi. D'ailleurs, il te nourrit et te loge, non ? Comment le rembourses-tu ? Tu te fies à moi ? Je dois rembourser pour toutes les deux ?

Cette conversation promettait une rencontre désagréable. Odile s'assit sur le lit. Après un long silence, Clarisse demanda d'un ton un peu plus aimable :

— Tu travailles ?

— Ç'a fait trois semaines avant-hier. Dix-huit jours.

Elle eut envie de dire son salaire, juste pour lui prouver sa réussite. Elle se retint, de crainte qu'elle lui en réclame la moitié.

— Qu'est-ce que tu fais ?

— Je travaille dans une banque.

— La sienne ?

— Je suis à la Banque Hochelaga, lui à la Banque Royale.

La jeune femme ne préciserait pas le rôle qu'avait joué Xavier pour l'obtention de ce poste. Après une pause, elle ajouta :

— Ça te gêne que moi, je sache gagner ma vie, mais pas toi ?

Clarisse serra les mâchoires. Après cela, les deux femmes demeurèrent quasi silencieuses pendant une demi-heure. Chaque mot prononcé faisait craindre une explosion de colère.

— Il doit être près de midi, maintenant, dit la mère. Autant descendre tout de suite.

— Pour aller où ?

— Penses-tu qu'on nous apporte nos repas dans les chambres ? C'est dans le réfectoire, avec les bonnes sœurs.

Au moment de quitter la chambre, Odile mit son manteau sur son avant-bras, pour s'éviter de devoir y revenir. Toutes les chambres voisines étaient maintenant désertes. Elles descendirent jusqu'au rez-de-chaussée. Une vingtaine de vieillards, pour les trois quarts des femmes, étaient déjà attablés, certains seuls dans un coin, les autres à deux ou à trois. Elles se mirent un peu à l'écart.

— Combien de personnes vivent ici ?

— À part les malades qui mangent dans leur chambre et dix vieilles sœurs, nous sommes tous ici.

Après une pause, elle ajouta :

— Je suis la plus jeune.

Ce n'était pas tout à fait vrai. Cependant, le dénominateur commun des occupants d'un asile de ce genre était l'invalidité. Clarisse était certainement la seule pensionnaire vraiment valide.

— Où sont les sœurs ?

— À la chapelle. Tu te rends compte que je dois aller à la messe tous les jours ?

Bientôt, les religieuses arrivèrent, flanquées de l'abbé Lanoue qui partageait son Noël avec les personnes abandonnées de sa paroisse. Il entreprit de faire le tour des tables pour échanger quelques mots. Des hospitalières commencèrent à faire le service. En ce jour faste, la volaille figurait au menu.

— Si tu voyais ce qu'on mange, d'habitude.

— C'est pire qu'à la maison ? Vraiment ?

Le prêtre arriva à ce moment. Sa présence permit d'alléger un peu l'atmosphère. À nouveau, Odile parla de son travail à Montréal et Clarisse, de sa vie parmi ces saintes femmes. Avant de les quitter, il demanda à la jeune femme :

— Peux-tu passer au presbytère avant de rentrer chez toi ?

— Je ferai le trajet avec vous, quand vous partirez.

Il hésita un instant, puis acquiesça. La mère ne fut pas dupe : sa fille cherchait un moyen de s'évader. D'ailleurs, Odile ne quittait pas l'ecclésiastique des yeux. Quand il alla chercher son pardessus, elle se leva en disant :

— Je vais le suivre. Je te souhaite un joyeux Noël et une excellente année.

Cette fois, Clarisse flancha. Ce fut d'une voix blanche qu'elle répondit :

— Bonne année aussi, ma petite. Pour Noël, c'est un peu tard.

Elles demeurèrent immobiles un instant, en se regardant comme deux chiens de faïence. Puis la jeune femme lui adressa un petit salut de la tête. L'abbé Lanoue l'attendait à la porte du réfectoire. Ils quittèrent les lieux ensemble. Ce ne fut que dehors qu'il demanda :

— Les choses ne s'améliorent pas, entre vous.

— Monsieur Blain m'a offert ce manteau. Comme tout le reste, d'ailleurs. Elle m'a demandé comment je le remboursais.

Lanoue préféra ne rien dire. Évidemment, Xavier s'attendait à recevoir une récompense pour ses bonnes actions. Tout serait dans la manière. Bientôt, ils arrivèrent au presbytère. Madame Curé vint voir qui arrivait.

— Ah ! Mademoiselle Payant, je vous apporte un morceau de gâteau.

— Je viens de manger à l'hôpital.

— Justement. Calixte, je t'en apporte aussi.

Quand ils furent dans son bureau, le prêtre remarqua :

— Ma mère ne ressemble pas à la tienne.

C'était un euphémisme. Il lui désigna une chaise et retrouva la sienne.

— Xavier t'a recommandée pour ce travail à la banque, n'est-ce pas ?

— Ça ne me rend pas moins compétente.

— Je sais. Tu es bien payée ?

Elle hocha la tête.

— Où loges-tu ?

— Dans une pension qu'il m'a trouvée. Il a même payé les deux premiers mois.

De petits coups contre la porte attirèrent leur attention. Madame Curé déposa les deux assiettes sur le pupitre en annonçant :

— Je reviens avec le thé.

Lanoue commença par avaler quelques bouchées. Après une hésitation, Odile fit comme lui.

— Tu le vois souvent ? demanda-t-il en posant sa fourchette.

— Une fois, deux fois par semaine. Le samedi ou le dimanche…

Comme pour se montrer bonne fille, elle ajouta :

— Toujours après la messe, dans la paroisse de l'Immaculée-Conception.

— Comment agit-il avec toi ?

Calixte se sentait plutôt mal à l'aise de forcer une confession comme cela, surtout au sujet de son meilleur ami.

— Nous ne faisons rien de mal. Il se montre très respectueux. Parfois il m'embrasse, mais c'est tout.

Le prêtre ne douta pas un instant de la parfaite innocence de la jeune femme.

— Tu sais ce qui va se passer ? Je veux dire plus tard…

— Je suppose que le jour où je serai assez vieille pour donner mon consentement, il voudra m'épouser.

Quand elle aurait vingt et un ans. Près de trois ans à attendre. Xavier se montrerait vraiment très généreux, ou peut-être vraiment très amoureux, s'il la soutenait pendant tout ce temps.

— Toi, qu'en penses-tu ?

Elle haussa les épaules pour signifier son ignorance.

— Il m'a tirée de la manufacture de vinaigre. Maintenant, j'ai un travail agréable avec une paye généreuse, autant que celle de mes voisines. Je suis mieux logée et nourrie que jamais auparavant, mieux vêtue aussi. Sans être sa femme. Ça ne pourra pas être pire après la cérémonie.

Pendant un instant, le prêtre eut l'impression d'entendre Clarisse. Cette jeune femme aussi savait dresser spontanément la liste des avantages matériels de sa relation avec Xavier.

— C'est ce que tu souhaites ? Je veux dire, l'épouser.

— C'est ce que toutes les femmes font, n'est-ce pas ?

— Mais toi, avec cet homme ?

— Il est gentil, toujours respectueux.

Calixte Lanoue termina son gâteau en gardant ses yeux rivés sur elle.

— Quand j'étais à la manufacture, j'aurais accepté n'importe qui. Maintenant, je pense que je continuerais ma vie actuelle pour toujours. Sans homme. Mais je sais que ce n'est pas possible, à moins de me faire sœur.

Finalement, elle était peut-être taillée sur mesure pour la vie religieuse : une tâche à effectuer, des camarades agréables avec qui passer ses soirées et ses besoins satisfaits.

— Évidemment, dans ce cas, il n'aurait plus aucune raison de payer pour garder ma mère à l'hospice. Et avec elle à ma charge, ma vie perdrait tout son intérêt.

Clarisse et Odile voyaient toutes les deux Xavier comme une solution à leurs difficultés matérielles. Et peut-être que face à la seconde, il se montrait aussi naïf qu'il l'avait été vingt ans plus tôt avec la première. Cette jeune femme pourrait être reconnaissante, mais aimante ?

Subitement, Odile quitta sa chaise en disant :

— Je dois retourner prendre le train. Vous remercierez madame Lanoue pour moi. C'est une excellente cuisinière.

Le prêtre se leva pour la reconduire jusqu'à la porte. Avant de sortir, elle leva les yeux vers lui.

— Ce matin, j'avais mis dix dollars dans une enveloppe pour ma mère, avec un petit mot pour lui souhaiter bonne année. Elle est encore dans ma poche. Quand je suis arrivée dans sa chambre, aucun bonjour, aucune caresse. Alors j'épouserai celui qui réussira à la tenir hors de ma vie.

Ils se quittèrent sur une poignée de main et des souhaits de bonne année. L'abbé Lanoue la regarda s'éloigner. Elle aussi entendait donc monnayer son affection. Il était prêt à lui accorder des circonstances atténuantes.

Odile arriva à la gare longtemps avant l'heure de son train. Assise dans un coin, elle contempla tous les voyageurs souriants et heureux de se retrouver en famille.

Contrairement à sa protégée, Xavier avait traîné longuement au lit ce matin-là. Il n'avait guère mieux à faire. Il avait donc eu tout le temps de penser à sa situation. À sa solitude, en fait. Et surtout au passé. Au moment précis où sa vie avait basculé.

Chapitre 8

Janvier 1914

Xavier Blain travaillait depuis quelques années à la Merchant's National Bank, au numéro 28, State Street. En janvier, la température dans la banlieue de Boston était sous le point de congélation la nuit, un peu au-dessus pendant la journée. Ce jour-là, il pestait contre la neige fondante et les flaques d'eau qui lui mouillaient les pieds.

Une autre raison contribuait à sa mauvaise humeur. Son ami Georges Turgeon lui avait confié une mission qui le mettait terriblement mal à l'aise : relancer un amour de jeunesse en rencontrant une jeune femme qui ne paraissait pas encline à reprendre leur histoire là où elle s'était interrompue sept ans plus tôt.

— Voyons, tu es le seul qui peut renouer avec elle, plaidait-il. Je suis un étranger pour elle.

— Tu sauras trouver les mots pour la convaincre de me voir. Je m'occuperai du reste.

Comment croire qu'un célibataire de plus de trente ans saurait si bien parler à une jeune femme ? S'il l'avait su, il l'aurait fait pour lui-même, pas pour un autre. Au contraire, il se jugeait tout à fait démuni dans ce domaine.

Il aurait aimé se débarrasser très tôt de cette corvée, mais personne ne faisait un appel téléphonique avant huit heures le matin. Pendant toute la matinée, il s'occupa des clients de la banque. À midi, il utilisa le bureau de son patron pour téléphoner. Pour une démarche si personnelle, l'endroit lui offrait plus de discrétion que l'appareil dans la salle des commis.

Quand quelqu'un répondit dans une demeure de la rue Forster, dans la banlieue de Medford, il demanda en anglais:

— Puis-je parler à mademoiselle Sophie Deslauriers? De la part de Xavier Blain.

Il y eut le bruit d'une conversation à l'autre bout du fil, puis une voix:

— Monsieur Blain, je vous connais?

La voix était un peu soupçonneuse.

— Non, mais nous avons un ami commun: Georges Turgeon.

Il y eut un long silence. Si long que l'homme sentit la nécessité d'ajouter:

— Je ne veux pas exercer la moindre pression sur vous. Seulement vous offrir une tasse de thé et avoir une conversation.

— Au cours des derniers mois, j'ai refusé de partager une tasse de thé et une conversation avec lui.

— Je sais, il me l'a dit. Dites-moi simplement quand, et où. Comme je travaille toute la journée, cela devra être le soir ou le dimanche. Jamais je ne me ferai insistant.

La timidité de son ton incita la jeune femme à le croire. À nouveau, ce fut le silence. Xavier s'apprêtait à s'excuser de l'avoir contactée et à raccrocher. Puis il entendit:

— Demain, un peu avant midi. Il y a un café près du campus de l'Université Tufts. Vous m'avez offert une tasse de thé, mais j'exige un repas.

La précision fit sourire son interlocuteur. Cette jeune femme lui plaisait déjà. Elle lui donna l'adresse. Il s'agissait d'une banlieue de Boston facilement accessible en train.

Afin qu'elle le reconnaisse, il aurait un exemplaire du *Globe* dans ses mains.

❧

C'est sans regret que Xavier rata la messe ce matin-là. En réalité, à Boston où personne ne le connaissait, il n'avait besoin d'aucun prétexte pour négliger ses devoirs dominicaux. Ne sachant pas exactement la durée du trajet, il décida de partir tôt. Si tôt qu'à onze heures, il arrivait déjà près du grand parc où se trouvaient les quelques élégants édifices de l'Université Tufts.

Il réussit si bien à perdre son temps à se promener sous les arbres qu'il se présenta au café exactement à l'heure prévue, tenant son journal bien en évidence. La précaution n'était pas vraiment utile. La plupart des tables étaient occupées par des couples ou des groupes d'amis, et une seule par une jeune femme solitaire. Celle-ci lui adressa un sourire.

— Mademoiselle Deslauriers ? dit-il.

Comme elle hocha la tête pour dire oui, il tendit la main. Elle portait des gants de cuir très fin. L'élégance de sa tenue témoignait de quelques moyens. Elle lui désigna la chaise toujours libre. Xavier ne savait pas du tout comment entreprendre cette conversation. Heureusement, une employée vint leur apporter des menus. Quand ils eurent fait leur choix, il la regarda un moment avant d'admettre :

— Vous savez, devant vous, je mesure le ridicule de ma démarche.

Cela d'autant plus que l'allure de son interlocutrice l'intimidait. Elle portait une jupe de velours d'un beau bleu sombre, une veste et un chapeau assortis. Le tout s'harmonisait à ses yeux bleus. Il la trouvait absolument charmante, et il venait plaider pour un autre.

— Vous deviez me parler de Georges, non ?

Son sourire disait qu'elle percevait très bien son dilemme.

— Je le connais depuis quelques mois. Entre nous, vous êtes devenu le seul sujet de conversation. Il voudrait vous parler.

— Je sais. Il m'a écrit et il m'a téléphoné.

— Vous parler face à face.

Xavier comprenait l'hésitation de la jeune femme. Elle s'inquiétait que cette rencontre la convainque de reprendre leur relation. Comme si elle souhaitait combattre ses propres sentiments.

— Je ne lui dirais pas autre chose s'il se trouvait à votre place.

— Alors faites en sorte qu'il se trouve à ma place et dites-le-lui. Vous le libérerez.

Ou bien elle le jetterait dans le désespoir. Aujourd'hui, Sophie était infiniment plus désirable que la jeune fille de dix-sept ans de l'époque.

— Il est venu à Boston pour le seul motif de renouer les fils de votre relation.

— Il est venu prendre de l'expérience en médecine.

Xavier secoua la tête. Évidemment, dans un premier temps, peu après avoir fait sa connaissance, Georges lui avait donné cette version des faits.

— Il déteste les États-Unis, il déteste Boston, il déteste l'hôpital Sainte-Elizabeth où il travaille pour un salaire de misère. Je crois qu'il aurait préféré aller à Douceville travailler dans le petit hôpital avec son père. Ou à la rigueur aller en France, s'il lui fallait absolument s'exiler pour apprendre autre chose. Il est venu ici pour vous voir.

La serveuse déposa les assiettes sous leur nez.

— Je lui ai déjà dit que me rencontrer ne changerait rien.

— Comme il arrive de très loin, il mérite d'être entendu de vive voix, ne croyez-vous pas ?

Il la regardait droit dans les yeux, tout en se disant : « Bon Dieu, il a eu raison de faire tout ce chemin pour elle. » Ses traits réguliers, son sourire charmant et une taille qu'il devinait fine malgré sa position assise : elle avait tout pour lui plaire.

— Voilà un argument qui mérite d'être pris en compte.

Elle lui adressa un sourire de connivence.

— Il a de la chance d'avoir trouvé un aussi bon messager. Je dois avouer que vous êtes convaincant.

— Il me dit la même chose. C'est la raison de ma présence ici.

Devant cette jolie femme, il se demandait si ses cheveux étaient assez propres et bien coiffés et sa veste suffisamment élégante.

Pendant un moment, ils mangèrent en silence. Après trois ou quatre minutes, Sophie le regarda en esquissant un sourire :

— Pouvez-vous me parler du messager ?

Il mit un instant avant de comprendre qu'elle parlait de lui.

— Je suis venu d'Iberville au début du siècle. Après quelques emplois misérables, je suis passé à la Merchant's National Bank.

— Iberville ? Je viens de Douceville.

— Je sais. Georges m'a expliqué.

Ne sachant pas de quelle manière son amour de jeunesse avait présenté les circonstances de leur rencontre, elle se résolut à ne rien ajouter. Cependant, maintenant, elle avait piqué sa curiosité.

— Votre père travaille dans ce collège, tout à côté ?

— Il enseigne le français et le latin. Ici aussi, aligner quelques locutions des auteurs classiques impressionne les bourgeois, dans les salons.

— Chez les gens que je fréquente à Boston, rien ne compte plus que la somme d'argent accumulée. Dans notre province, c'est le latin et le col romain.

Jusqu'à la fin du repas, ils évoquèrent leur acclimatation à la ville et à la région de Boston. Bientôt, les derniers spectacles présentés dans la capitale du Massachusetts les occupèrent. Tous les deux avaient assisté au dernier concert de l'orchestre symphonique à deux rangées de sièges de distance. Xavier regrettait que cela n'ait pas été dans des fauteuils voisins.

❧

Quand ils eurent terminé le repas et bu un café, Sophie proposa :

— Comme il fait un peu plus chaud que ces derniers jours, voulez-vous m'accompagner pour une marche dans le parc ?

Xavier accepta volontiers. Quand ils arrivèrent dans le parc de l'Université Tufts, il lui offrit son bras, qu'elle accepta. Ils parcoururent les allées. Un homme élégamment vêtu vint vers eux et enleva son chapeau pour dire :

— Mademoiselle Deslauriers, comment se portent monsieur votre père et madame votre mère ?

— Très bien. Enfin, ils se portaient bien quand j'ai quitté la maison tout à l'heure. Je vous présente monsieur Blain, de la Merchant's National Bank.

— Et moi, mon épouse Gladys.

Il y eut un échange de salutations. Ils se quittèrent après des souhaits de bonne journée.

— Un collègue de mon père…

Puis un peu plus loin, elle continua :

— Connaissiez-vous Georges avant de venir aux États-Unis ?

— Non. Il devait avoir dix ans quand je suis parti. Je lui ai parlé pour la première fois l'automne dernier. Je l'ai croisé dans un restaurant il y a quelques mois.

— Vous vous faites toujours aussi facilement le messager de quelqu'un ?

— Nous sommes devenus amis. Et puis son histoire a un côté si romantique…

Après une pause, il ajouta un ton plus bas :

— Et honnêtement, il sait se montrer convaincant…

Sa compagne rit brièvement.

En réalité, la sympathie entre eux lors de leur rencontre tenait pour beaucoup à une dette de reconnaissance à l'égard du père. Lors de sa tentative de suicide, la sollicitude d'Évariste Turgeon lui avait autant sauvé la vie que les points de suture à son poignet. Et toujours à cause de cette intervention providentielle, il jouait son rôle de messager sans manifester son propre intérêt pour cette belle jeune femme.

— … au point où je suis venu jusqu'ici pour vous parler, compléta Xavier.

— Bon, d'accord, je lui parlerai. Dites-lui de me téléphoner, nous irons manger au même endroit que tout à l'heure. C'est devenu mon salon si je veux parler loin des oreilles de papa et maman.

Georges lui avait dit avoir le même âge que cette jeune femme. Vingt-cinq ans. À ce moment de leur vie, la plupart avaient un époux et deux enfants. La proximité de ses parents devait parfois lui peser.

— Vous aimez Medford ? voulut-elle savoir.

— C'est une jolie banlieue, mais je préfère la grande ville.

— Depuis mon arrivée dans la région, ma vie a tourné autour de l'université. Les amis de mon père sont des professeurs, comme celui de tout à l'heure, et les garçons avec qui je suis sortie, des étudiants. Mon univers est à peine plus grand que Douceville.

Plus populeux, toutefois, plus prospère, aussi. Pendant un moment, elle se remémora son enfance et son adolescence sur les bords de la rivière Richelieu. Puis elle dit, tout à fait enjouée :

— Venez avec moi, je vais vous montrer la plus grande attraction du campus.

Sophie le conduisit vers le Barnum Museum of Natural History, un édifice de brique avec de grandes fenêtres.

— Barnum ?

— Phineas Taylor Barnum, le propriétaire du cirque. Il a financé cette construction il y a vingt ans et il y a mis la plus grande attraction.

L'entrée coûtait quelques cents. Au milieu de la salle d'exposition, il y avait un éléphant empaillé.

— Jumbo, la vedette de son cirque.

— Je n'ose pas imaginer le dégoût du gars qui l'a vidé.

— En ma présence, dit-elle en riant, vous devriez éviter ce genre de remarque en sortant de table.

Ils passèrent devant les corps empaillés d'autres animaux exotiques, dont un rhinocéros et un hippopotame. Quelques minutes plus tard, ils sortaient du petit musée d'histoire naturelle.

— Monsieur Blain, je vous remercie d'être venu me voir. Maintenant, je rentre à la maison.

Elle lui tendit la main.

— Ce fut un plaisir, mademoiselle Deslauriers.

Puis ils se quittèrent sur un au revoir. Comme il était encore tôt, Xavier décida de marcher jusqu'à la gare. Dès le début de cette rencontre, il avait évoqué son amitié pour Georges. Pourtant, en acceptant cette mission, jamais il n'aurait deviné combien cette démarche serait difficile.

Jusqu'à ce jour, aucune femme ne lui avait plu autant, et il avait plaidé pour un autre.

Le souvenir de cette première rencontre avec Sophie, en janvier 1914, avait rendu Xavier infiniment morose. Il avait abordé la jolie blonde pour la mettre dans les bras d'un autre. Honnêtement, il devait en convenir, jamais il n'aurait osé parler à une aussi belle femme pour lui-même.

Xavier quitta son lit pour se rendre dans la cuisine chercher de quoi manger. En ce jour de Noël, le service d'hôtellerie faisait relâche. Quand il eut terminé son repas, il alla récupérer une boîte carrée portant le nom de Fromm's et la glissa dans la poche intérieure de sa veste. Le chapeau sur la tête, le paletot sur le dos, il sortit.

Le temps demeurait étonnamment doux pour cette période de l'année. La longue marche jusque dans les parages du port s'avéra une promenade agréable. Il allait vers le quai King Edward. D'autres promeneurs croisèrent sa route, sans doute des gens soucieux de favoriser leur digestion après les agapes de la veille. Ou des personnes restées sur leur appétit, comme lui.

Boulevard Saint-Laurent, près de l'intersection de la rue Notre-Dame, divers établissements discrets offraient des… services. Ses collègues lui en avaient parlé à voix basse lors de son arrivée à Montréal, presque trois ans plus tôt. Ce genre de visite le laissait toujours honteux. Pas à cause du péché – après avoir vécu la guerre, il se disait que Dieu ne devait pas se formaliser de ces petits accrocs –, mais plutôt parce qu'au lieu de se trouver là, il aurait dû être assis chez lui, avec une épouse tout près et, pourquoi pas, des enfants dans la pièce voisine. Il avait mauvaise conscience.

D'abord, il dut montrer patte blanche à un gardien revêche. Un billet de deux dollars fit des miracles. Ensuite, il se retrouva dans un salon déjà rempli de clients. Visiblement, les banquiers célibataires n'étaient pas les seuls à ressentir un profond vague à l'âme ce jour-là. La maquerelle affreusement fardée lui offrit des alcools à des prix scandaleusement élevés. Il préféra recourir tout de suite aux services professionnels qu'il était venu chercher. Parmi les filles, il vit une blonde aux yeux pâles. La ressemblance avec Sophie était trop grande, il opta pour une brune aux yeux sombres.

Dans la chambre relativement élégante – au moins il avait les moyens d'éviter les endroits les plus sordides –, il commença par déposer la petite boîte sur la table de chevet. Un chimiste allemand avait eu la géniale idée de fabriquer des condoms avec la méthode dite du *dipping*. Un peu comme pour les Whippets de monsieur Viau, on trempait des tubes de verre épousant à peu près la forme d'un pénis dans un contenant rempli de caoutchouc liquide. Une fois séchée, la mince couche pouvait ensuite être mise dans une enveloppe de papier métallique. Le produit ne sentait pas très bon, mais personne ne devait avoir l'idée saugrenue de se l'enfiler dans les narines.

Certain de ne pas risquer d'attraper une maladie qui entraînerait des années de soins peu efficaces, il put ensuite régler la transaction avec une dame se présentant sous le prénom de Mona, ce qui fit sourire Xavier. Compte tenu de son teint de Méditerranéenne, l'allusion à Mona Lisa était trop évidente. Peut-être sa mère l'avait-elle fait baptiser du doux prénom d'Immacolata vingt ans plus tôt. Immaculée. La vie avait de ces ironies, parfois… Comme quand, huit ans plus tôt à Boston, il avait joué à Cupidon entre un homme et une femme dont il était tombé amoureux au premier regard.

Bêtement, comme on tombait amoureux à dix-sept ans. Comme si, passé trente ans, il était demeuré en 1914 l'adolescent naïf qui s'était ouvert un poignet.

La veille, Polydore Brissette s'était rendu à la messe de Minuit en compagnie de sa mère. Sur le parvis de l'église de l'Immaculée-Conception, il avait salué Odile, pour rentrer ensuite à son domicile de la rue Mentana. Pour lui, les véritables festivités devaient avoir lieu le 25, en compagnie d'amis fidèles.

Ils étaient une dizaine à se réunir chez Edmire, rue Cherrier. Non pas que ce jeune homme jouît d'une popularité particulière, mais ses parents avaient eu la bonne idée de se rendre chez des cousins en lui laissant la garde de la maison. Tout en faisant le service, il demanda :

— Polydore, comment a été ton réveillon, hier ?

Plusieurs ricanèrent, devinant la réponse qui suivrait. Tous dans ce petit cercle avaient rencontré Zénoïde, sa mère, au moins une fois. L'événement avait marqué leur esprit et chacun imaginait le déplaisir d'un repas tardif en tête à tête avec elle.

— Atroce. Nous avons pris une tasse de thé, puis nous sommes allés nous coucher.

Ce dîner serait autrement plus copieux. Des pâtés se trouvaient déjà sur la table, avec des bouteilles de bière et de vin. Sans compter qu'il flottait dans la pièce une odeur de tarte aux pommes. Un autre, Victorin, interpella à nouveau le commis de banque.

— Je t'ai vu un matin avec une jolie fille. Tu as trouvé la femme de ta vie ?

À nouveau, il y eut des ricanements.

— Ne niaisez pas. C'est Odile, ma nouvelle collègue. Elle me repose des farces plates de Sylvio.

Celui-là aussi était connu de certains, ceux parmi le petit groupe qui avaient fréquenté l'académie des frères des Écoles chrétiennes.

— Celui qui se prend pour Rudolph Valentino ? demanda quelqu'un.

— C'est bien lui. Il lui manque toutefois six pouces pour rivaliser avec Rudolph.

— À la verticale ou à l'horizontale ? dit quelqu'un.

Il y eut des éclats de rire. Polydore préféra ne pas s'engager sur ce terrain. Parfois, il trouvait ses amis un peu vulgaires.

— Mais cette Odile, intervint Edmire en remplissant son verre, tu peux nous en dire un peu plus ?

— Il n'y a pas grand-chose à en dire. Dix-huit ans, timide, certainement naïve…

— Oh ! cria quelqu'un. En plein mon genre ! Timide et naïve.

Évidemment. La timidité l'empêchait de poser des questions et la naïveté de trouver seule des réponses.

— Mais elle vient avec un ange gardien. Un ami de la famille à qui elle rend des comptes, apparemment.

— Un ami comme ça ? fit quelqu'un en faisant un mouvement de va-et-vient de son index dans son poing fermé.

— Seigneur ! On dirait que vous pensez que je connais sa vie dans le détail. Nous marchons ensemble pour aller travailler parce qu'elle habite la rue à côté. C'est tout.

Heureusement, devant la mauvaise humeur croissante de Polydore, ses compagnons trouvèrent à propos de changer de sujet de conversation.

Quand les assiettes furent vides, tout comme les bouteilles, quelqu'un lança :

— Nous devrions aller faire un tour sur la montagne.

— Es-tu fou ? Se geler le cul dans trois pieds de neige…

— Il ne fait pas plus froid qu'en octobre.

La conversation s'étira sur de longues minutes, entre les partisans d'une excursion sur le mont Royal, et ceux qui préféraient rester au chaud. Certains demeurèrent dans la cuisine servant aussi de salle à manger, d'autres migrèrent dans le salon. Ce fut le cas de Polydore. Bientôt Léo, un vendeur de chez Letendre, vint s'asseoir près de lui.

— Cette fille, elle te plaît ?

— Tu ne vas pas t'y mettre toi aussi ?

— Je ne m'y mets pas. J'ai une femme et je ne m'en porte pas plus mal.

Elle se trouvait chez des membres de sa famille. Ce devait être les seuls époux de Montréal qui passaient le jour de Noël chacun de son côté.

— Oui, elle me plaît. En particulier son côté timide et naïf.

Apparemment satisfait de cet aveu, Léo se leva et déclara :

— Bon, moi je vais me promener dans la nature. Tu viens avec nous ?

— Je préfère rentrer à la maison.

L'autre eut un petit rire moqueur.

— C'est vrai, il ne faut pas laisser ta mère seule un jour comme aujourd'hui.

Le ton tout comme les mots le vexèrent. Cela ne fit que le conforter dans sa résolution de ne pas aller s'aventurer en montagne.

Chapitre 9

Le 26 décembre, en allant dîner dans un restaurant du boulevard Saint-Laurent, Xavier constata que la rue Saint-Jacques était presque totalement paralysée. Une foule très dense encombrait la chaussée devant l'édifice du journal *La Presse*. Les jours précédents, on avait annoncé la présence du Père Noël en ces lieux. Le gros barbu se trouvait donc forcé d'allonger la durée de sa présence à Montréal – le lendemain de Noël, sa place était au pôle Nord – pour aider l'Œuvre des étrennes aux enfants pauvres.

Parmi la masse humaine, le banquier remarqua la présence de nombreux enfants dépenaillés, accompagnés de parents guère mieux vêtus. Ou plutôt, la plupart du temps, seulement d'une mère miséreuse.

Un bref instant, il eut envie d'entrer pour dire bonjour à son amie. Dans cette affluence, ce ne serait que l'occasion de lui faire perdre son temps et de perdre le sien. Tous les deux avaient mieux à faire de leur après-midi. Il regagna donc son bureau de la Royal Bank of Canada pour s'absorber dans la consultation de rapports. Que des colonnes de chiffres puissent capter son attention aussi complètement l'étonnait encore après toutes ces années. Un peu après cinq heures, son supérieur immédiat vint frapper à sa porte pour lui annoncer :

— Xavier, il y a en bas une très charmante dame qui t'attend. Même si elle prétend s'appeler Sophie, elle s'exprime en anglais avec l'accent traînant de Boston.

— C'est parce qu'elle a passé des années là-bas. Presque aussi longtemps que moi, en fait. Mais à sa naissance, elle portait le nom très français de Deslauriers.

Il avait donné le patronyme en séparant les mots « des » et « lauriers ». Ainsi, même un collègue aussi peu doué pour les langues reconnaîtrait le nom du premier ministre canadien-français qui avait occupé le pouvoir au début du siècle.

— Alors à moins que vous m'ordonniez de rester ici jusqu'à ce qu'il soit six heures, je descends la rejoindre tout de suite.

— Ta situation est comme la mienne : quelle que soit l'heure de ton départ cet après-midi et de ton retour demain, tu devras effectuer toutes les tâches prévues.

Il rangea ses dossiers, revissa soigneusement sa plume et descendit sans s'encombrer de son porte-documents habituel. Au rez-de-chaussée, dans la pièce réservée aux clients, il aperçut Sophie Turgeon assise sur une chaise, une soucoupe dans une main et une tasse de thé dans l'autre. Il alla la rejoindre, son feutre à la main.

— Mes collègues entendaient t'inviter à prendre le thé de cinq heures, pour te laisser toute seule ensuite ?

Elle se leva à son approche.

— Malgré mes protestations, ils m'ont mis ça dans les mains. Pendant toutes les réunions de dames patronnesses, nous en buvons à peu près un gallon. Une goutte de plus aujourd'hui et je me noie.

Il la débarrassa de la soucoupe et de la tasse. Ils demeurèrent un moment l'un en face de l'autre, immobiles. Xavier hésitait entre lui tendre la main ou lui faire la bise. Ce fut donc par son sourire qu'il lui exprima son plaisir de la revoir.

Après lui avoir offert son bras, il l'entraîna vers la sortie.

— Selon mon patron, ton accent de la Nouvelle-Angleterre demeure parfait malgré les années écoulées depuis ton retour de Boston.

— Je n'ai pas eu cette impression quand je suis allée voir mes parents l'été dernier.

— Tu es sévère.

Dehors, il adapta son pas au sien. Au moment de passer devant l'édifice de *La Presse*, il demanda :

— L'œuvre de charité a été réussie ?

— Il y a assez de pauvres à Montréal pour faire de toutes les activités charitables une réussite.

Pour en avoir la preuve, il n'y avait qu'à se promener dans certains quartiers de la ville, ou alors faire le compte du très grand nombre de décès d'enfants en épluchant la rubrique nécrologique des journaux. Le sujet convenant mal lors d'une promenade avec une jolie femme, Xavier décida d'en changer.

— Parlant de Boston, on a l'impression d'y être tellement il fait doux...

— Une chaleur record pour ce temps de l'année. Cet après-midi, les dames patronnesses prédisaient que nous paierons cet hiver trop doux avec un été exécrable.

— Je reconnais bien là l'optimisme de nos concitoyens.

Le beau temps occupa leur conversation jusqu'à la rue Sainte-Catherine.

Depuis une semaine déjà, tous les soirs, Odile marchait aux côtés de Polydore jusqu'à la rue Cherrier. Et tous les matins, elle le rejoignait pour faire le trajet en sens inverse.

La conversation portait surtout sur la journée écoulée, ou celle qui commençait. Parfois, ils évoquaient leurs loisirs respectifs. Pour le jeune homme, cela se limitait à faire la conversation à sa mère, la lecture à sa mère, à jouer aux cartes ou à faire des promenades – toujours avec sa mère. Odile en déduisit qu'il devait être aussi inexpérimenté qu'elle dans le jeu des relations amoureuses.

— J'ai aimé quand nous avons monté l'arbre de Noël, la semaine dernière, dit-il.

— Moi aussi. Ça ne m'était pas arrivé depuis que j'étais petite fille.

— Vous ne fêtiez pas Noël ?

— Disons qu'après mes dix ans, il n'y avait pas beaucoup de raisons de fêter à la maison.

Ce rappel du climat familial la rendit morose. Ils demeurèrent silencieux un moment.

— Le sapin, c'était agréable, mais le comportement de Sylvio...

Polydore préféra ne pas aller plus loin, mais il était facile de conclure qu'il n'appréciait pas ses libertés de langage ou de geste.

— Je ne savais pas quoi faire. Crier après lui ? Je le vois tous les jours.

— Je sais. Moi aussi, j'aimerais parfois l'envoyer promener. Il aime provoquer.

Déjà, ils arrivaient au coin de la rue Cherrier.

— Odile, accepterais-tu de sortir avec moi, un soir prochain ?

La jeune femme songea immédiatement à Xavier. Accepter une invitation, était-ce le trahir ? Perdre son soutien ? La réponse tarda assez pour que son interlocuteur déclare, visiblement déçu :

— Bon, oublie ça.

Il montrait bien peu de ténacité.

— Que proposes-tu ?

— Le Théâtre Canadien-français présente des pièces qui ont eu un grand succès en France.

L'idée de retourner dans l'établissement qu'elle avait fréquenté avec « l'ami de la famille Payant » la troubla. Après une hésitation, il ajouta :

— À tout le moins, c'est ce que j'ai lu dans le journal.

— Quand ?

— Demain ?

— Après-demain ?

L'idée de ce rendez-vous l'effrayait un peu. Elle souhaitait retarder l'échéance, comme lorsqu'elle devait se confesser.

— D'accord. Demain, je te donnerai le titre de la pièce. Si ça ne te dit rien, nous pourrons faire autre chose.

— Je ne dois pas être plus difficile que tous ces Français qui ont aimé ces spectacles.

Polydore hocha la tête et répondit à son sourire un peu moqueur par un autre sourire.

— Bonne soirée, Odile.

— Bonne soirée, Polydore.

Polydore avait appris dès le soir du 25 décembre que la petite expédition au flanc du mont Royal avait mal tourné. Le beau temps n'attirait pas que des promeneurs énamourés, mais aussi des policiers zélés. À son arrivée à la maison, sa mère lui annonça que certains de ses amis passeraient devant la cour des sessions de la paix le lendemain. La vieille femme paraissait catastrophée.

— Ces jeunes-là vont faire mourir leur mère.

En réalité, elle voulait dire : « Si un jour je vois ton nom dans le journal, je meurs. »

Xavier avait marché jusqu'à la rue Sainte-Catherine avec Sophie accrochée à son bras. Les réverbères lui permettaient de voir les regards masculins dans la direction de sa compagne. Et parfois dans la sienne, avec l'air de dire « le chanceux ».

Ils se retrouvèrent dans un élégant salon de thé. De la vitrine, donnant sur la place, ils pouvaient voir le grand magasin Morgan à leur droite, et celui de Henry Birks juste en face.

— Tu es comme le démon tentateur, dit-elle en riant. Je vais passer la nuit à rêver de tous les bijoux qui sont là.

— La prochaine fois, je serai plus attentionné. Mais j'y pense, comme tu as abusé du thé cet après-midi, peut-être aurais-tu préféré un restaurant.

— Tu sais, ici ils ont aussi du café.

Une serveuse arriva pour prendre leur commande et revint bien vite avec les tasses. Xavier demanda :

— Comment se fait-il que tu te sois retrouvée à cette distribution de vivres et de cadeaux de Noël ?

— Tu ne connais pas la mafia des dames patronnesses... Je promenais Clémence dans un landau dans les allées du parc La Fontaine quand une femme m'a dit : "Comme elle est jolie !"

— Voilà qui est vrai. Mais quand c'est moi qui te le dis, ça ne te conduit pas à jouer la fée des étoiles auprès du Père Noël.

Cette façon de présenter son travail de l'après-midi la fit rire. Chaque fois, elle montrait des dents parfaites. Les plis à la commissure de ses lèvres et de ses yeux disaient son âge :

trente-cinq ans depuis peu. Pourtant, aucune jeune fille ne pouvait rivaliser avec elle.

— Ça lui a pris moins d'une minute pour me demander de l'accompagner à une réunion des dames patronnesses de la paroisse de l'Immaculée-Conception. À ma seconde présence, j'ai été embrigadée pour cette activité.

Une femme qui ne savait pas dire non.

— Tu aimes te rendre utile de cette façon ?

— Je m'occupe de mes enfants et de mon mari... Ça me laisse beaucoup de temps libre... Et puis, j'aime avoir le sentiment de me sentir utile.

Autrement, ses journées seraient devenues très moroses.

— Au gré des conversations chez les Turgeon, j'ai compris que Délia consacrait beaucoup de temps à des tâches de ce genre. Pour toi, c'est une nouveauté, non ?

La serveuse vint déposer les assiettes devant eux. Xavier remarqua que Sophie demeurait songeuse.

— Quand Délia se rendait chez la femme du juge Nantel pour une réunion, il pouvait y avoir trente épouses de notables. Tôt ou tard, l'une d'elles m'aurait demandé : "De quoi votre oncle, monsieur le curé, est-il mort précisément ?" Ou des questions plus embarrassantes encore.

Alors pour éviter ce genre de confrontation, elle s'était isolée au cours des dernières années. « Il lui a imposé ça. » Revenir à Douceville avait coûté cher à son amie. Xavier ressentit un peu de colère.

Sophie paraissait suivre le cours de ses pensées.

— Tu sais que tu as créé un certain effet sur Georges ?

— À Noël ? Je ne vois pas pourquoi.

— Non, la semaine précédente.

Elle faisait donc allusion à leur repas dans une taverne.

— Tu l'as vexé en lui rappelant qu'à trente-cinq ans, il vivait encore dans les meubles de son père.

— Je n'ai pas voulu…

Xavier s'arrêta. Évidemment, il l'avait voulu. Qu'il se lamente sur son déménagement au lieu de se réjouir de faire disparaître un sujet d'inquiétude pour sa femme, voilà qui l'irritait.

Il misa sur la franchise :

— Emménager ici présente un bien petit inconvénient pour lui, et un grand soulagement pour toi.

Elle hocha la tête pour acquiescer.

— Toi, tu n'aurais pas hésité un instant à rester à Boston ou à venir ici pour m'éviter ce souci ?

Ce fut son tour de dire oui avec sa tête.

— Georges est un homme bon, plaida Sophie. Tu n'en doutes pas, j'espère ?

— Pas du tout. C'est pour ça que je ne comprends pas qu'il n'ait pas pensé à la situation où il te mettait.

— Douceville est son paradis perdu.

La référence au poème de Milton lui tira un sourire.

— Un paradis perdu dont je fais partie. Pas Douceville, en fait, mais la demeure où il est né, où il a grandi, où il m'a rencontrée, sous l'œil bienveillant de ses parents.

Il quittait le jardin d'Éden pour arriver dans le monde plus difficile de la grande ville.

— Comment ça se passe pour le travail ?

— Bien, je crois. Tu vois, ce soir, il assiste à une réunion du conseil d'administration de l'hôpital. Et juste avec mes relations chez les dames patronnesses, je lui ai trouvé une dizaine de patients ; des gens plus ou moins déçus de leur médecin actuel. Il aura une clientèle avant d'avoir meublé son bureau.

— Si ton mari était banquier, avec ton sourire, tu ferais changer plusieurs personnes de succursales.

« Un banquier comme moi », songea-t-il.

— Flatteur !

Même si Sophie paraissait moqueuse, ses joues se colorèrent.

— Tu ne me parles pas de toi. Comment se porte ta protégée ?

Comme il fronçait les sourcils, elle précisa :

— La fille de la charmante Clarisse.

Elle l'avait vue assez souvent pour se faire une bonne idée du personnage.

— Elle travaille dans une banque.

— Ta banque ?

— Non, une banque concurrente. Elle a obtenu le poste lors d'une véritable entrevue et elle devra le garder avec sa propre compétence. Je n'ai fait que lui donner le nom du directeur.

Xavier se sentait un peu gêné de son rôle. Avouer qu'il payait la pension de la mère et de la fille – pour encore plus d'un mois, dans le cas de cette dernière –, et qu'il l'avait vêtue, l'aurait mis terriblement mal à l'aise face à cette femme. Honteux, même. Il se faisait encore l'impression de rendre Odile absolument dépendante, pour ensuite obtenir ce qu'il voulait.

— Et au niveau personnel, entre elle et toi ?

— Je pense qu'elle se sent un peu perdue dans tout ça.

Comment interpréter autrement le retour occasionnel du mot « monsieur » dans sa bouche, sa façon de se raidir quand il l'embrassait ?

— Elle est très jeune, ajouta-t-il.

Sophie hocha la tête pour donner son assentiment.

— Xavier… Je peux te poser une question indiscrète ?

Cela ne pouvait manquer. Il hocha la tête.

— Tu as eu quelqu'un dans ta vie, déjà ?

La question remplaçait une remarque lourde de sous-entendus : « Pour t'accrocher ainsi à une ingénue, la fille de celle qui t'a rejeté, tu as dû passer tout ce temps dans la solitude. » L'esprit de Xavier suivit exactement le même chemin : il songea un instant à sa façon de célébrer Noël, plutôt que de le passer en famille.

Cela ne pouvait manquer, son célibat tardif alimentait des soupçons même chez cette excellente amie. Son père lui donnait une idée du comportement des hommes, dans ces circonstances. Lui avait séduit l'une de ses paroissiennes de dix-huit ans. Alors comment imaginer Xavier faisant des patiences pendant tous ses temps libres. Ou se livrant à des exercices de piété, ou à des activités charitables, comme le faisaient souvent les vieilles filles.

Le malaise évident de son compagnon, sa honte même, l'amena à murmurer :

— Pas…

Le fait d'avoir des parents si peu conventionnels ne la rendait pas plus apte qu'une autre à évoquer certaines réalités à haute voix. Pour Xavier, être aussi facilement deviné fit l'effet d'une gifle.

— Tu veux dire : pas des amours mercenaires ?

Rougissante, incapable de nier, Sophie hocha la tête.

— Tu sais, à mon âge…

Presque quarante ans. Un âge où on ne s'intéressait pas à une ingénue, d'habitude, à moins de se sentir rassuré par l'ignorance de l'autre. C'étaient les maisons de tolérance, ou des mœurs infiniment plus coupables. Il ressentit le désir de se défendre, pour ne pas perdre toute dignité à ses yeux. Tout en craignant que ce soit tout de même insuffisant, maintenant.

— Il y a eu quelques personnes après mon arrivée aux États-Unis. Sans qu'il n'en sorte rien de bon.

Le regard de son interlocutrice s'attendrit. Il sentit quelque chose de quasi maternel, dans ses yeux. Une inclination à pardonner les faiblesses humaines, pas à fustiger les pécheurs.

— Évidemment, après Clarisse j'ai été un long moment à me tenir loin des jupons… Mais ensuite, je restais tout de même sans le sou. Pas le genre de prétendant que les parents reçoivent à leur table le dimanche.

Elle demeurait un peu sceptique. Les hommes très pauvres trouvaient des femmes dans la même situation. Ou dans une meilleure situation. Pourtant, elle hocha la tête, fit le geste d'approcher sa main de la sienne, pour s'arrêter devant l'inconvenance.

— Tu as pensé au mariage ?

— Souvent.

Ce n'était pas une vraie réponse. Il précisa :

— Tu sais que je suis resté en France presque un an après la fin des combats.

Les Alliés avaient gardé leurs troupes prêtes à reprendre la guerre si les Allemands ne signaient pas le traité préparé à Versailles. Ensuite, le rapatriement avait traîné.

— Je n'avais pas grand-chose à faire, et les veuves se comptaient par dizaines de milliers dans un pays dévasté. Elles plaçaient des petites annonces dans les journaux. Il y avait d'ailleurs les mêmes dans ceux de Boston.

« Peut-être la sienne », songea-t-elle. Oui, il y avait pensé, sans concrétiser le projet.

— Il y en a eu une en particulier.

Xavier tenait à l'en convaincre, maintenant, pour ne pas passer pour un moins que rien à ses yeux.

— Tu n'as pas eu envie de revenir avec elle ?

— Avec la femme capable de ramasser le gars venu d'Amérique, bien vêtu, bien nourri ? La France était affamée. Mais ça ressemblait beaucoup trop à la situation avec Clarisse.

Oui, cet échec l'avait marqué bien plus profondément que la petite cicatrice à son poignet. Et aujourd'hui Odile ne paraissait pas le meilleur moyen d'exorciser sa peine.

— Xavier… Aucune femme ne peut te regarder sans se dire "Voilà un gars qui a réussi". À Boston, en France ou ici. Ce fut le cas pour moi aussi, dans le temps…

La remarque leur procura un petit vertige à tous les deux. Elle préféra continuer très vite :

— Mais ça ne veut pas dire qu'elle n'en veut qu'à ton argent, tu as autre chose à offrir. N'importe qui le voit au premier regard.

Elle laissa échapper un petit rire nerveux, puis précisa :

— Mais je ne passerai pas une heure à te parler de toutes tes qualités.

Une heure. Elle donnait envie à Xavier d'entendre cette liste. La serveuse leur apporta l'addition à ce moment.

— Je pense que je devrais rentrer, maintenant. Voilà trop longtemps que j'ai confié les enfants à la cuisinière.

— Tu as raison. Nous allons prendre un taxi jusque chez toi. Ensuite je rentrerai à pied.

Xavier paya, puis tous les deux marchèrent un moment rue Sainte-Catherine. Très vite, ils purent héler une voiture.

Après les confidences échangées, il s'avéra difficile de reprendre le cours d'une conversation normale. Ils se quittèrent devant l'immeuble de la rue Sherbrooke, après s'être promis de se revoir rapidement.

Mercredi matin, Odile arriva au coin de la rue Cherrier à l'heure habituelle. Polydore brillait par son absence. Comme la veille son collègue paraissait affreusement tendu, tant en allant au travail qu'en revenant, elle en vint à se demander si elle était responsable de sa mauvaise humeur.

Peut-être ne voulait-il tout simplement plus de sa compagnie. Après avoir poireauté une dizaine de minutes, elle se dirigea vers la banque, vaguement inquiète. Qu'avait-elle fait pour provoquer ce changement dans son attitude ?

En entrant dans la succursale, elle aperçut Sylvio déjà assis à son bureau. Avant même d'aller accrocher son manteau dans la petite penderie, elle lui demanda :

— Polydore est déjà arrivé ?

Sylvio la regarda, vaguement amusé.

— Quoi, vous vous êtes querellés ?

— Pourquoi nous querellerions-nous ? Parce que je marche plus vite que lui ?

En réalité, c'était le contraire : il lui fallait forcer le pas pour se tenir à sa hauteur.

— Non, il n'est pas arrivé.

La jeune femme alla accrocher son manteau et son chapeau, puis s'installa devant sa machine à écrire. Elle avait un léger retard dans la correspondance. Quand Jules Hamel arriva un peu après neuf heures, il ne fit aucune remarque sur l'absence de son employé. Quelques minutes plus tard, Odile frappa à la porte du bureau du directeur.

— Monsieur, je m'excuse de vous importuner, dit-elle en entrant. Savez-vous pourquoi Polydore est absent ce matin ?

— Ça, je ne sais pas, il me le dira quand il arrivera. J'en profiterai pour lui dire que je n'aime pas recevoir un coup de fil à sept heures du matin pour apprendre qu'un employé rentrera en retard.

Ainsi, son absence ne tenait pas à une faute qu'elle aurait commise. Il devait être malade.

Chapitre 10

Après avoir passé une longue nuit à réfléchir au sort de ses amis, Polydore avait décidé d'assister au procès. Aussi, un peu passé huit heures, il se trouvait dans le grand édifice de la cour, rue Notre-Dame, pour attendre le début des procédures. D'abord, il vit arriver des journalistes. Ensuite quelques curieux, comme lui. Il se joignit à ces derniers pour entrer.

Dans la salle, le jeune homme alla s'asseoir dans un coin, de façon à ne pas se faire remarquer. Un effort inutile, car presque tous les autres spectateurs firent la même chose. Comme si s'intéresser à cette cause était suspect en soi. Il y avait une exception, une femme – la seule dans l'enceinte – assise au premier rang. Il devait y avoir vingt personnes environ, dont plusieurs lui étaient familières.

D'habitude, les accusés occupaient un petit espace clos par des murets, avec deux officiers de justice pour les tenir à l'œil. La présence de huit accusés compliquait la chose. Ils se tenaient épaule contre épaule, sur deux rangs. Un greffier attendait assis à une table, un avocat, à une autre.

Tout le monde se leva à l'arrivée du magistrat, pour se rasseoir quand celui-ci occupa son siège. Il contempla l'assistance un moment. Dans des causes de ce genre, le juge déclarait souvent le huis clos. Une décision ambiguë. La discrétion permettait de ne pas scandaliser la population, selon le principe que faire de la publicité autour de ces cas donnerait à d'autres l'idée de les imiter. Mais rendre cela public permettait d'informer les gens des risques que couraient leurs enfants.

Ce matin-là, le juge avait choisi la seconde option.

Cette étape du processus judiciaire ne servait qu'à faire connaître la preuve recueillie. S'il la jugeait suffisante, des accusations étaient portées. Sinon, les suspects étaient libérés. Un policier se fit le porte-parole de la force constabulaire de Montréal : huit messieurs s'étaient aventurés sur le mont Royal le jour de Noël pour se livrer à des activités répugnantes.

— Votre Honneur, on les a pognés les culottes baissées.

Dans ce cas, il fallait prendre l'affirmation au pied de la lettre. Des huit accusés, quatre plaidèrent coupable et furent condamnés sur-le-champ à cinquante dollars d'amende et l'ordre de garder la paix. Comme le Code criminel prévoyait un maximum de cinq ans de prison, assortis de coups de fouet, les journaux signaleraient la mansuétude du magistrat le lendemain. Toutefois, si à l'avenir on les arrêtait dans les mêmes circonstances, ils subiraient tout le poids de la loi. Trois, qui avaient déjà été condamnés, plaidèrent non coupable. Ils demeureraient en prison en attente de leur procès. Le huitième, Léo Cousineau, était le seul à être assisté d'un avocat. Ce dernier se leva pour dire :

— Votre Honneur, il y a méprise. Monsieur Cousineau ne conteste pas qu'il se promenait sur le mont Royal. Cependant, c'était pour prendre l'air, comme il le fait souvent. Il s'agit d'un homme de bonne moralité, son épouse ici présente peut en témoigner.

De la main, le plaideur désigna la femme assise au premier rang. Il y eut une petite commotion au sein de la force constabulaire. Un sergent revint à la barre des témoins.

— Officier, c'est vous qui avez procédé à son arrestation ?

L'homme répondit positivement.

— Vous étiez en civil ?

Nouvel assentiment. Pour ce genre de traque, des agents se baladaient incognito afin d'attirer sur eux l'attention des autres promeneurs. La formulation d'une avance, ou d'un geste pouvant être interprété comme tel, valait une arrestation.

— Le prévenu était-il habillé normalement ?

Comme l'autre ne répondit rien, il précisa :

— Pas de chemise ou de braguette ouverte ? Pas d'habits féminins ?

Cette fois, le sergent dut convenir que non.

— Pas de paroles déplacées ?

— Non, mais dans son air, on voyait ben...

L'avocat demanda la parole, le juge consentit à la lui donner.

— Sergent, le prévenu ne vous a rien dit ?

— Non.

— Mais vous, lui avez-vous parlé ?

Il y eut un silence, puis le policier dit oui.

— Vous lui avez demandé : "Toé, en as-tu une grosse ?"

Il y eut des ricanements dans la salle. Le témoin dut convenir que c'était le cas.

— Votre Honneur, faut ben dire quequ' chose.

— Qu'a-t-il répondu ?

— Rien, y a viré de bord en courant.

— Monsieur Cousineau, vous pouvez partir. Cependant, à l'avenir, soyez prudent dans le choix des endroits où vous vous promenez.

Léo Cousineau murmura un « Oui, Votre Honneur », puis il quitta les lieux. Ils ne seraient que trois à demeurer en cellule, finalement. Ensuite commença le défilé des voleurs, des batteurs de femme et des bagarreurs. Polydore n'avait aucun intérêt pour ces histoires. Il quitta la salle d'audience.

ꝯ

Dehors, il aperçut Léo Cousineau appuyé contre le mur d'un édifice, la pipe à la bouche. Visiblement, il tentait de se remettre de ses émotions. En s'approchant, il lui demanda :

— Ta femme est partie ?

— Disons qu'elle n'avait pas envie d'échanger sur la douceur du temps.

— En tout cas, sans sa présence, ça se serait passé autrement.

Cousineau hocha la tête tout en se mettant à marcher vers l'est.

— Ça ne veut pas dire que la paix régnera dans le ménage.

Puis après une pause :

— C'est comme une assurance. Les vieux garçons sont toujours soupçonnés d'être des invertis. Sans elle, j'aurais avoué moi aussi. Ce juge ne se montre pas très méchant avec les gars sans casier.

Inverti désignait l'inversion sexuelle, la dénaturation de l'ordre normal des choses. Autrement dit, sans une épouse légitime, il se savait condamné à cause de sa seule présence sur les lieux.

ꝯ

Quand Polydore était entré à la banque, à l'heure du lunch, Sylvio avait lancé, moqueur :

— Coudon, souffres-tu encore des suites du réveillon ?

— Ça doit être plutôt à cause de la nourriture de ma mère, hier soir. Comme cordon-bleu, on a déjà vu mieux.

Il adressa un sourire à Odile, qui le suivit des yeux de la porte jusqu'à la penderie où il laissa son manteau et ses couvre-chaussures. Il frappa à la porte du directeur. Elle l'entendit dire à ce dernier :

— Monsieur Hamel, je m'excuse. J'ai passé la nuit sans dormir, quelque chose que j'ai mangé au souper.

— Vous allez mieux, j'espère ? Pendant une transaction bancaire, vomir sur le comptoir est toujours du plus mauvais effet.

Le ton était un peu railleur. Cet homme se montrait tolérant envers les faiblesses humaines. Enfin, de certaines faiblesses humaines.

&

À six heures, Polydore attendit Odile près de la porte. Dehors, il lui offrit son bras et ajusta son pas au sien.

— J'espère que tu vas un peu mieux. Tout l'après-midi, je t'ai trouvé préoccupé, le teint un peu pâle.

— Tu sais, une petite indigestion ne tue jamais personne. J'ai sauté le lunch et maintenant j'ai faim. C'est le signe d'un parfait rétablissement.

— Ce matin, je dois dire que je me suis inquiétée.

Il mit sa main sur ses doigts et exerça une caresse.

— Tu es une fille très gentille, tu sais.

Viendrait-elle au palais de justice, si nécessaire, pour lui servir de caution morale ? Sans doute qu'elle ignorait la définition du mot « inversion » – excepté dans les exercices de rhétorique, évidemment. Odile continua :

— J'espère que tu seras assez bien pour notre sortie, demain. J'ai hâte.

Oui, il s'agissait d'une gentille fille, quelqu'un sur qui compter.

— Je serais même assez en forme pour y aller ce soir, si tu veux.

— Ce serait une bonne idée, mais j'ai demandé à une de mes voisines de m'accompagner à la bibliothèque.

Après une pause, elle ajouta :

— Remarque, je pourrais sans doute me décommander. Edith ne m'en voudra pas.

— Non, ne change pas tes plans. Demain, ce sera parfait.

Le lendemain soir, Polydore avait quitté Odile au coin de la rue Cherrier pour aller souper chez lui. Ils devaient se retrouver au même endroit une heure plus tard. Déjà, la jeune femme pouvait remarquer la différence de condition entre un commis de banque et un inspecteur. Pas de souper dans un restaurant avant le spectacle, ni d'arrêt dans un café après celui-ci.

Il lui fallut manger à toute vitesse pour ne pas risquer d'être en retard. Attentive à chaque détail de la vie de sa voisine, Adine fit remarquer :

— Décidément, cet ami de la famille Payant se montre très attentionné, pour te sortir deux, même trois fois par semaine.

— Je ne sors pas avec lui ce soir.

— Alors c'est avec ton nouveau chevalier servant ?

Odile préféra ne rien répondre, sinon sa situation risquait de faire l'objet de discussions pendant une heure encore. Plutôt, elle se leva en marmonnant :

— Je dois partir tout de suite, sinon il va m'attendre. Alors je m'excuse.

— Ton dessert ? dit l'une de ses voisines.

— Partagez-le entre vous.

Elle monta à l'étage en vitesse, pour redescendre aussitôt et se précipiter dehors. Elle sut si bien se presser qu'il lui fallut attendre quelques minutes au coin de la rue. Quand il la rejoignit, Polydore répéta:

— Je te remercie de m'accompagner.

— C'est plutôt à moi de te dire merci.

Elle accepta son bras. Ils marchèrent jusqu'à la rue Sainte-Catherine. À nouveau, Odile se troubla du fait que quelques jours plus tôt, c'était au bras de Xavier qu'elle se dirigeait vers le Théâtre Canadien-français. Cette fois, ils occupèrent des places parmi les moins chères, avec une vue plus limitée sur la scène.

Cependant, cela ne diminua en rien le plaisir du spectacle. Le drame *Les deux orphelines*, d'Adolphe d'Ennery et Eugène Cormon, provoquait toujours des fleuves de larmes. L'histoire présentée en sept tableaux racontait les mésaventures de l'orpheline Henriette Gérard et de sa sœur adoptive aveugle, Louise.

Encore une fois, Xavier s'était attardé à son bureau plus que de raison. Un tramway le déposa rue Sherbrooke. Il s'arrêta devant son immeuble et poussa un soupir. Cette période de festivités jouait sur son moral d'esseulé et son souper en tête à tête avec Sophie n'avait rien arrangé. Depuis vingt ans, il avait laissé filer quelques occasions de mettre fin à sa solitude. Il les avait passées en revue pendant toute la nuit. Était-ce à cause de la crainte de revivre sa mauvaise expérience avec Clarisse, ou à cause de la présence d'une autre femme, celle-là inaccessible, dans sa vie? Il n'était pas sûr de la réponse.

Plutôt que de monter chez lui, il décida de marcher vers l'est, jusqu'à l'avenue du Parc-La Fontaine. Bientôt, il frappa à la porte de la pension de mademoiselle Séguin. Elle mit de longues minutes avant de venir répondre. Quand elle ouvrit, la mauvaise humeur marquait son visage. Personne ne dérangeait les honnêtes gens à une heure aussi tardive sans avoir convenu d'un rendez-vous au préalable. Elle se radoucit en le voyant.

— Monsieur Blain, si j'ai bonne mémoire ?

— Je suis désolé de vous déranger ainsi. J'aimerais voir mademoiselle Payant.

— Quelque chose de grave est arrivé ?

Les visites impromptues signifiaient le plus souvent une mauvaise nouvelle.

— Non, non. Je souhaite seulement lui parler.

— Elle n'est pas ici. Elle devait aller au théâtre avec un de ses collègues, je crois.

La déception sur le visage de Xavier la rendit plus amène.

— Venez, entrez.

— Je ne veux pas vous déranger.

— Ça, vous l'avez déjà fait.

Son sourire était chargé de sympathie. Elle se déplaça de côté pour le laisser entrer, puis referma. Ensuite, il la suivit jusqu'à un petit boudoir.

— Prenez un siège, je reviens.

Il y en avait deux. Un livre se trouvait sur celui près du guéridon. Il occupa l'autre.

— Vous arrivez juste à temps, dit la femme en revenant avec un plateau portant une théière et deux tasses. Je venais tout juste de m'en préparer du frais. Placez la table entre nous.

Bientôt, elle remplit les tasses tout en disant :

— À cette période de l'année, les gens comme nous sont souvent moroses.

— Comme nous ?

— Des gens ayant atteint un certain âge...

Après une petite pause, elle continua :

— ... et n'ayant pas leur propre famille. Que ce soit par choix, ou non.

Xavier eut l'impression qu'elle lisait en lui.

— Au point de se présenter chez les honnêtes gens à une heure indue juste pour profiter d'une conversation, admit-il.

— Vous montrez beaucoup de sollicitude envers Odile.

— Si je ne le faisais pas, personne ne l'aiderait.

— En tant qu'ami de la famille ?

Sa voix contenait un petit défi. Il voulut bien le relever.

— Ami de la jeune fille, en réalité. Sa mère en bénéficie de façon collatérale.

Il venait d'en révéler plus à cette inconnue qu'il ne l'avait fait avec Sophie. Ce soir, sous cet éclairage, il trouva cette demoiselle Séguin plutôt jolie. Une châtaine aux cheveux attachés sur la nuque. Plutôt que de voir sa vie examinée par le menu, il préféra orienter la conversation dans l'autre sens.

— C'est une belle maison que vous avez là.

— Un héritage de mes parents.

— Il s'agissait déjà d'une maison de chambres ?

La femme hocha la tête.

— Je n'ai eu qu'à continuer, j'avais l'habitude. Et mon célibat est parfait pour ce genre de travail...

Et cette propriété faisait en sorte qu'elle n'avait pas besoin du revenu d'un mari pour subsister. Visiblement, elle se réjouissait de cette indépendance. Pendant quelques minutes, ils discutèrent des exigences de ce commerce tout en vidant une tasse de thé. Puis le visiteur se leva en disant :

— Je m'excuse encore une fois, mademoiselle Séguin.

— Ne vous excusez pas, j'ai apprécié cet accroc à ma routine.

Elle n'alla pas jusqu'à lui suggérer de revenir, mais ne le découragea pas de le faire.

Dehors, alors qu'il approchait du café La Fontaine, Xavier vit un couple venir dans sa direction. Il entra précipitamment dans le café et prit place à une table où traînait un exemplaire de *La Presse*. Avec le journal levé à la hauteur des yeux, il vit Polydore passer avec Odile tenant son bras.

— Vous prendrez quelque chose ? demanda un serveur.

— Une tasse de thé.

Xavier avait proposé à Odile de le rejoindre à un restaurant de la rue Saint-Denis le samedi suivant en soirée, plutôt que de passer la prendre. L'accroc aux convenances devait lui épargner de revoir mademoiselle Séguin. Il gardait une certaine honte de sa visite impromptue du jeudi précédent. S'attendre à trouver Odile à la maison, pour apprendre d'une étrangère qu'elle était sortie avec un autre homme, n'avait rien de flatteur.

Quand la jeune femme fut sur le point de quitter la banque, Polydore l'attendait près de la porte. Mal à l'aise, elle lui dit :

— Ce soir je ne ferai pas le trajet avec toi. J'ai un… engagement.

Son effort de discrétion ne trompa pas son collègue.

— Tu dois le rejoindre ?

Cette fois, ce fut avec les joues brûlantes qu'elle répondit :

— Il s'agit de mon tuteur, en quelque sorte. Je ne peux pas me dérober.

— Si c'est ce que tu préfères… Bonne soirée.

La jeune femme sortit sans un mot de plus. En quittant la section du rez-de-chaussée réservée aux employés, Sylvio déclara :

— Souvent femme varie, bien fol est qui s'y fie.

Cette maxime était attribuée au roi François Ier. Polydore joua l'indifférence.

— Elle est libre de marcher avec qui elle veut, et moi aussi.

Un instant plus tard, il claqua la porte derrière lui.

Quand Odile emprunta la rue Saint-Denis, elle aperçut tout de suite Xavier devant la porte du restaurant.

— Vous allez bien, monsieur Blain ?

Ce retour du vouvoiement le heurtait. Et du vouvoiement venant avec le titre.

— Très bien, malgré l'excès de travail. Et toi ?

La jeune femme répondit aussi par l'affirmative.

— Entrons.

Il avait réservé une table. En ce 30 décembre, tous les établissements publics étaient bondés. D'ailleurs, Odile s'en étonna.

— Je pensais que tout le monde serait en famille, aujourd'hui.

— Alors il faut croire que dans la grande ville, beaucoup de personnes sont éloignées des leurs.

Il l'aida à enlever son manteau, puis accrocha le sien. La clientèle se composait de gens plutôt jeunes. Au moment de commander, Xavier demanda une bouteille de vin. Quand le serveur fut reparti, il dit :

— Il est temps de te faire goûter autre chose que la bière.

Odile se sentit un peu blessée qu'il la trouve si «habitante». À quelques reprises, elle avait pu tremper ses lèvres dans une coupe. Il enchaîna:

— Alors, tu as pu visiter ta mère, lundi dernier?

— J'ai dîné avec elle, à l'hôpital.

— Elle se porte bien?

— Oui, mais son humeur demeure la même.

Chaque fois que la jeune femme pensait à l'accueil reçu, la colère l'envahissait.

— Ça ne doit pas faire assez longtemps qu'elle partage la vie de ces saintes femmes.

— Dans dix ans, peut-être.

La répartie amena son compagnon à rire de bon cœur. La frustration de Clarisse l'amusait.

— J'ai aussi rencontré monsieur le curé, continua la jeune femme. Il est venu dire la messe à l'hôpital. Ensuite, j'ai mangé un dessert au presbytère.

— Voilà un homme généreux.

Le ton était bien un peu grinçant. Il ne doutait pas que son ami en avait profité pour s'informer de la relation entre eux. Il versa du vin dans le verre de sa compagne, puis dans le sien.

— Dis-moi ce que tu en penses.

Odile en but un peu et le déclara très bon.

— Meilleur que la bière?

Elle esquissa un sourire.

— Ni meilleur ni moins bon.

— Je ne pense pas que l'alcool te plaise beaucoup.

— Je n'ai pas l'habitude. À la maison, mon père le gardait pour lui.

Pendant tout le repas, Odile se sentit mal à l'aise, comme si elle l'avait trahi. Ils en étaient au café quand elle commença, les yeux baissés:

— Je suis allée voir *Les deux orphelines*, avec un collègue.

Xavier se demanda si mademoiselle Séguin lui avait fait part de sa visite. Probablement. Dans ces circonstances, son interlocutrice comprenait que mieux valait aborder le sujet la première.

— As-tu apprécié ?

La compagnie ou la pièce ? Elle commença par hocher la tête, puis choisit la seconde interprétation.

— C'était très beau, mais Polydore m'a dit avoir préféré le film, l'an dernier.

— Je le comprends. Sur scène, il y avait quinze personnes tout au plus. Dans les films de Griffith, on en compte des centaines, et avec ses caméras, il arrive à faire croire qu'il y en a des milliers.

— Mais ce ne sont pas de vraies personnes.

Le banquier se garda bien de pouffer de rire. Toutefois, il ne put s'empêcher de remarquer :

— Sur l'écran ce sont de vraies personnes aussi. Lilian Gish, c'est une vraie femme. L'une des plus belles du monde, selon les journalistes.

— Dans un autre monde que le mien. Pour moi, c'est simplement une image argentée. Sur une scène, les personnages sont vraiment devant moi.

— Tu as raison.

Pendant un moment, la conversation porta sur ces deux médiums. L'homme avait toutefois la tête ailleurs.

— J'ai vu tes collègues, l'autre jour. Polydore, c'est le plus jeune des deux, je pense.

— Oui. Polydore Brissette. Il a les cheveux blonds. L'autre se nomme Sylvio Hardais.

Il y eut un silence, puis elle risqua d'une toute petite voix :

— Nous n'avons rien fait de mal.

Cet homme pouvait encore la priver de tout. Pas à cause de ses dons. Jamais elle n'avait signé de reconnaissance de dette. Seulement en cessant de soutenir Clarisse. Dans ce cas, il lui faudrait la prendre à sa charge. Et retourner à Douceville, sans doute.

— Je sais bien que tu n'as rien fait de mal. Tu n'es pas ce genre de fille, n'est-ce pas?

Elle secoua la tête. C'était une question piège. Être ce genre de fille, c'était faire avec Polydore ce qu'elle avait fait avec lui, dans l'obscurité de la banque à Douceville. Un peu plus tard, le couple quitta la table. Le trajet vers la maison de chambres s'effectua en silence. Sur le trottoir, ils se firent face.

— Odile, je te souhaite une excellente année 1923.

Puis il se pencha pour poser les lèvres sur les siennes.

— Nous ne nous verrons pas demain ou après-demain? voulut-elle savoir.

— Je ne pourrai pas me libérer.

La jeune femme sentit sa tête tourner. Il la rejetait après cette sortie avec Polydore?

— Bonne année à toi aussi, dit-elle d'une voix blanche.

Si elle ne prononça pas son prénom, elle ne l'appela pas monsieur.

— Bonne nuit.

Puis Xavier marcha vers la rue Sherbrooke, sans se retourner. Odile le regarda s'éloigner. Que ferait-il, pendant ces deux jours? Existait-il une autre femme? Ce fut très perplexe qu'elle entra dans la maison. S'il existait quelqu'un d'autre, pourquoi s'inquiéter encore d'elle, ou de Clarisse?

Chapitre 11

Odile passa une bien mauvaise nuit, et une bien mauvaise journée de la Saint-Sylvestre. Que signifiait cette mise à distance ?

Quand elle commençait à s'imaginer que Xavier pouvait lui retirer son aide, tout de suite la manufacture de vinaigre lui revenait en mémoire. En réalité, un pareil recul était peu probable. Donnant satisfaction comme secrétaire, elle arriverait sans doute à poursuivre son travail. À moins que le banquier ne se décide à user de toute son influence pour la réduire au chômage. Mais c'était sans doute lui prêter trop de pouvoir – et trop de mauvaises intentions.

Le Premier de l'an, après avoir déjeuné, elle se joignit aux filles se trouvant à la pension afin d'assister à la messe. Certaines s'entendirent ensuite pour aller au cinéma un peu plus tard. Odile répondit vaguement qu'elle y songerait. Comme d'habitude, elle se rendit au café La Fontaine, en compagnie d'Edith. Cette dernière demanda :

— Comme ça, tu n'as pas envie de venir avec nous, cet après-midi ?

— Je préfère me reposer.

Sa compagne hésita un moment, puis dit doucement :

— Tu veux rester disponible, au cas où il se manifesterait ?

— Xavier... commença Odile. Monsieur Blain, se reprit-elle tout de suite.

Mais le mal était fait. Heureusement, son amie se montrait discrète sur sa vie privée, et tout autant sur celle des autres.

— Nous ne nous sommes pas quittés dans les meilleurs termes, la dernière fois.

— Je ne pensais pas à lui, mais à l'autre.

— Ça ne s'est pas tellement bien terminé non plus avec Polydore. Il ne me trouve pas assez disponible, je pense.

— Seigneur, tu mènes une vie plus compliquée que moi.

Edith la contempla un moment avant d'ajouter :

— Nous accompagner te permettrait de te distraire un peu.

Odile secoua la tête.

— Veux-tu que je reste avec toi ? proposa Edith.

— Pourquoi être deux à s'ennuyer ?

Quelques minutes plus tard, Odile trouvait refuge dans le salon de la pension. Malheureusement, la provision de journaux et de magazines ne contenait plus rien d'inédit.

Quand il quitta son lit le matin du 1er janvier 1923, Xavier songea à retourner dans le petit établissement discret du bas de la ville. Peut-être parce que pour les solitaires, le jour de l'An ne revêtait pas la même symbolique que Noël, il résista à la tentation. C'est avec des journaux de Boston qu'il envisagea de passer la matinée.

Février 1914

Quelques semaines après sa rencontre avec Sophie Deslauriers, Xavier avait mangé avec Georges Turgeon dans un restaurant de la rue Cambridge, dans le quartier de Brighton. L'hôpital Sainte-Elizabeth, où il travaillait, se trouvait à deux pas.

Son ami lui présentait un visage plus que satisfait. Heureux.

— Je ne sais pas ce que tu lui as dit, mais elle a finalement accepté de me voir sans hésiter.

— Je te l'ai raconté. Je lui ai dit qu'un gars qui venait de si loin pour renouer avec elle méritait une explication face à face. Cela étant, elle m'a emmené voir un éléphant empaillé !

Son compagnon rit de bon cœur.

— Ça vire à l'obsession, chez elle. Moi aussi j'y ai eu droit.

— À en juger par ton expression, l'accueil a été positif.

— Lors de la première rencontre, c'était plutôt frais. Comme si elle combattait ses propres sentiments. Lors de la seconde, j'avais retrouvé la jeune fille de mes dix-sept ans.

Il marqua une pause, puis ajouta :

— Dans une version infiniment plus sophistiquée. Tu comprends ? La même, et une autre.

— Je comprends. Ça s'appelle vieillir.

— Pourtant, elle m'a dit que je n'avais pas changé d'un iota.

Xavier hocha la tête. Son ami avait bien quelque chose de juvénile dans le regard. Comme si l'âge adulte l'avait épargné.

— Ça, je veux bien le croire. Vous ne vous étiez pas vus depuis vos dix-sept ans ?

— Après son départ, elle est venue une fois à la maison, à Noël, et moi à Medford l'été suivant. C'est la vie, nous étions rendus ailleurs.

En fait, lui ne l'était pas du tout. Dans le cas de la jeune femme, il en allait autrement. Elle s'était moulée à sa nouvelle existence.

— Depuis, il n'y a eu personne dans ta vie ?

— Tu sais comment ça se passe, dit Georges. Pendant les vacances d'été, à Noël, au jour de l'An, il y a toujours une ou deux cousines au lien de parenté suffisamment éloigné pour que ce ne soit pas péché. Rien de sérieux.

Georges marqua une pause, puis répondit à la question muette de son ami.

— Je n'ai pas demandé un compte rendu à Sophie, mais tu l'as vue. Une jolie femme comme elle a dû attirer son lot de prétendants. Elle a vingt-cinq ans...

— Si je comprends bien, vous allez vous revoir.

— Évidemment. Je regrette juste que mon horaire à l'hôpital soit si exigeant.

Dans le petit monde très féminin de la pension de mademoiselle Séguin, certains événements paraissaient particulièrement joyeux. Au moment de se présenter au souper du Premier de l'an, Delphine Rodier flottait littéralement sur un nuage. Surtout, elle présentait sa main gauche comme si elle souhaitait que toutes ses voisines y posent les lèvres.

Adine comprit très bien :

— Tu es fiancée ?

— Ouiiiiii !

La jeune femme sautillait maintenant sur place. Comme les autres, Odile se pencha pour mieux voir l'annulaire de sa main gauche. Sur un anneau d'or, il y avait une petite pierre. Un bijou modeste, mais tellement lourd de signification. Delphine allait enfin réaliser sa vocation de femme : dénicher un époux.

— Ça s'est fait aujourd'hui ? demanda l'une.

— Oui, chez nous. Le curé est venu à la maison pour la circonstance.

Ses parents habitaient Sainte-Rose, à Laval. Quand toutes furent assises à table, que le premier service fut posé devant elles, Reine demanda :

— Tu ne vas pas nous raconter ? On veut savoir comment ça s'est passé !

Les couples étant absents, aucun homme ne risquait de formuler une remarque douteuse.

— Ça ressemble tellement à un mariage ! Le curé a béni la bague et Fernand me l'a passée au doigt. Nous nous sommes mis à genoux pour une bénédiction.

Toutes convinrent que cela ressemblait vraiment à un mariage.

— La nuit de noces en moins... murmura l'une d'elles.

Il y eut quelques rires.

— Ma mère était tellement énervée. Avoir un prêtre à table pour le dîner ! Elle a cherché dans un livre de bienséance pour connaître les règles.

— Je suppose qu'ils mangent comme tout le monde, remarqua Adine.

Delphine pensa : « Quelle idiote... » À haute voix, elle consentit à préciser :

— Tu en as eu, toi, des prêtres à ta table ? Sais-tu où le faire asseoir ?

Il y eut un silence. Quand mademoiselle Séguin se présenta pour le second service, celle-ci demanda :

— Alors, où fait-on asseoir le prêtre ? On ne sait jamais, peut-être que monsieur le curé voudra nous tenir compagnie, un de ces soirs.

Ainsi, le ton avait suffisamment monté pour lui permettre d'entendre depuis la cuisine.

— À la droite de ma mère. Comme il n'a pas fait la grimace, ça devait lui convenir.

— Bon, quand il viendra, je le mettrai à côté de moi. Parce que personne ne ressemble plus que moi à une mère, dans cette maison.

Aucune de ses locataires n'osa la contredire. Elles lui avaient toutes demandé un petit service déjà, de l'emprunt d'une ceinture hygiénique au remplacement d'un bouton. Elle continua :

— Et le bon curé, il s'est déplacé pour le prix d'un repas ?

— Fernand lui a donné une pièce d'or.

— Ah !

Sans rien ajouter, la logeuse retourna dans la cuisine. La conversation porta ensuite sur le mariage lui-même, prévu pour le printemps suivant. Quand elle monta en compagnie de son amie, Edith demanda :

— Toi qui travailles dans une banque, sais-tu combien ça vaut, une pièce d'or ?

— Tu t'imagines vraiment que je vois des pièces d'or ? Si j'étais à la caisse, peut-être. Mais en tant que secrétaire...

Bientôt, elles s'installèrent dans sa chambre pour un bout de conversation. Cette fois, Odile précisa :

— Je peux au moins te dire qu'il existe des pièces de cinq et de dix dollars. Il y en a sûrement d'autres qui valent plus cher, mais ça, je ne sais pas.

— Tu vas fouiller dans le coffre ?

— Je dois taper les textes du comptable, dit Odile en riant.

— Je m'attendais à ce que ce soit plus élevé. Finalement, ce curé se montre plutôt raisonnable. Le tiers de mon salaire d'une semaine.

La moquerie n'échappa pas à son interlocutrice. Pendant un moment, le sujet de la richesse des prêtres les occupa, puis Edith demanda :

— Demain, vas-tu aller au bureau avec ton chevalier servant ?

— Je ne sais pas. Il paraissait de très mauvaise humeur, l'autre jour.

— D'un autre côté, tu n'as rien fait de mal…

L'affirmation contenait tout de même une petite note interrogative. Tellement qu'Odile secoua la tête de droite à gauche.

— Alors fais comme si de rien n'était. Autrement, il se jouera un petit film dans sa tête. Un film où tu n'auras pas le meilleur rôle.

Cette fois, elle opina du chef. Toutes les filles disaient la même chose, au couvent : après un mauvais coup, faire semblant de rien.

Alors, elle s'efforça de ne rien changer à sa routine. Sauf une petite exception : cinq minutes plus tôt que d'habitude, elle se tenait au coin de la rue Cherrier. Polydore se présenta à l'heure habituelle.

— Bonne année ! lui dit-elle quand il arriva à sa hauteur.

Si son collègue affichait un visage un peu morose, elle feignait – très mal – la bonne humeur. Devait-elle tendre la main ? La joue ? Son collègue prit l'initiative de la première option.

— Bonne année, Odile.

Quand ils arrivèrent à la banque, Sylvio Hardais, lui, profita de l'occasion sans vergogne.

— Odile, bonne année, et le paradis à la fin de tes jours.

Ensuite, il lui embrassa bruyamment la joue gauche, puis la droite. Le directeur se montra plus réservé, lui donnant une bise légère, même pas susceptible de troubler une vieille tante religieuse.

Au cours de la journée, en passant près de la porte du bureau du comptable Bazile Ménard, elle frappa doucement et ouvrit quand il l'y invita.

— Monsieur, dit-elle depuis l'embrasure de la porte, je voulais vous souhaiter bonne année.

L'homme leva les sourcils, surpris.

— Décidément, vous êtes une charmante fille, mademoiselle. Je vous souhaite également une excellente année.

&

Lors du retour à la maison ce jour-là, Polydore se montra à peine plus loquace que le matin. Après un long silence, il commença :

— Odile, je me demandais si tu accepterais de m'accompagner au cinéma, samedi prochain.

Elle prit un instant avant de répondre :

— Je ne sais pas…

La réponse lui fit perdre tout à fait son sourire.

— C'est à cause de lui ?

Odile n'eut aucun mal à deviner de qui il parlait. Cependant, il entendit se montrer plus clair :

— Le gars qui est venu à la banque. Vous êtes partis ensemble. C'est à cause de lui que tu dis non ?

— Je n'ai pas dit non. Mais…

Comment pouvait-elle lui expliquer ? Le mieux était d'utiliser son mensonge habituel.

— C'est un ami de la famille. De ma mère, en fait. Il veille sur moi.

Après avoir dit ces mots, elle se rendit compte qu'ils correspondaient tout à fait à la réalité. Tout résidait dans le poids accordé à chacune des informations.

— Il me voit une fois par semaine, mais je ne sais jamais quand. À l'entendre, il passe ses journées et ses soirées à la banque.

— Que fait-il ?

— Inspecteur de je ne sais pas quoi. Il est venu à Douceville parce qu'il y avait des irrégularités.

Polydore sembla se détendre un peu.

— Oui, ça peut être exigeant comme travail.

— Pour samedi… je lui en parlerai.

« Comme si elle devait obtenir sa permission », songea le jeune homme, dépité.

Quand Polydore entra dans un appartement au rez-de-chaussée d'un petit immeuble de la rue Mentana, il entendit :

— Elle a refusé ?

Dans la cuisine, il trouva sa mère debout devant le poêle à bois, occupée à préparer le souper. Une femme dans la cinquantaine, un peu échevelée.

— Je te l'avais dit qu'elle refuserait, lança-t-elle.

Le ton avait un côté victorieux qui l'agaça tout à fait.

— Ça te fait plaisir de me dire qu'une fille ne peut pas s'intéresser à moi ?

— On n'a pas besoin d'elle. On n'a besoin de personne pour être bien ensemble.

— Toi, tu as besoin de moi. De mon côté, j'ai peut-être besoin de quelqu'un d'autre que toi.

Il la laissa abasourdie et alla se réfugier dans sa chambre.

Odile Payant aurait pu accepter l'invitation de Polydore, finalement. Xavier ne se manifesta pas avant le samedi, en fin d'après-midi. Au moment de lui remettre son petit mot, mademoiselle Séguin murmura :

— Il ne faut pas en faire une habitude. Vous êtes douze, ici.

La logeuse n'entendait pas gérer un service de messagerie.

— Il travaille beaucoup à la banque. Il n'a certainement pas pu faire autrement.

— Je comprends. Mais tout de même…

Le mot lui disait qu'il la rejoindrait le lendemain à son retour de la messe. Et effectivement, alors que le petit groupe de jeunes femmes revenait à la maison de chambres un peu après onze heures, il se trouvait là. Elle alla le rejoindre de l'autre côté de la rue.

— Tu as passé une bonne semaine ? demanda-t-il.

— Oui.

Sa mine soucieuse disait autre chose, alors elle précisa :

— Une semaine sans histoire. Et pour toi ?

Comment lui dire que le souvenir d'un souper avec une vieille amie le troublait plus que de raison ? Une amie aimée dès la première rencontre.

— La même chose. Évidemment, j'aurais aimé que la température continue de ressembler à celle de Boston, plutôt qu'à celle de Montréal.

Il l'entraîna vers le sud.

— J'ai pensé t'emmener au restaurant Traymore, au coin de Peel.

Cela représentait une longue marche, de quoi les mettre en appétit. Odile n'était jamais allée dans un restaurant aussi grand, avec soixante tables, peut-être plus, et quatre chaises autour de chacune.

— Nous avons le choix, autant nous mettre près de la vitrine.

Quand ils marchèrent vers une table carrée, Odile demanda :

— Pourquoi y a-t-il aussi peu de monde ?

— Il ne faut pas croire les curés quand ils affirment que les protestants sont de mauvais chrétiens. En Ontario, je me demande si nous pourrions trouver un seul établissement ouvert. Nos voisins parlant l'autre langue sont presque tous rentrés à la maison après l'office.

Au centre de la table se trouvait un îlot sur lequel étaient déposés un sucrier, une salière, une poivrière et une bouteille de ketchup. Ce ne serait pas de la grande cuisine, mais pour la jeune femme, ce serait une autre première.

Xavier constata qu'elle portait une nouvelle robe. Verte, celle-là. Évidemment, la période de deuil et de demi-deuil était terminée.

— Tu as fait des achats ?

— Non, mais bientôt je devrai le faire. Pour le moment, je me suis entendue avec une voisine, Edith. Aujourd'hui, je porte une robe un peu grande, et elle un peu petite.

Il approuva de la tête. C'était une bonne façon de gérer ses affaires. Dans trois semaines, il lui faudrait payer sa chambre.

— Moi je trouve que ça te va très bien.

Il la trouvait plutôt jolie. Depuis un mois, son alimentation était certainement suffisante. Meilleure que depuis des années, sans doute. De plus, vivre parmi des femmes d'à peu près son âge convenait certainement mieux que la compagnie de Clarisse.

Il leva la main pour attirer l'attention d'un garçon.

— Cette fois je vais prendre la liberté de commander, dit-il. Juste pour te faire connaître un classique de la gastronomie américaine.

Quand le serveur arriva, il demanda deux hamburgers, des frites et deux Coca-Cola. Les conversations sur la semaine écoulée les occupèrent jusqu'à l'arrivée des assiettes et des verres. Odile regarda la boisson noirâtre en fronçant les sourcils.

— De l'eau pétillante, du sucre, de la caféine, et paraît-il, des traces de coca. Ça m'étonnerait, cependant. Mais il y a vingt-cinq, vingt-six ans, c'était un mélange d'alcool et de coca.

— De la coca ?

— Une drogue qui crée une dépendance dont les utilisateurs ont bien du mal à se débarrasser. C'est pour ça que le gouvernement en interdit maintenant l'utilisation.

Il songea à s'engager dans une description de toutes les turpitudes de la société américaine, mais il se retint.

— Goûte !

Elle trouva la boisson rafraîchissante et l'étrange sandwich avec une boulette de viande, nourrissant.

Ce fut après bien des tergiversations qu'elle osa en venir au sujet qui la préoccupait.

— Tu sais, le garçon avec qui je suis allée au théâtre avant le jour de l'An… il m'a réinvitée.

Comme elle ne poursuivait pas, il lui demanda :

— Alors ?

— Je n'ai pas osé accepter. Je ne savais pas ce que tu en penserais.

En réalité, Xavier ne le savait pas non plus. Il prit un instant avant de dire :

— Si tu en as envie, accepte.

— Tu es certain ?

Après ce qui s'était passé à la banque, à Douceville, le baiser et les promesses, elle ne pensait pas qu'il était tout à fait sincère. Elle n'eut pas le courage de s'en assurer.

— En plus, j'ignorais quand tu voudrais me voir.

— Tu as raison, me manifester ainsi à la dernière minute est indélicat. Je tenterai de te contacter plus à l'avance.

— À la banque, si possible. C'est moi qui prends les appels.

Pour ne pas avoir l'air de lui dire quoi faire, elle expliqua :

— Hier, mademoiselle Séguin paraissait fâchée de devoir prendre les messages.

Pourtant, Xavier ne l'avait pas trouvée si pointilleuse, lors de sa visite de la semaine précédente.

— Je ferai comme tu me le suggères.

Après un dessert et une tasse de thé, il la reconduisit à sa pension. Avant qu'ils se séparent, il dit à la jeune femme :

— Tu fais bien de voir des gens de ton âge. Trouve-toi des activités, occupe tes soirées.

Il marqua une hésitation avant de se pencher sur elle pour lui donner une bise sur la joue.

— Bonne semaine. Je te donnerai de mes nouvelles bientôt.

Il mit tellement d'empressement à la quitter que ses propres souhaits se perdirent dans son dos. Voir des personnes de son âge… s'occuper... Une nouvelle fois, elle eut l'impression de l'avoir mis en colère.

Tout le long du trajet vers son appartement, Xavier se demanda si c'était la chose à dire à Odile. Parmi les nouveautés qui émaillaient son existence, il n'y avait pas que le Coca-Cola, le travail, la ville, ses voisines, mais aussi les baisers. Il pouvait tout lui interdire et la mettre sous une cloche de verre. Mais dans ce cas, ses oui et ses non n'auraient aucun sens. Seuls les êtres libres effectuaient des choix.

Une fois chez lui, impossible de s'intéresser aux journaux. Ni à ceux de Boston, ni à ceux de Montréal.

Chapitre 12

Mai 1914

Après leur premier rendez-vous, Georges Turgeon avait rencontré Sophie à plusieurs reprises. L'homme ne perdait plus jamais son sourire. Il en parlait maintenant comme d'une promise. Il avait invité Xavier à se joindre à eux pour un dîner dominical.

— Je n'ai rien à faire là, avait-il protesté.

— Ils veulent te connaître. Après tout, tu es responsable de nos retrouvailles.

Xavier doutait que le couple Deslauriers soit si empressé de rencontrer Cupidon. Mais il se réjouissait à l'idée de revoir cette jeune femme. Aussi, il rata la messe pour prendre le train avec son ami. Quand ils descendirent à Medford, Georges fit remarquer:

— C'est bien, dans ce coin.

— Oui, c'est une jolie banlieue. Mais Brighton aussi...

— Sophie habite ici.

Peut-être s'était-il déjà assuré de la présence d'un hôpital catholique dans les environs. Au moment de passer à proximité de l'Université Tufts, il formula quelques remarques sur Jumbo l'éléphant. Rue Forster, il désigna un immeuble parmi d'autres absolument identiques.

— Il appartient à ses parents. Ça représente un joli petit capital.

— Tu as raison. De quoi assurer une retraite paisible.

Bientôt, Georges frappait à la porte de l'appartement du rez-de-chaussée. Sophie vint répondre elle-même. Son baiser contenait assez de chaleur pour laisser croire que la romance progressait dans la direction souhaitée. Ensuite, elle lui tendit la main, souriante :

— Monsieur Blain, je suis heureuse de vous revoir.

Elle était vraiment aussi charmante que dans son souvenir.

— Moi aussi, mademoiselle Deslauriers.

— Venez, je vais vous présenter à mes parents.

Le couple était dans le salon. Très à l'aise, Georges alla leur serrer la main, comme une vieille connaissance.

— Voici mon ami Xavier. C'est grâce à lui que nous nous sommes retrouvés.

Le visiteur serra d'abord la main d'Alphonse, un homme d'assez grande taille, bedonnant, allant sur la soixantaine. Puis de Clotilde, dix ans de moins que son époux. Sa ressemblance avec sa fille était frappante. Bientôt, tout le monde passa à table. Après le premier service, Georges déclara :

— La vie est parfois étrange. Xavier a quitté Iberville alors que j'avais dix ans. Jamais nous ne nous étions vus. Puis nous nous sommes croisés tout à fait par hasard il y a quelques mois, à Boston, alors que je venais d'arriver dans la ville.

— Vous n'allez pas nous entretenir de Douceville, n'est-ce pas ? demanda Clotilde. Nous n'en gardons pas que de bons souvenirs.

Le pli au milieu de son front trahissait une réelle inquiétude. Le rose monta sur les joues du jeune médecin. Xavier comprit qu'il s'agissait d'un sujet tabou.

— Non, bien sûr que non. Je voulais juste évoquer ce hasard improbable.

L'hôtesse hocha la tête, puis elle entreprit de mettre le visiteur au cœur de la conversation :

— Vous travaillez dans une banque ?

— Oui, depuis plus de douze ans.

Pendant tout le repas, il eut à livrer quelques bribes d'information sur son existence. Ensuite, la conversation porta sur le ralentissement économique au pays et sur les tensions politiques en Europe.

Jusque-là, Xavier ne s'était pas vraiment intéressé aux circonstances précises de la rencontre de Georges et de Sophie. Après la petite scène survenue à table, sa curiosité était aiguisée. Dans le train qui les ramenait à Boston, il posa la question directement à son ami qui lui répondit :

— Je t'en prie, n'en parle pas devant Sophie, ni devant ses parents. C'étaient des circonstances si étranges que ça les mettrait mal à l'aise.

L'injonction aurait dû augmenter encore sa curiosité. D'habitude, les amoureux se complaisaient à décrire dans le détail les circonstances de leur première rencontre. Évidemment, lui-même ne tenait pas à mettre en lumière sa situation au moment de fuir vers les États-Unis, il pouvait donc comprendre. Le souci des Deslauriers de maintenir le silence sur leur vie à Douceville, tout comme sa tentative de suicide, demeurerait un sujet tabou pendant les années à venir.

Lundi matin, le 8 janvier, Polydore s'efforça de présenter une bonne figure, même si sa dernière invitation n'avait pas reçu un accueil enthousiaste. Peut-être parce qu'elle était arrivée la première, pour l'attendre.

— Mademoiselle Payant, dit-il en inclinant un peu la tête.

— Nous en étions aux prénoms et au tutoiement, la dernière fois que je t'ai vu.

— Alors, mademoiselle Odile, bonjour.

— Bonjour, monsieur Polydore.

— As-tu passé une bonne fin de semaine ? demanda-t-il.

— Pas vraiment. Samedi, je suis restée à attendre pour rien.

— Tu as attendu cet homme ?

— Monsieur Blain, oui. Je l'ai vu hier. Il m'a promis de me contacter à la banque, à l'avenir. Et à l'avance.

Elle présentait sa réaction à sa demande comme un engagement formel. Ça l'était sans doute. Xavier n'avait jamais renié sa parole.

— Je n'aurai plus à attendre en vain. Surtout, il ne voit aucun inconvénient à ce que nous nous voyions. Donc, si tu m'invites à nouveau, je ne serai pas forcée de dire non…

— Alors, je t'inviterai.

Après une pause il ajouta :

— Tu dois avoir la permission de cet homme ?

— Je pense que oui. Ce n'est pas un parent, mais il s'occupe de moi.

— Comment ?

— Par exemple, en me recommandant à la banque.

L'explication satisfit Polydore.

Pendant tout le repas, Zénoïde Brissette avait présenté un visage hostile. Malheureusement, tôt ou tard, les petits garçons cessaient de porter des culottes courtes et d'obéir à leur mère. Et des femmes venaient les détourner de leur premier devoir.

— Qu'est-ce qu'elle peut t'apporter de plus que moi ?

— Tu parles sérieusement, là ?

— Pourquoi ça te prend à ton âge ?

— Justement, j'ai l'âge de me trouver quelqu'un. Les vieux garçons, ça fait jaser. À moins de porter une soutane.

Il y avait pensé, enfant. Au point de jouer à dire la messe. Toutefois, pour cela, il fallait faire le cours classique, une dépense que son père ne pouvait pas se permettre. Aujourd'hui, quand elle allait au marché, et même à l'église, madame Brissette entendait des remarques comme : « Vot' garçon, c'est pas un marieux, hein ? » Ce genre d'affirmation contenait un sous-entendu blessant. Pourtant, elle lui dit :

— Et même s'ils jasent, qu'est-ce que ça fait ?

Il la dévisagea.

— Moi, je n'aime pas ce genre de placotages.

— C'est quel genre de fille ?

— Plutôt jolie, timide, réservée. Un peu comme moi.

Madame Brissette secoua la tête, l'air découragée.

— Tu vas me dire que vous êtes faits l'un pour l'autre ?

La dérision dans le ton convainquit Polydore de ne rien rétorquer. Tous ces discours, toutes ces récriminations, il les avait entendus plus d'une fois. Répondre ne ferait que le mettre en retard pour ses projets de la soirée.

Les invitations avaient été faites le jeudi. Celle de Xavier d'abord, par un coup de fil, pour inviter Odile à dîner dimanche. Puis, au moment de rentrer à la maison, Polydore avait proposé une sortie au cinéma Electra samedi. Dans les deux cas, elle avait accepté.

Comme d'habitude, les jeunes gens s'étaient donné rendez-vous au coin de la rue Cherrier. Odile avait dû s'excuser de quitter la table avant la fin du repas afin de le rejoindre à temps.

— Qu'allons-nous voir, aujourd'hui ?

— *The Young Rajah*. C'est avec Rudolph Valentino.

Décidément, cet acteur était inévitable.

— Après le cheik, voilà le rajah, continua Polydore. Il tient sans doute à s'exhiber dans tous les costumes exotiques du monde. On l'a aussi vu en matador, un peu plus tôt dans l'année.

— Tu l'aimes ?

— Pas particulièrement. Mais toutes les femmes ne parlent que de lui.

Le ton était moqueur, comme s'il les trouvait un peu sottes. Ils empruntèrent exactement le même chemin que pour aller au travail. L'Electra se trouvait au 570, rue Sainte-Catherine Est.

— Il ne me plaît pas particulièrement non plus. Je ne dois pas être comme toutes les femmes.

— Tu es donc comme ma mère. Elle aussi le trouve quelconque.

Lui trouver un point commun avec Zénoïde l'amusait.

— Elle aime le cinéma ?

— Pas du tout. Et encore moins que j'y aille avec toi.

Il y avait du dépit dans sa voix. Odile ne put résister à la tentation :

— Es-tu obligé de faire tout ce qu'elle te dit ?

Il lui avait posé la même question au sujet de Xavier Blain.

— Tu vois bien que non, puisque je suis ici.

Bientôt, ils arrivèrent devant le cinéma. Au-dessus de l'entrée, sur la marquise, on pouvait lire *World in Motion*.

Comme dans *motion pictures*. Sur une affiche près de la porte, Rudolph Valentino portait un turban rouge. L'histoire semblait tout aussi tarabiscotée que les autres, comme si le même auteur écrivait tous les textes dans un état second. Cette fois, un homme élevé en Amérique du Sud découvrait être un prince indien…

Le film dura moins d'une heure. Quand ils se retrouvèrent sur le trottoir, sous l'éclairage jaunâtre des réverbères, Polydore proposa :

— Il est tôt. Veux-tu qu'on aille dans un café ? Le temps de prendre un dessert…

Elle accepta. Ils marchèrent une centaine de verges vers le boulevard Saint-Laurent, pour trouver un petit restaurant tenu par un Italien.

— Alors, comment as-tu trouvé le film ? demanda Polydore.

— Est-ce que dans tous les films, il a une naissance mystérieuse ?

— Je ne les ai pas tous vus, donc je l'ignore. Mais la prochaine fois, on en choisira un avec une autre vedette.

Elle lui répondit d'un sourire, lui signifiant qu'une prochaine invitation serait la bienvenue. Le serveur revint avec des cafés et des morceaux de gâteau. Après quelques bouchées, elle lui demanda :

— Comme ça, ta mère ne veut pas que tu sortes avec moi ?

— Elle craint de perdre sa place.

Odile fronça les sourcils.

— Oui, je sais, dit comme ça, c'est très étrange. Elle compte sur moi pour la soutenir jusqu'à la fin de ses jours.

— Mais ton père…

— Mon père est mort à la fin de la guerre. Mais pas au combat.

La voix trahissait sa frustration, comme s'il lui en voulait encore d'avoir abandonné ses proches de cette façon.

— Tu as des frères et des sœurs ?

Polydore grimaça et secoua la tête.

— Je suis un peu dans la même situation. Je veux dire, je n'ai plus de père, et je n'ai ni frère ni sœur.

— Tu dois la faire vivre ?

— Non. Je ne pourrais pas avec mon salaire. Elle est à Douceville et moi ici.

— Dans ce cas…

— Monsieur Blain s'en occupe.

Polydore perçut la nature complexe de ses relations avec cet homme.

— Donc il se comporte comme ton directeur de conscience, c'est ça ?

Odile ne voulut pas le corriger. Toutefois, cela la troublait d'être le sujet de la conversation. Elle préféra la faire dévier :

— Que faisait ton père ?

— De la guenille…

Devant les sourcils froncés de son interlocutrice, il précisa :

— Dans un atelier de tailleur. Il faisait de beaux costumes pour les gens capables de se payer du sur-mesure.

— Tu m'as dit avoir commencé par travailler dans un commerce.

— Oui, mais pas avec lui. J'étais à la comptabilité dans un grand magasin.

Il parla des longues heures pour un salaire de misère, avant de conclure que la banque procurait de bien meilleures perspectives d'avenir. Bientôt, ils quittèrent le restaurant pour rentrer à leur domicile respectif. Cette fois, compte tenu de l'heure tardive, Polydore la raccompagna jusqu'à sa porte.

— Je te remercie pour cette soirée, Odile.

— C'est plutôt à moi de le faire, Polydore.

Il se pencha pour lui embrasser légèrement la joue. Elle souhaita qu'aucune des autres locataires ne l'ait vu. Un vain espoir. Quand elle entra, Reine demanda depuis le salon :

— Cette fois, c'était le chevalier servant ?

— Il a un nom, Polydore.

— Ah ! Si nous sommes autorisées à utiliser son prénom, c'est que ça devient sérieux.

— Cessez de la taquiner ainsi, intervint Edith. Vous aimeriez toutes être à sa place.

La jeune Irlandaise fit une pause, puis précisa :

— En tout cas, moi, j'aurais préféré passer ma soirée avec un gars, même s'il s'appelle Polydore.

Avec son petit accent anglais, le prénom devenait encore plus exotique. Les autres convinrent que c'était le cas pour elles aussi.

&

Depuis sa naissance, Odile avait pris l'habitude de passer beaucoup de temps toute seule. Sans le lui interdire formellement, ses parents préféraient qu'elle s'abstienne d'inviter des filles de son âge. Et, rare exception dans la province de Québec, il n'existait pas une petite armée de cousins et de cousines susceptibles de la visiter.

Aussi, la pension de mademoiselle Séguin lui permettait d'expérimenter une sorte de vie de famille et de profiter enfin de la présence d'un groupe d'amies. Si la majorité des locataires participaient au souper dominical, il ne restait ensuite que des célibataires pour se réunir dans le salon durant une petite heure.

C'était le moment de discuter de sujets sérieux, qui ne pouvaient souffrir la présence d'oreilles masculines. Ce fut Reine qui lança la discussion :

— Ces filles-là ne sont pas plus belles que nous, non ?

Après le repas, elle avait fait un aller-retour à sa chambre pour redescendre avec un journal américain dans les mains. Elle le posa au milieu d'une table basse, ouvert à une page montrant une grande photo.

— Elles sont en maillot de bain… s'étonna Adine.

Elles étaient sept. Il y avait deux blondes, les autres pouvaient être brunes ou rousses. Le col des maillots révélait des décolletés relativement pudiques et le bas formait une jupe couvrant un tiers des cuisses. Deux filles portaient des bas blancs, une paire allant au-dessus des genoux, l'autre en dessous, en plus de bottines blanches. La mode était aux cheveux courts – couvrant tout juste les oreilles – et frisés. Une seule les avait jusqu'à la hauteur des seins.

— Elles ne sont pas plus belles que nous, non ?

Reine y tenait vraiment.

— En tout cas, elles sont plus ridicules, remarqua Odile avec un sourire en coin.

— La grande au milieu te ressemble un peu, lui dit Adine d'un ton un peu déçu.

Odile était grande, sans beaucoup de rondeurs.

— Pas tant que ça. Elle est blonde et frisée comme ces petits chiens des Anglaises.

Les cheveux d'Odile atteignaient son cou et ils étaient légèrement ondulés. Mais Adine n'en démordait pas : à ses yeux, toutes les pensionnaires présentes avaient un sosie sur cette photo.

— Où veux-tu en venir avec ça ? lui demanda Edith.

— Nous pourrions leur ressembler un peu plus, si nous nous débarrassions de ça.

De la main, elle pinça sa hanche.

N'empêche, les rondeurs faisaient toujours recette auprès de certains. D'ailleurs, à deux pas de la maison de chambres, Myriam Dubreuil vendait le « réformateur », le « seul produit véritablement sérieux, garanti, absolument inoffensif, bienfaisant pour la santé générale comme Tonique ». Et en lettres capitales : « ENGRAISSE LES PERSONNES MAIGRES EN 25 JOURS ».

Toutefois, la publicité vantait le plus souvent les corsets et les pommades susceptibles de faire disparaître les bourrelets. La minceur, bien plus que l'embonpoint, retenait les regards masculins.

— Nous devrions nous inscrire à la piscine, intervint Reine, c'est tout près. Ça nous permettrait de nous amuser deux ou trois soirs par semaine.

— Et pour certaines, de perdre du poids, ricana Edith.

Adine se sentit directement visée, aussi elle déclara sans ambages :

— Je n'irai pas me tourner en ridicule accoutrée comme ça.

— Les filles n'y vont pas en même temps que les garçons.

— Quand même !

Après avoir longuement pesé les pour – s'amuser, « sculpter leur corps » – et les contre – avoir l'air ridicule –, même Adine convint que ce serait peut-être une bonne idée.

Le jour suivant, au moment de rentrer à la pension en compagnie de Polydore, Odile le mit au courant de ses derniers projets.

— Prendre des cours de natation ? dit-il, surpris. Tu as un maillot de bain ?

La veille, aucune des filles n'avait pensé à cet aspect de leur projet.

— Je suppose qu'on les fournit. Les gens ne vont pas prendre des cours d'escrime avec leur costume et leurs épées.

— Mais je suis certain que les gens qui prennent des cours de boxe portent leur propre maillot. Ça doit être la même chose pour la nage.

La jeune femme demeura songeuse pendant la moitié du trajet. Au moment de traverser la rue Sherbrooke, elle dit :

— Ça ne doit pas être bien cher. Il n'y a pas plus de tissu que pour un sous-vêtement.

Trente minutes plus tard, elle évoquait ce problème à table.

— Vous voulez apprendre à nager ? s'étonna Origène Guertin, l'époux de Céleste.

— J'ai appris quand j'étais petit, dit Israël Huard. On se baignait tout nu dans la rivière. Je vais vous montrer gratis. Dès que la glace sera fondue sur le fleuve.

Il faisait un curieux mouvement avec ses mains, comme pour empaumer quelques rondeurs. Sa femme Henriette leva les yeux vers le plafond, désespérée. Mademoiselle Séguin lui avait déjà fait part de son désir de les voir se loger ailleurs, à compter du 1er mai. Elle ne renonçait pas à l'idée d'avoir bientôt une clientèle entièrement féminine.

Un peu avant huit heures, elles étaient quatre à marcher vers la rue Cherrier. Leur destination se trouvait tout près. Depuis décembre 1918, la Palestre nationale permettait de pratiquer diverses disciplines sportives : l'escrime, la gymnastique, la boxe, la lutte et la natation. Il s'agissait d'une œuvre patriotique de l'Association athlétique d'amateurs nationale, pour permettre aux Canadiens français de rivaliser dans les sports avec leurs compatriotes d'une autre origine.

Au comptoir, on leur précisa que les cours de natation étaient offerts certains soirs aux femmes et d'autres soirs aux hommes. Quant aux maillots, on en vendait des usagés, bien pudiques, assez pour rassurer les plus prudes. Chacune consentit à faire cette dépense. Pendant cette courte conversation, au moins une quinzaine d'hommes posèrent les yeux sur elles. De quoi les convaincre de poursuivre leur projet de mise en forme.

Même Odile apprécia toute cette attention.

Dès le lendemain, mardi, elles retournèrent à la Palestre. Chacune se vit attribuer un petit réduit où se changer et déposer ses vêtements. Odile avait revêtu son maillot sous sa robe pour ne pas avoir à se mettre complètement nue dans un endroit inconnu. Il n'y avait pas de miroir, elle ne put se regarder, mais, en baissant le regard, elle vit les pointes de ses seins dressées.

Ce fut les bras croisés sur la poitrine qu'elle marcha vers la piscine. Une dizaine de femmes s'y trouvaient déjà. Certaines, des habituées, batifolaient. D'autres, dont ses voisines, s'étaient regroupées dans un coin.

— C'est pas chaud chaud, se plaignit Edith.

Bientôt, une grosse dame se présenta devant elles.

— Alors, mesdames, prêtes à commencer ?

Xavier était revenu du restaurant un peu après une heure. Il n'avait pas encore eu le temps de se mettre au travail quand le téléphone sonna. Il reconnut la voix de Georges à l'autre bout du fil.

— Alors, la Banque royale protège-t-elle toujours mes économies ?

— Si jamais j'ai à m'occuper de tes épargnes, ça n'annoncera rien de bon.

Puisqu'à titre d'inspecteur il traquait les malversations, cela signifiait toujours des clients lésés.

— Bon, je ne peux rien faire de mieux que me fier à Sir Herbert. Dans le même ordre d'idées, puis-je te confier ma richesse la plus importante ?

— Que veux-tu dire ?

— Sophie et moi devions aller au théâtre Saint-Denis dimanche prochain pour assister à un concert. De la musique du Chœur Mendelssohn. Mais je devrai passer la journée et la soirée à l'hôpital. Puis-je te confier ma femme ? À la condition que tu me la rapportes dans l'état où tu l'as reçue.

Un instant, Xavier se demanda si son ami soupçonnait jusqu'à quel point Sophie lui plaisait. Probablement, puisqu'en sa présence il avait du mal à la quitter des yeux. Cependant, il considérait certainement que l'amitié entre eux prévaudrait sur tout le reste.

— Avec plaisir. Le déménagement de l'hôpital rue Sherbrooke semble prendre tout ton temps.

— Tous ces efforts pour l'amour du bon Dieu. Cependant, j'aime mieux demeurer aux premières loges. Une façon de réchauffer mon siège au futur conseil d'administration.

Autant son exil montréalais lui avait pesé quelques semaines plus tôt, autant maintenant il voyait se profiler des perspectives de carrière. Cela aussi lui ressemblait : passer de l'appréhension à l'enthousiasme.

— Comment se porte ma filleule ?

— Une vraie merveille. Heureusement, elle ressemble à sa mère.

— Qui s'en occupe quand Sophie s'absente ?

— La cuisinière, Corinne ou ma mère. Comme Corinne le dit si bien, quand on en a deux, on peut en avoir quatre, alors elle s'occupe aussi d'Olivier.

Pendant un moment, l'échange porta sur les soins à dispenser aux enfants, et aux joies de la famille.

— Bon, je compte sur toi. Peux-tu passer prendre Sophie chez Corinne, après le dîner ? Je la déposerai là en revenant de la messe. Tu peux aussi arriver un peu plus tôt, si tu souhaites te faire inviter à manger.

— Je ne les connais pas assez pour leur imposer ma présence. Tu sais à quel point je suis timide.

— Oui, sauf quand tu fais ton travail de banquier ou qu'un tueur se présente à ton bureau.

— Tu me comprends mieux que personne.

— Avant de te quitter, encore un mot, dit le jeune médecin. Ça te tente de venir voir des hommes forts ?

Chapitre 13

Pendant son séjour à Boston, Xavier avait fréquenté les concerts symphoniques avec une certaine régularité. Sans prétendre y connaître grand-chose, il savait que la visite du Chœur Mendelssohn de Toronto à Montréal était un événement à ne pas manquer, tout comme celle de Pablo Casals qui aurait lieu prochainement.

Aussi, le dimanche 21 janvier, après un déjeuner suffisamment copieux pour lui permettre de se passer de dîner, il mit son plus beau costume, son col de celluloïd et son plastron amidonné. Tout de même, son désir de ne pas déparer à côté de Sophie ne le conduisit pas à changer son melon habituel pour un haut-de-forme.

Vers une heure, il était sur le trottoir devant un édifice élégant. La façade de pierre, la fenêtre en baie, les vitraux colorés, tout cela trahissait une certaine aisance. La carrière de Jules Nantel paraissait bien engagée.

Sophie vint elle-même répondre à la sonnerie.

— Bonjour, dit-il.

Comme toujours quand ils se retrouvaient face à face, les mots échangés étaient d'une affreuse banalité.

— Bonjour, tu entres un moment?

Dans la salle à manger, les Nantel étaient encore à table, de même qu'Olivier. Il y eut un échange de poignées de main.

— Voulez-vous vous asseoir ? demanda Jules.

— Le temps est un peu juste.

— Alors viens saluer ta filleule pendant que je mets mon manteau.

Son amie l'entraîna vers une chambre d'enfant. Clémence dormait à poings fermés. Xavier toucha légèrement sa joue, elle eut l'esquisse d'un sourire.

— On dirait un ange, murmura-t-il.

— Ça, c'est l'opinion d'un vieux garçon un peu romantique, dit-elle sur le même ton.

Ils repassèrent par la salle à manger pour dire au revoir à tout le monde. Olivier réclama une bise de sa mère. Dehors, Xavier lui offrit son bras.

— Un vieux garçon romantique ?

— Si tu te faisais réveiller en pleine nuit… Et je ne te parle même pas des côtés les moins ragoûtants.

Son ami pouvait se les imaginer. Il savait aussi que Sophie, sauf au moment où elle habitait Medford, avait confié la plus grande part de ces tâches ingrates à une domestique.

La rue Saint-Denis était tout près ; il leur fallut une quinzaine de minutes pour s'y rendre. Chemin faisant, Sophie lui avait remis les billets pour qu'il les présente lui-même à l'entrée. Toujours en lui donnant le bras, elle l'accompagna jusqu'au balcon.

— Georges a choisi de bonnes places, remarqua Xavier.

— Un si bel effort dont il ne profite pas.

Le ton contenait une certaine ironie, ou de la frustration peut-être. Il enleva son manteau de ses épaules pour le déposer sur le dossier de son siège.

— Il prend son rôle très au sérieux.

— Le plus remarquable là-dedans, c'est que sa motivation actuelle tient beaucoup à ta remarque sur sa dépendance à l'égard de son père.

À la taverne, Xavier avait seulement évoqué le fait qu'à trente-cinq ans, il vivait encore dans les meubles de son père. Maintenant, il entendait prouver sa capacité à se faire une place.

— Apprécies-tu ce changement d'attitude ? voulut-il savoir.

— Évidemment. Même si je le vois un peu moins

Bientôt, le rideau se leva sur une version allégée du Chœur Mendelssohn : soixante-dix chanteurs qui interpréteraient *a cappella* quelques airs classiques. Pendant les quatre-vingt-dix minutes suivantes, incluant une courte pause, ils écoutèrent dans un silence recueilli.

À la fin du concert, en descendant les escaliers, Xavier demanda :

— Il y a un joli petit restaurant à côté du magasin Archambault. Viens-tu boire quelque chose ? Ou préfères-tu retrouver tes enfants ?

— Corinne a un instinct maternel très développé, au point de l'étendre aux enfants des autres. Alors oui, je peux t'accompagner.

Ce fut devant une tasse de thé qu'elle demanda :

— Alors, as-tu apprécié ?

— Oui, même si je pense que la partie féminine de l'assistance en a profité plus que moi. Je préfère entendre de vrais instruments, plutôt que des la la la.

— Je suis donc différente des autres femmes, car moi aussi je préfère les musiciens.

Après une pause, elle continua :

— On m'a dit que des orchestres symphoniques des États-Unis se produisaient là.

— Oui, et des troupes de théâtre. Pas seulement américaines, mais aussi françaises.

Lors de son inauguration en 1916, avec ses trois mille places, le théâtre Saint-Denis était la plus grande salle de spectacle du Canada. Avec ses quelques centaines de milliers d'habitants, Montréal s'avérait une escale intéressante pour les troupes en tournée.

— J'étudierai attentivement les publicités des journaux. Après ces années à Douceville, j'ai envie de sortir un peu.

— Dans ce cas, je souhaite que Georges ait de nombreuses réunions de travail, afin d'en profiter avec toi.

— Comment va ta jeune protégée ?

Sa répartie montrait qu'elle n'éconduisait pas un admirateur pour la première fois. Sa manière de faire était imparable.

— Elle va bien. L'un de ses jeunes collègues semble s'être joint à la liste de ses prétendants.

Sophie allongea la main pour toucher la sienne brièvement.

— Je suis désolée.

— Ne le sois pas. Sa situation étant moins désespérée maintenant, elle devient plus attentive à ce qui l'entoure. Ses voisines deviennent ses premières amies et ses collègues des prétendants potentiels.

La jeune femme le regarda pendant un moment.

— Tu es certain ?

— Si j'avais voulu la piéger, je lui aurais offert le mariage une nuit de novembre dernier, au moment où elle était au plus bas. Ou alors je l'aurais entraînée à Boston pour en faire ma maîtresse. Dans les deux cas, ça aurait été comme la prendre de force. Je l'ai placée dans une situation où elle peut jouir de sa liberté et prendre ses distances à mon égard.

Sophie plongea ses yeux bleus dans les siens, puis esquissa un sourire.

— Tu es adorable.

Il secoua la tête, comme pour nier.

— Vraiment. Si tu permettais aux autres de voir à quel point tu l'es, juste dans cette salle, deux ou trois femmes se laisseraient conter fleurette.

Xavier se tourna à demi pour jeter un regard circulaire sur la clientèle. Un ou deux minois rivalisaient certainement avec celui de Sophie. Cependant, il leur manquait quelque chose. Une certaine prestance.

— Elles font un peu jeune, tu ne trouves pas ?

— Oui, tout à fait. Alors répète-moi pourquoi cette jeune fille de Douceville t'a plu ? Hormis le fait que mieux vêtue et nourrie, elle ferait une honnête compétition à nos voisines de table.

— C'est déjà le cas. Elle a "profité", depuis son arrivée à Montréal.

Après une pause il précisa :

— Nous avons une chose en commun : nous sommes des victimes de Clarisse.

Voilà qui pouvait créer une certaine sympathie. Cela n'expliquait certainement pas tout. Il continua :

— Tu devais lui ressembler, à dix-sept ou dix-huit ans. Dans quelques années, quand elle en aura vingt-cinq, elle ressemblera à la jeune femme que j'ai connue en 1914 à Medford.

Cette fois, son interlocutrice fronça les sourcils.

— J'espère que tu n'es pas sérieux.

Pourtant, il l'était.

— J'ai beaucoup pensé à cette rencontre, dernièrement. Depuis que tu m'as fait dire à haute voix que tu m'as plu au premier coup d'œil…

— Xavier, arrête ! dit-elle en levant la main. La même émotion peut certainement se présenter encore. Pas avec moi. Pas avec une jeune fille non plus, car tu n'es plus le garçon qui écrivait des poèmes. Je suis sérieuse : la femme sur qui tu jetteras ton dévolu aura de la chance. Et moi, je me sentirai plus à l'aise de partager un spectacle avec mon ami, et non avec un admirateur transi. Car je suis une femme mariée.

Pendant un long moment, ils accordèrent toute leur attention à leur tasse de thé. Ensuite Sophie releva les yeux avec un petit sourire espiègle.

— Tu comprends ce que je veux dire.

Il acquiesça d'un geste de la tête.

— Je suis devenue un pilier de l'association des dames patronnesses de la paroisse de l'Immaculée-Conception. Histoire de me faire des amies. Si j'invite l'une d'entre elles à la maison, tu voudras venir souper ?

Déjà, elle avait évoqué cette possibilité. Tous les vieux garçons ou les veufs connaissaient quelqu'un susceptible de leur ménager une rencontre de ce genre. Parmi leurs amis ou leurs parents.

— Tu imagines combien je me sentirai mal à l'aise dans un scénario de ce genre ?

— Tu imagines combien la dame se sentira mal à l'aise dans un scénario de ce genre ? Suis-je trop vieille ? Suis-je trop grosse ? Mes enfants risquent-ils de le rebuter ?

Oui, les inquiétudes devaient être réciproques. Il hocha la tête. Le sourire de la jeune femme s'élargit.

— Tu veux dire que l'idée te sourit ?

— Ton amitié m'est précieuse, et ma protégée, comme tu dis, paraît intéressée par un gringalet efféminé. Ce sont deux bonnes raisons.

— Efféminé ?

— Peut-être est-ce mon imagination, mais un gars toujours célibataire à vingt-cinq ans… Cela dit, j'en ai près de quarante… J'imagine que mon grand âge mettra tes amies membres d'associations charitables mal à l'aise.

Sur le marché des mariages tardifs, les veufs risquaient en effet d'être mieux perçus que les célibataires. Après tout, la candidate pouvait toujours se dire que le pauvre était tombé sur un mauvais numéro, la fois précédente. Mais celui qui n'était jamais tombé sur quelqu'un, bon ou mauvais, suscitait des doutes.

— Regarde-les comme tu me regardes parfois. Ça devrait les convaincre de la sincérité de ton intérêt.

— Je m'exercerai devant mon miroir.

Il hésita avant de demander :

— Acceptes-tu de souper avec moi ou tu préfères rentrer tout de suite ?

Devant son hésitation il précisa :

— Je vais essayer de te regarder de la même façon que je regardais Clarisse sur le perron de l'église Saint-Antoine.

L'argument la convainquit. Ne serait-ce que pour se prouver que même après ses avertissements, il ne résisterait pas à son charme. L'admiration transie avait quelque chose de flatteur.

❧

Xavier s'était assuré de ramener Sophie sur le pas de sa porte à une heure raisonnable. Aussi Clémence n'eut pas à se contenter encore de l'un des petits biberons rangés dans la glacière, mais elle eut droit à du lait frais et chaud. Ensuite, Olivier l'entretint longuement de la difficulté d'apprendre toutes les prières par cœur, et surtout de son trac devant la perspective de se confesser bientôt pour la première fois.

— Voyons, un bon garçon comme toi va passer son examen de conscience haut la main. Tu ne fais rien de mal.

— Selon les sœurs, les plus grands saints commettent au moins sept péchés par jour.

Combien fallait-il de temps à un enfant avant de relativiser tous ces discours ? Pour le moment, le garçon s'imaginait condamné au feu éternel pour avoir pris une seconde portion de dessert. Ou même pour avoir trouvé la petite voisine plutôt jolie. Peut-être un jour oserait-elle lui parler des deux prêtres de son enfance : son père, et un vicaire concupiscent. Ainsi, il prendrait tous les discours religieux avec un grain de sel.

Elle alla le border en prononçant des paroles rassurantes, puis regagna sa chambre. À son retour, Georges la trouva appuyée au dossier du lit, un livre dans les mains.

— Alors, ai-je raté quelque chose ?

— C'était bien. Mais Xavier et moi aurions préféré entendre des instruments, pas juste des voix.

— Quand nous avons acheté les billets, la publicité parlait de quelque chose de sublime.

— Entendons-nous sur très intéressant. Et toi ?

— Moi aussi, j'ai entendu des voix.

En enlevant ses vêtements, il évoqua celles d'un représentant de l'archevêché, d'une supérieure des sœurs hospitalières, de plusieurs médecins et de membres de l'Université de Montréal.

— Ça ne faisait pas toujours un chœur très harmonieux… Je reviens.

Georges disparut dans la salle de bain. Quelques minutes plus tard, il alla la rejoindre sous les couvertures. Elle avait rangé son livre.

— Comment se porte Xavier ?

— Bien. Enfin, tu le connais, sa vie privée – je veux dire amoureuse – semble toujours être un désert. Même la jeune fille qu'il a ramenée de Douceville se détourne de lui, pour un collègue à la banque.

— Sa vie amoureuse n'est pas un désert.

Comme Sophie fixa les yeux sur lui, intriguée, il expliqua :

— Tu en demeures le centre, non ?

La lumière électrique dans la chambre était trop faible pour permettre de voir le rose sur ses joues. Cependant, il le devina sans mal.

— Ne fais pas cette tête. C'est ainsi depuis la première fois où il t'a vue.

— Il t'en a parlé ?

— Inutile. Ça se voit comme le nez au milieu de la figure. Il est même allé à la guerre pour ne plus te voir avec Olivier dans les bras, la bouche rivée à ton sein.

Les mêmes scènes hantaient à la fois Georges et Xavier. Tout en parlant, l'homme s'était étendu de tout son long et avait posé une main sur son ventre.

— Pourquoi n'as-tu rien fait pour mettre fin à cette situation ?

— C'est mon ami, tu es ma femme. Si je ne peux pas faire confiance à ces deux personnes-là, à qui me fier ?

Après la mise au point qu'elle venait de faire avec Xavier, cette conversation lui paraissait si étrange. Comme si les deux hommes s'étaient parlé dans l'heure précédente.

— C'est un ami si fidèle qu'il a préféré s'enrôler plutôt que de prendre le risque de commettre un geste… indélicat. À son retour au Canada, il ne nous a pas donné signe de vie, pour la même raison. Et à Douceville, c'est moi qui l'ai relancé, pas lui.

— Le jour de son arrivée, non ? Tu ne lui en as pas laissé le temps.

Sophie avait raison. De toute façon, le lendemain de leur rencontre, ils se seraient croisés sur le parvis de l'église Saint-Antoine. La paroisse était trop petite pour s'éviter plus de trois jours.

— Je voulais voir si la relation entre nous trois pouvait prendre un cours normal. Le risque était plus grand que je ne pensais. Au même moment, l'histoire de ta naissance refaisait surface. Il a volé à ton secours et moi je me suis comporté en imbécile.

Elle prit sa main pour la serrer dans les deux siennes et la porter à ses lèvres.

— Je voulais revivre l'histoire de mon père, continua-t-il, dans une ville tranquille avec sa gentille femme. Tellement que j'ai fermé les yeux devant le risque que je te faisais vivre.

Sophie s'étendit aussi et se plaça sur le côté pour voir ses yeux.

— C'est si étrange que tu me parles de ça aujourd'hui. Tout à l'heure, j'ai essayé de le convaincre d'accepter que nous lui présentions des femmes. Pour que nous puissions devenir de vrais amis, sans ambiguïté.

Elle posa sa tête au creux de son épaule et entoura sa poitrine avec son bras. Georges plaça le sien autour de son corps.

— Il a accepté ?

— Pas avec un enthousiasme démesuré, mais il a dit oui.

— Tu as quelqu'un en vue ?

— Peut-être. Elle s'appelle Jeanne.

Puis aucun des deux ne souhaita s'intéresser encore aux amours de Xavier. Après la petite mise au point précédente, ils préférèrent s'occuper des leurs.

Les paroles de Sophie avaient tenu Xavier réveillé une partie de la nuit.

À cause de ces heures de veille, c'est un peu fatigué qu'il se présenta au travail le lundi matin. Il ouvrit un grand registre, mais cette fois, les chiffres alignés ne réussirent pas à l'intéresser.

Rencontrer une autre femme ? Il connaissait une célibataire plutôt attirante, qui l'avait reçu chez elle un peu plus de trois semaines auparavant : Simone Séguin. Pendant un long moment, il se trouva ridicule, pitoyable même. Un désespéré trop timide pour parler à une femme qui, pourtant, l'avait reçu gentiment. À la fin, il décrocha le cornet de sa fourche et demanda d'être mis en communication avec mademoiselle Séguin. Quand elle répondit, après des salutations, il commença :

— Pour vous remercier de votre amabilité, j'aimerais vous inviter à souper, un jour prochain.

— Je n'ai fait que vous offrir du thé...

— Justement, un geste aimable.

— Ce n'est pas nécessaire, vraiment.

Évidemment, ça ne l'était pas.

— Je ne vous demande pas de m'épouser, et je promets de ne pas le faire au terme de ce souper. Juste un repas.

— ... D'accord.

⁂

Les pensionnaires de mademoiselle Séguin avaient expédié leur repas pour se rendre à leur seconde leçon de natation. Au moment où elle sortait, Odile se trouva face à face avec Xavier.

— Nous devions nous voir ?

— Non, pas du tout. Je viens voir ta logeuse.

La jeune femme faillit demander pourquoi, mais s'en abstint. Elle restait plantée sur le perron, alors que les autres étaient descendues sur le trottoir.

— Tu viens ? dit Edith.

Odile les rejoignit en murmurant un « bonsoir ». Peu après, mademoiselle Séguin vint rejoindre Xavier dans le vestibule. Elle s'était mise en frais, vêtue d'un élégant manteau bleu vert.

Quand tous les deux furent sur le trottoir, il lui offrit son bras.

— Où voulez-vous m'emmener ?

— Il y a un restaurant rue Sherbrooke, juste un peu vers l'ouest.

— Je connais.

Il leur fallut une quinzaine de minutes pour s'y rendre. L'établissement était élégant, fréquenté par des notables des environs. Quand ils furent assis, Simone commença par enlever ses gants. Xavier l'examina en souhaitant se montrer discret. Assez grande, des traits réguliers, une volonté dans le regard. Quand ils eurent commandé leur repas, elle demanda :

— Vous avez été en France ?

— Un peu moins de deux ans.

— Parlez-moi de Paris.

Il se livra à l'exercice, essayant de se souvenir de ses impressions au moment de débarquer au Havre, puis dans les campagnes françaises. Son trajet vers la capitale avait comporté un long détour vers les champs de bataille.

Ils en étaient au dessert quand Xavier lui demanda :

— Rêvez-vous de voyager ?

— Dans des contrées un peu plus libres que celle-ci. Malheureusement, il s'agit d'un rêve impossible. Non seulement le trajet et le séjour coûteraient une petite fortune, mais je devrais abandonner ma pension pendant des semaines.

La traversée à elle seule lui en prendrait deux. La conversation se poursuivit encore un bon moment. Cette fois, Simone parla longuement de sa propre existence et de sa jeunesse besogneuse. À la fin, le ton prévalant entre eux était celui de bons amis. Alors qu'elle terminait son café, elle demanda :

— Aimez-vous les livres, Xavier ?

— Plutôt. Les soirées d'hiver sont longues.

— Connaissez-vous Monique Lerbier ?

Il s'agissait de la protagoniste principale du roman *La garçonne*, une femme qui multipliait les aventures avec des hommes et des femmes.

— Le roman a été publié l'an dernier, je crois.

— C'est mon frère.

Son interlocuteur demeura silencieux un instant. Puis il comprit. Les hommes amenés devant les tribunaux pour leur « inversion » s'appelaient « sœur » entre eux. Il s'agissait de leur façon d'entrer en contact, de se reconnaître. Donc, si elle parlait d'un frère appelé Monique…

— Je vois.

— Je n'ai pas osé vous le dire au téléphone.

Cela d'autant plus que même en personne, elle ne nommait pas la chose. Combien de chances avait-elle qu'il connaisse le roman de Victor Margueritte ? Si cela n'avait pas été le cas, sans doute aurait-elle évoqué ensuite la poétesse Sappho.

— Cela aurait été bien imprudent.

— Comme ça l'est ici. Je sais que je prends un risque en parlant de cela avec vous. J'ai choisi de vous faire confiance, parce que vous semblez le mériter.

Quelques minutes plus tard, ils se dirigèrent vers la maison de chambres. En exerçant une pression au pli de son coude, elle murmura :

— Toutefois, soyez assuré que si j'étais différente, vous seriez très haut dans ma liste. Très très haut.

Ce serait son prix de consolation.

Quelques spectacles s'adressaient spécifiquement à un public masculin : la boxe, la lutte, la crosse – tous les sports d'équipe, en général. Certains étaient plus glauques, comme les combats de chiens ou de coqs. Et pour de vraies émotions fortes, il y avait des chiens dans une fosse se mesurant à des dizaines de rats – le gagnant étant celui qui en tuait le plus grand nombre –, ou des chiens contre un ours.

Fin février, au terme de leur journée de travail, Xavier et Georges se rendirent dans une taverne située rue Viger, juste un peu à l'ouest du boulevard Saint-Laurent. La clientèle se composait au moins pour la moitié d'immigrants, des gens venus de Pologne, d'Allemagne ou d'autres pays européens.

— La Société des Nations, ça doit ressembler à ça, dit le médecin en prenant place en face de son ami.

L'organisation avait été créée afin d'éviter qu'il y ait d'autres guerres, tellement la Grande avait été meurtrière.

— Probablement avec de petites différences. Je doute qu'à Genève il y ait des établissements de ce genre, et j'espère que les débats se font dans une atmosphère moins enfumée qu'ici.

Un nuage bleuté et malodorant flottait dans la grande salle, au point de rendre difficile la lecture des affiches accrochées aux murs.

— Tu es un habitué ?

Si Georges avait suggéré l'activité de la soirée, Xavier s'était chargé de choisir l'endroit où souper.

— Pas un habitué, mais je travaille tout à côté. Quand la clientèle de cultivateurs près du marché Bonsecours m'ennuie, je viens chercher l'exotisme ici.

Les environs immédiats offraient des services nombreux, des fumeries d'opium aux bordels. Si les premières le laissaient indifférent, il fréquentait les seconds quelques fois dans l'année. Cependant, il préférait garder sous silence certaines de ses activités.

— L'hôpital Notre-Dame n'est pas loin non plus. Enfin, le vieux, pas le nouveau… Pourtant, je ne reviendrai pas ici. Justement, c'est trop exotique.

— Vous avez commencé à préparer vos caisses ?

Xavier évoquait le déménagement de l'établissement de soins.

— Pas encore. Ça se fera très progressivement, pendant plusieurs semaines les activités se dérouleront aux deux endroits. Je passerai la plupart de mes soirées à travailler à ce transfert.

Tout de suite, Xavier se dit qu'il pourrait sans doute accompagner Sophie à quelques reprises. Un serveur vint poser deux grosses bières Molson sur la table. Les pièces de viande furent sous leurs yeux peu après.

La compétition de tir au poignet devait se tenir au Théâtre Royal, un établissement situé rue Côté, à deux pas de la taverne. Si l'atmosphère enfumée était à peine tolérable dans ce dernier endroit, maintenant, elle devenait tout à fait insupportable.

— Tu sais qui organise des compétitions de ce genre ? Un gars qui donne trois dollars à quelqu'un pour perdre, et cinq à un autre pour gagner ? demanda le médecin.

Du haut du balcon, ils avaient une excellente vue sur la scène. On avait posé une petite table en son centre, avec deux chaises de part et d'autre.

— Pour la plupart des matchs, les promoteurs ne donnent rien. Les gars sont juste contents de monter sur scène pour montrer leur force. Ceux qui gagnent une demi-douzaine de fois peuvent ensuite espérer se faire payer.

— Tu connais le promoteur ?

— Je suis l'ami de tous les honnêtes entrepreneurs désireux d'obtenir l'appui d'une banque. Celui-là s'appelle Lucien Riopel, il s'occupe surtout d'organiser des combats de lutte. D'ailleurs, le voilà.

Un petit homme monta sur la scène afin d'annoncer le programme. Après le menu fretin, il y aurait le clou de la soirée :

— Le champion du tir au poignet du Canada, Théophile Massé, affrontera Joseph Desjardins de Hull, venu spécialement ici pour l'occasion.

— Seigneur, ricana Georges, un périple de deux heures en train ! Voilà qui le place en sérieux désavantage.

Tout de même, la petite heure à regarder des hommes en sueur se froisser des muscles passa rapidement. Quand ils quittèrent les lieux, le jeune médecin demanda :

— Tu passes beaucoup de soirées dans des endroits comme celui-là ?

— Le temps que tu passes avec ta femme et tes enfants, moi je l'occupe d'une autre façon.

Georges hocha la tête, pour signifier sa compréhension.

— Lors de votre dernière sortie, Sophie t'a dit qu'elle se ferait un plaisir d'organiser des petits soupers à quatre.

Tout de suite, il comprit qu'elle avait rendu compte de leur conversation à son mari.

— Tu ne crois pas que ça soit un peu gênant ? Se fier sur quelqu'un d'autre pour se trouver une femme.

— J'ai connu Sophie grâce à Corinne. Corinne a connu Félix Pinsonneault grâce à moi.

Il marqua une pause, puis ajouta :

— Ne mentionne jamais ce nom à haute voix devant elle… Bref, la fille qui laisse tomber un mouchoir et le gars qui le ramasse, ce n'est pas vrai.

— Bon, je suppose que même si la dame louche un peu, ça sera au moins aussi intéressant qu'une soirée de tir au poignet.

— Sophie, ma mère et ma sœur sont déjà en train d'écumer les listes de membres de dix sociétés de bienfaisance.

— Seigneur !

Odile tenait le bras de Polydore de ses deux mains, comme si elle craignait de le perdre. Cette fois, son collègue avait accepté de rompre avec ses habitudes pour se lancer dans les dépenses. Aucun des deux ne mangerait à la maison ce samedi.

— Tu aimes toujours tes cours de natation à la Palestre ?

— Oui, beaucoup, même si l'idée de mettre un maillot de bain me gêne toujours autant. Je me sens toute nue, devant les autres.

À sa grande surprise, son compagnon ne souffla mot. Pourtant, à la pension, les trois locataires de sexe masculin avaient multiplié les blagues douteuses tous les jours. Polydore se montrait toujours si respectueux.

— Vous êtes entre femmes, non ?

— Heureusement, sinon je ne serais pas restée une minute.

Le couple se dirigeait vers le Théâtre Allen, dans l'ouest de la ville. Ils choisirent un restaurant tout près aux fenêtres éclairées par des lumières rouges. C'était envoyer un message ambigu : les *red lights* désignaient tout autre chose dans certains quartiers de Montréal.

— As-tu déjà mangé de la viande fumée ?

— Non.

— Je pense que tu vas aimer. Avec un Coca-Cola.

Ce jour-là, elle goûta au smoked meat.

— Des Juifs ont commencé à servir ça dans de petits restaurants sur Saint-Laurent.

Il l'entretint longuement des mouvements de population entre l'Amérique et l'Europe. Des « Ah oui ! » et des « Vraiment ? » suffisaient à maintenir la conversation. Une quarantaine de minutes plus tard, ils franchirent les portes d'un cinéma au décor « renaissance italienne ». Tous les murs et le plafond étaient peints de personnages de l'Antiquité. De chaque côté de la scène, quatre colonnes de faux marbre ajoutaient un peu plus de kitsch.

— C'est très beau, dit Odile.

Très cher aussi : les billets avaient coûté cinquante cents chacun.

— J'ai des amis qui peignent des décors de ce genre.

Ils conversèrent à voix basse en attendant le lever du rideau. Si Odile s'inquiétait de l'audace de son maillot, le film *The Dangerous Age* allait la troubler plus profondément encore. Un juge las de se laisser materner par son épouse des vingt dernières années s'entichait d'une femme de la moitié de son âge. « Xavier a plus que le double du mien ! », songea-t-elle. Au moins, tout comme dans les aventures de Rudolph Valentino, la morale prévalait. Le magistrat retrouvait sa femme – une personne apte au pardon – à temps pour assister au mariage de sa fille.

Comme il était encore relativement tôt, Polydore proposa de rentrer à pied. Ils se dirigeaient vers la rue Sherbrooke quand il demanda :

— Odile, accepterais-tu de venir manger à la maison, un jour prochain ?

Tout de suite, le visage parfois sévère de Xavier lui vint à l'esprit. Lui permettre d'aller au cinéma avec un collègue était une chose. Accepter une invitation à la maison en était une autre. Quand un jeune homme présentait une jeune femme à ses parents, cela signifiait qu'il était sérieux. À tout le moins, c'est ce qu'elle retenait de ses conversations entre filles à la pension. Comme un préalable à un engagement formel.

— J'en serais heureuse. Par contre, tu sais que mes dimanches midi sont souvent pris. Je vérifierai.

Xavier tenait sa disponibilité pour acquise ces jours-là. Comment réagirait-il ?

Chapitre 14

Puisque Odile fréquentait le cinéma avec une plus grande régularité, Xavier l'invitait désormais pour le lunch le dimanche, puis la laissait à ses occupations. Au fil de ces sorties, elle se livrait à une véritable exploration des petits restaurants des environs de l'établissement des frères Dupuis.

Ce jour-là, dans un café de la rue Saint-Denis, elle pouvait apercevoir l'église Saint-Jacques de l'autre côté de la rue.

— L'autre jour, Polydore m'a invitée à manger chez lui.

Le banquier accusa le coup. La petite protégée qu'il avait tirée des griffes de Clarisse s'engageait avec un autre. Tant pis pour ses propres projets.

— C'est un bon cuisinier ?

— Je n'en sais rien. Sa mère fera à manger, je suppose.

— Je comprends qu'il vit toujours avec elle.

La jeune femme hocha la tête.

— Quel âge a-t-il ?

Tout de suite, elle comprit le sous-entendu.

— Moins de vingt-cinq ans.

— Il est fils unique. Il ne peut pas l'abandonner.

— Je sais. L'obligation de fournir les "aliments".

Elle et ce jeune homme se trouvaient dans des situations identiques.

— Souhaitais-tu me demander la permission ? Tu l'as déjà reçue, tu sais.

— Je sais, tu es toujours respectueux de ma liberté, dit-elle en rougissant.

Après un moment, elle put continuer d'une voix plus ferme :

— Je voulais simplement te le faire savoir… et m'excuser à l'avance si jamais je te demande de déplacer un rendez-vous.

— Considère-toi comme excusée à l'avance.

Quand il rentra à la maison après une journée de travail, Xavier trouva le courrier habituel dans sa boîte de laiton : une facture à payer, des offres de service de la part de courtiers et un magazine américain. Il y avait aussi une petite enveloppe portant son adresse écrite avec une graphie soignée, comme on apprenait à le faire au couvent. Elle venait de Sophie Turgeon. À l'intérieur, un carton avec ces mots :

Xavier,

Nous aimerions te recevoir à souper dimanche prochain. En haut. À moins que tu nous avises du contraire, nous compterons sur ta présence.

Sophie

Ce serait la première fois depuis 1917 qu'il mangerait chez eux. Plus de cinq ans… Et aujourd'hui comme alors, il devinait que sa vie entrait dans une nouvelle phase.

Avril 1917

Depuis son mariage avec Sophie Deslauriers deux ans plus tôt, Georges Turgeon habitait Medford, en banlieue de Boston. Leur appartement était tout près de celui des parents de la jeune femme. Cette proximité lui avait été très utile depuis la naissance de leur premier enfant, en 1916. Elle avait connu un accouchement difficile et elle en savait très peu sur le soin d'un poupon.

Xavier se présenta à la porte un peu avant midi. Georges vint lui ouvrir, tout sourire.

— Je te soupçonne d'avoir manqué la messe, dit-il en tendant la main.

— Si quelqu'un te pose la question, tu répondras que je vais toutes les semaines à celle de cinq heures le matin, dans une petite sacristie de la cathédrale.

— Me demander de mentir, en plus ! Tu as de la chance, moi je ne peux plus prendre ce genre de liberté. Mes patients se scandaliseraient de ne pas me voir à l'église. Entre.

— Les banquiers ont plus de liberté.

Xavier suivit Georges jusque dans la cuisine. Sophie était assise dans une chaise, son fils dans ses bras, une couverture sur les épaules pour dissimuler son sein.

— Oh ! J'arrive au mauvais moment.

— Je suis certaine qu'Olivier ne t'en voudra pas. Bonjour, comment vas-tu ?

Elle souriait et ses yeux pétillaient de malice. Son malaise l'amusait.

— Je vais bien. Et toi ? Je devrais dire, et vous deux ?

La contempler ainsi dans ce moment d'intimité le troublait au point d'avoir les paumes moites. Il essayait de garder ses yeux dans les siens, même s'ils étaient irrésistiblement attirés vers sa poitrine.

— Nous allons bien tous les deux, à en croire le médecin qui s'efforce maintenant de faire cuire une volaille.

— Je m'en tire très bien, commenta ce dernier.

Pour avoir déjà goûté sa cuisine, Xavier savait qu'il disait vrai. Georges ajouta :

— Cependant, je t'assure que le jour où j'en aurai les moyens, quelqu'un préparera les repas à ma place, et ce ne sera pas ma femme.

Élevé par des parents qui recouraient aux services d'une cuisinière, il entendait bien faire la même chose. Il retourna ensuite à ses chaudrons. Xavier échangea encore quelques mots avec Sophie. Après un petit silence, il murmura :

— On dirait une madone dans une peinture italienne du quinzième siècle.

Une jeune femme blonde, un bébé dans les bras : ils auraient offert un très joli modèle. Voilà qui témoignait de ses loisirs pendant de si nombreux dimanches passés seul : les musées de Boston étaient riches et New York ne se trouvait pas très loin.

Elle laissa fuser un rire amusé.

— Un homme comme toi, ça ne s'invente pas ! Maintenant, je vais coucher Jésus.

Elle quitta la pièce toujours drapée dans sa couverture et revint avec son corsage boutonné jusqu'au cou pour aider son mari à terminer le repas. Une fois à table, ils firent le service ensemble. La conversation sur les événements des dernières semaines prit fin quand Sophie remarqua, un pli au milieu du front :

— Quand je pense que ce pays est en guerre contre l'Allemagne.

— Pourtant, c'est bien vrai, dit Xavier. Depuis vendredi dernier.

— Juste à cause de cette histoire de télégramme.

— Quand le télégramme en question évoque le projet de fomenter une guerre entre le Mexique et les États-Unis, c'est un motif suffisant, dit son époux.

Le président Woodrow Wilson avait soumis à la presse un télégramme du ministre allemand des Affaires étrangères à son ambassadeur au Mexique, qui proposait à ce pays d'attaquer les États-Unis.

— Tout de même, l'Allemagne ne peut songer à conquérir les États-Unis par pays interposé.

— Non, mais un conflit avec le Mexique enlèverait aux États-Unis toute envie de se mêler de ce qui se passe en Europe.

— Et maintenant, nous sommes en guerre contre l'Allemagne !

Après avoir passé près de dix ans dans ce pays, Sophie en parlait comme du sien.

— J'entends dire que des files d'attente se forment devant les bureaux d'enrôlement, dit Georges. Ils seront des centaines de milliers de jeunes à porter l'uniforme pour aller se battre à l'autre bout du monde.

— Pas seulement les jeunes, murmura Xavier. Je viens d'écrire pour proposer mes services.

Ses amis fixèrent sur lui des regards désolés. Ce fut le jeune médecin qui parla le premier :

— Pourquoi diable ferais-tu ça ?

— Dans un moment comme celui-là, les gars qui ont obtenu la citoyenneté américaine depuis moins de dix ans attirent l'attention. Je suis célibataire. Les Canadiens français sont présentés comme des alliés des Allemands, dans les journaux. Dans six mois, mes patrons jetteront sur moi des regards soupçonneux. Là, je parais plus patriote que tous mes collègues nés ici.

— Mais c'est la guerre, dit Sophie. Tu peux te faire tuer.

— Dans ce pays, il n'y a pas un homme sur mille qui sait parler français. Je ne parle pas des Canadiens français installés ici, évidemment. Ceux-là ne s'enrôleront pas. Les autorités pourront certainement m'utiliser de façon plus utile qu'en m'envoyant sur un champ de bataille.

La probabilité qu'un homme de son âge et de sa condition voie les zones de combat les retint un moment. Cependant, l'ambiance était irrémédiablement gâchée. À deux heures, Sophie plaida une petite migraine et alla se réfugier dans sa chambre.

En revenant de la messe, Odile rompit avec une habitude établie depuis son arrivée à Montréal. Plutôt que de marcher avec ses voisines, elle demeura sur le parvis pour attendre Polydore et sa mère.

— Maman, commença le jeune homme, je te présente Odile Payant.

La vieille dame la connaissait de vue depuis le premier jour où son fils l'avait évoquée. Tous les dimanches, elle avait passé de longues minutes à se tordre le cou pour la regarder, debout à l'arrière de l'église.

— Mademoiselle.

Au moins, parce qu'elle connaissait la bienséance, Odile ne tendit pas la main. L'initiative revenait à la plus âgée des deux, mais madame Brissette n'entendait pas accepter le moindre contact physique. Le silence dura juste assez longtemps pour que le jeune homme murmure, mal à l'aise :

— Nous devrions y aller, maintenant.

Polydore offrit son bras à sa mère, tout en regardant son amie avec une mine voulant dire : « Je ne peux pas faire autrement. » Quand ils traversèrent l'avenue du Parc-La Fontaine, les locataires de la maison de chambres qui étaient sur le trottoir les regardèrent passer.

La rue Mentana était la suivante. L'immeuble était modeste. Il y avait deux appartements l'un au-dessus de l'autre. Toutefois, pour Odile, cela représentait tellement mieux que son logis de la rue Longueuil, à Douceville. Les pièces s'alignaient sur la gauche d'un couloir. Une pièce double formant un salon et une chambre, le domaine de madame, une cuisine servant aussi de salle à manger, et tout au bout, une seconde pièce double, le territoire du fils.

— Bon, je vais terminer de préparer le repas, dit la vieille dame.

L'odeur faisait penser que le rôti avait été mis au four avant le départ pour la messe.

— Je vais vous aider, madame Brissette.

— Je suis encore capable de faire à manger !

La visiteuse fut sur le point de s'excuser. Un regard de Polydore la convainquit de n'en rien faire.

— Comme vous voulez, madame.

Le jeune homme lui fit signe de le suivre. Il l'emmena dans la pièce du fond.

— Elle n'aime pas avoir des yeux sur elle quand elle cuisine, dit-il dans un souffle.

De la main, il lui désigna un vieux fauteuil. Du coin de l'œil, Odile aperçut un lit dans l'autre section de la pièce. Il suivit son regard.

— J'ai passé ma vie ici. Heureusement que mes parents n'ont eu qu'un enfant. Avec une grosse famille, ils auraient mis un rideau, avec les filles d'un côté, les garçons de l'autre.

— Tu as toujours été seul ?

La mortalité des enfants autorisait la question. Impossible de tenir pour acquis qu'il avait été enfant unique depuis sa naissance.

— Il y a eu quelques fausses couches, et moi ensuite. Je ne sais pas combien, on ne parle pas de ces choses-là. Et toi ?

La jeune femme haussa les épaules.

— Justement, comme on ne parle pas de ces choses-là, je ne sais pas s'il y en a eu d'autres.

Elle ajouta en rougissant :

— D'autres grossesses, je veux dire.

La conversation se poursuivit à voix basse, jusqu'à ce qu'ils entendent :

— C'est prêt.

Quand ils furent à table, madame Brissette demanda :

— Vous êtes de Douceville, m'a dit Polydore.

— Oui, madame.

— Une fille de la haute. Votre père était avocat.

Ou le jeune homme avait beaucoup parlé d'elle, ou cette dame aurait pu gagner sa vie à mener des enquêtes. Elle tentait de mettre en exergue le fait que leurs origines respectives rendaient une union bien improbable.

— Avocat, puis vendeur d'assurances. Les deux sans succès.

— Il est mort, je pense ?

— Depuis un an et demi.

Pendant ce repas qui ne dura pas très longtemps, il n'y eut pas de relâche dans l'interrogatoire. Heureusement, madame Brissette faisait la sieste le dimanche après-midi. La conversation entre les jeunes gens put se poursuivre dans un climat plus détendu.

— Alors, tu as fait connaissance avec belle-maman ? demanda Adine depuis le salon.

Odile venait tout juste de mettre les pieds dans la maison de chambres. Elle en était encore à enlever ses couvre-chaussures. Elle alla se planter dans l'embrasure de la porte pour répondre :

— J'ai mangé chez Polydore. Voilà des semaines que vous l'appelez mon chevalier servant. C'est tout naturel.

— Va-t-il faire une habitude de ces invitations ? Vas-tu oublier les films avec nous, et les cours de natation ?

— Vous êtes ridicules.

Quand Odile monta à sa chambre avec Edith sur les talons, cette dernière demanda à voix basse :

— Ça devient sérieux avec lui ?

Plutôt que de répondre, son amie dit sur le même ton :

— Suis-moi.

Ce fut affalée sur son lit qu'elle continua :

— Je ne sais pas. C'est un bon garçon.

— Et le vieux ?

La jeune Irlandaise ne se montrait pas dupe au sujet de l'ami de la famille. Son interlocutrice lui donna raison de façon détournée.

— Je lui ai parlé de Polydore. Il est d'accord.

Avril 1917

Au fil des ans, Xavier Blain avait abandonné le travail au guichet de la Merchant's Bank pour se voir affecté au service des clients importants. Ses journées se passaient à recevoir des personnes désireuses d'obtenir un prêt pour leurs entreprises, et à vérifier l'état de leurs affaires. Cela signifiait un bureau fermé en plus de son propre téléphone.

Entendre la voix de Sophie à l'autre bout du fil le prit tout à fait par surprise.

— Est-ce que je te dérange ? demanda-t-elle.

— Non.

— Parce que je voudrais qu'on ait une conversation privée…

— Ne t'inquiète pas, personne ne comprend le français.

Il y eut un silence, puis la jeune femme murmura :

— Je pense que l'obligation de montrer ton patriotisme a peu à voir avec ta décision de t'enrôler.

Comme il ne disait mot, elle continua :

— Ces derniers mois, depuis la naissance d'Olivier en fait, tu as espacé tes visites. En plus, tu as l'air tellement déprimé.

En demeurant à nouveau silencieux, Xavier ne l'aidait en rien. Ce fut d'une toute petite voix qu'elle demanda :

— Est-ce à cause de moi ?

Il aurait pu crier : « Évidemment ! Chaque fois que je te vois, j'ai l'impression que mon cœur va éclater. » Par contre, cela aurait été prendre le risque de créer le chaos dans une famille heureuse, juste pour satisfaire le besoin d'exprimer ses sentiments. À la place, il y alla avec une demi-vérité.

— Chaque fois que je vous vois, je mesure tout ce que j'ai manqué dans mon existence. Alors oui, mes visites ont toujours un goût doux-amer.

— Personne ne va à la guerre pour autant. Tu peux juste prendre tes distances.

— Justement, l'Europe se trouve à une bonne distance et il se passera autre chose dans ma vie que l'examen des colonnes de chiffres.

— En tout cas, tu as fait une lourde impression sur Georges. Comme s'il craignait que tu le contamines, que tu l'entraînes dans cette aventure. Depuis dimanche, il parle de retourner à Douceville.

— Voyons, jamais les États-Unis ne le forceront à s'enrôler, il est canadien. Mais s'il retourne au Canada…

— Avec une femme et un enfant, à bientôt trente ans, il échappera totalement à la conscription là-bas.

— Dommage. Il pourrait se faire une belle vie professionnelle ici. Et puis d'après ce que j'ai compris de nos conversations, tes seuls parents se trouvent dans la région.

Cette fois, ce fut au tour de Sophie de ne pas répondre. Xavier continua :

— Tu es née aux États-Unis et tu n'as fait que passer à Douceville, n'est-ce pas ?

— Tu as raison, mais Georges est très attaché à ses parents. Et moi aussi, même si je ne les ai connus que brièvement.

Et c'était réciproque : tous les Turgeon l'avaient adoptée. La conversion se poursuivit encore quelques minutes et Sophie déclara :

— Si l'armée accepte ta candidature, nous pourrons certainement nous voir avant ton départ, n'est-ce pas ?

— Évidemment. J'aimerais vous inviter à souper dans un bon restaurant pour cette occasion.

Dans un endroit étranger à toute félicité conjugale. Son interlocutrice le comprit bien ainsi.

Juin 1917

En juin, Xavier avait eu le temps de recevoir une offre d'enrôlement de la part de l'armée américaine, de l'accepter et d'inviter ses amis à un repas fastueux à l'hôtel The Georgian, sur Park Square à Boston. Au moment de les quitter ce soir-là, il avait précisé :

— Nous nous reverrons après la guerre.

C'était une façon de leur dire qu'il ne souhaitait pas d'adieux larmoyants sur un quai. Dès leur retour à l'appartement de Medford, Georges avait dit à sa femme :

— Voilà que je ne connais plus personne dans cette ville.

— Tu m'as, moi, et mes parents.

— J'aimerais retourner à Douceville.

Sophie se doutait bien que tôt ou tard il ferait cette proposition. Après chacune de ses visites au Canada, il devenait morose et multipliait les allusions à tout ce qu'il avait sacrifié pour émigrer.

— Tu commences tout juste à te faire une réputation ici. Nous pourrions chercher un appartement plus luxueux, peut-être même une maison.

— Je demeure le médecin avec un accent amusant. Je doute de connaître une grande carrière ici.

— À Douceville, tu pourrais certainement être le roi d'un établissement minuscule, l'hôpital Saint-Jean. Je le sais, j'étais pensionnaire de l'autre côté de la rue.

Avant que Georges ne s'engage dans une ode à la petite ville, elle feignit d'entendre les pleurs d'Olivier.

— Pour l'instant, le devoir m'appelle. On en reparlera...

Ce ne fut que trois jours plus tard que le jeune médecin revint sur le sujet. C'était à table, après une journée très longue à l'hôpital.

— Tu connais mes parents et tu les estimes. Nous pourrions vivre avec eux, au début. Ça me permettrait de mettre de l'argent de côté pour acheter notre maison.

Oui, Sophie gardait un souvenir attendri de ses parents et de Corinne. Pendant quelques mois, elle s'était plu à imaginer être la fille des premiers et la sœur de la jeune femme.

— Georges, on dirait que tu oublies qui je suis.

Tout de suite, il comprit l'allusion.

— Tous les autres ont dû oublier aussi, après toutes ces années. Un vieux curé malade est allé mourir aux États-Unis…

— Un curé a pris le train avec une blonde pulpeuse qui aimait porter une robe rouge.

La jeune femme se souvenait de Clotilde Donahue, lors de cet été de 1907. Des dizaines de paroissiens aussi se souvenaient, sans doute. À Douceville, la moitié de la population passait son existence à surveiller l'autre moitié.

— Toi, tu ne m'as jamais reproché mon origine. Mais je demeure la fille du curé…

— Tu n'as choisi ni tes parents ni les circonstances de ta naissance.

— Tout le monde n'a pas ton ouverture d'esprit. Si j'habitais Douceville, tôt ou tard quelqu'un finirait par retrouver la mémoire.

— Je suis certain que non. Dans la province, tout le monde met les prêtres sur un piédestal. Penser du mal du curé, c'est impossible.

Décidément, il y tenait…

— Je pourrais pratiquer avec mon père et nous finirons par acheter une maison au bord du Richelieu.

— Si quelqu'un se souvient…

— Nous reviendrons ici ou nous irons à Montréal. Mais il n'arrivera rien de ce genre. Un jour, il y aura une statue pour rendre hommage au curé Grégoire. Personne ne pensera jamais du mal de lui.

La même conversation avait été reprise dix fois, vingt fois. Finalement, au grand désarroi de l'abbé Alphonse

Grégoire devenu Alphonse Deslauriers au moment de sa fuite aux États-Unis, et de son épouse Clotilde, une paroissienne séduite à l'âge de dix-huit ans, le couple monta dans un train à destination de Douceville.

À son père en pleurs, elle avait dit: «Nous serons à quelques heures seulement.» Cependant, pour lui, tout retour à cet endroit était absolument impossible. Car les gens se souvenaient, quoique Georges en dise.

Chapitre 15

Pour ce rendez-vous chez les Turgeon, Xavier avait soigné sa tenue. S'il ne remportait aucun succès, ce ne serait pas à cause d'un pantalon fripé ou d'une tache sur sa chemise blanche. C'est à pied qu'il parcourut la distance le séparant du parc La Fontaine. Comme pour retarder le moment de la rencontre.

Un peu après cinq heures, il frappa à la porte de l'appartement du dernier étage. Sophie vint ouvrir. Elle commença par l'examiner des pieds à la tête, puis lui adressa un sourire appréciateur.

— Bonjour, souffla-t-il. Je ne suis pas en retard, j'espère.

— Tu n'es jamais en retard.

Elle se mit un peu de côté pour le laisser passer, puis referma. Il lui remit son manteau qu'elle alla déposer sur un lit, et il en profita pour enlever ses couvre-chaussures. Comme un enfant timide, il attendit son retour avant de se diriger vers le salon. Il entendait une voix féminine et celle de Georges.

Sophie revint et prit son bras en murmurant:

— Jeanne et toi êtes certainement les deux personnes les plus timides de Montréal.

Si ces mots devaient le rassurer, son hôtesse rata totalement son objectif. Bientôt, dans l'embrasure de la porte du salon, elle dit de sa voix la plus gaie:

— Voilà notre second invité. Jeanne, je te présente Xavier Blain, un vieil ami de Georges qui est devenu le mien dès que je l'ai connu.

Une dame blonde assez grasse – comme une oie, songea-t-il – quitta son fauteuil pour l'accueillir.

— Xavier, je te présente Jeanne Rioux. Nous sommes toutes les deux membres du comité des dames patronnesses de l'hôpital Sainte-Justine.

Il tendit la main et se déclara enchanté. Pour ne pas être en reste, elle affirma être très heureuse. La poignée de main à son vieil ami s'embarrassa moins de formules.

— Alors, as-tu fréquenté les concours d'hommes forts dernièrement ?

Xavier se demanda si Georges souhaitait ruiner toutes ses chances. Évoquer son amour du Chœur Mendelssohn aurait certainement impressionné plus favorablement la dame.

— Non, pas récemment.

— Olivier m'a demandé de l'emmener avec nous, la prochaine fois.

— Ça sera avec plaisir.

En disant ces mots, il ébouriffa les cheveux du garçon assis sur une chaise.

— Comme ça, j'aurai un compagnon, si ton père est trop occupé avec son nouvel hôpital.

— Pas pour le tir au poignet, dit l'enfant. J'aime mieux la lutte ou les hommes qui lèvent des poids.

— Ça peut certainement s'arranger.

L'exercice paraissait avoir été préparé à l'avance, peut-être une mise en scène pour mettre en valeur ses compétences paternelles, ou au moins son aptitude à entrer en relation avec des enfants. Il en eut la preuve absolue quand Sophie revint dans la pièce avec Clémence dans ses bras.

— Ta filleule réclamait la permission de te voir.

Elle lui mit l'enfant dans les bras. À six mois, sa tête était couverte de cheveux blonds très fins, sa mâchoire inférieure montrait deux petites dents. Maintenant, Xavier ne craignait plus de la briser en la manipulant. Parce qu'elle était moins fragile et lui plus familier avec elle.

— Vous êtes son parrain ? demanda madame Rioux.

Elle paraissait un peu surprise. Pour un homme célibataire, ce n'était pas très fréquent.

— Oui. Madame Turgeon est sa marraine.

— Xavier est responsable de notre mariage, intervint Georges. Sans lui, cette princesse n'existerait pas.

— Et en donnant naissance à Georges, sa grand-mère a la même responsabilité, dit Sophie un peu moqueuse.

Son intervention à Medford pour rapprocher les amoureux éloignés par la vie fit l'objet de la conversation jusqu'au moment de passer à table. De bonne grâce, Olivier accepta de s'exiler dans la cuisine afin de manger en compagnie de la cuisinière. Comme cette femme avait su gagner son affection en lui servant tous les jours du pain et des confitures à son retour de l'école, il ne protesta pas du tout. Sophie alla s'assurer de la qualité du repas.

La visiteuse profita de son absence pour faire remarquer :

— Son grand-père était tout aussi responsable de la naissance de cette petite fille que sa grand-mère. Le désigner comme parrain aurait été plus conventionnel.

— Eh bien, ça signifie que nous ne sommes pas conventionnels, dit Georges entre ses dents. Cela doit être l'influence de la société américaine. Les curés en parlent souvent, en chaire.

Après ça, leur hôte aurait du mal à retrouver un sourire franc. Xavier comprit à ce moment que s'il convolait en justes noces avec la dame – une conclusion qu'il jugeait déjà très improbable –, ses présences dans cette demeure s'espaceraient.

❧

Dans le salon d'abord, puis ensuite dans la salle à manger, Xavier avait examiné les meubles. Au point où ses hôtes remarquèrent son manège.

— Ce sont nos derniers achats, commenta Georges. Ce n'est pas ce que l'on trouve du plus chic à Montréal, mais comme il fallait tout acheter en même temps, nous avons fait quelques compromis.

— Je ne sais pas ce que les magasins de la ville proposent de plus chic, commenta le visiteur, mais tout ça me paraît très bien.

— Comme nous avons profité de tes arrangements domestiques, dit Sophie en riant, nous avons une petite idée de ce qu'on peut trouver de très chic dans l'ouest de la ville. C'est plus beau que tout ceci.

— Des aménagements de vieux garçon. Ici c'est pour une famille.

Le couple avait vraiment multiplié les efforts pour lui permettre de se montrer à son avantage. Jeanne Rioux n'entendait pas se contenter de ce petit scénario. Ils en étaient au dessert quand elle demanda :

— Vous vous êtes connus aux États-Unis ?

Le récit de leur rencontre dans un restaurant de Boston en 1914 fit l'objet d'un bout de conversation. Sa curiosité satisfaite, elle en vint à ses moyens d'existence.

— Monsieur Blain, vous travaillez dans une banque, je pense ?

— Depuis la fin de 1902. À Boston d'abord et à Montréal depuis plus de trois ans.

— Cela fait donc un peu plus de vingt ans.

Peut-être que madame Rioux se réjouissait de le trouver aussi stable en emploi. Il gâcha un peu l'effet produit.

— Non, car il faut soustraire les deux ans dans l'armée américaine.

Il lut un reproche dans son regard, comme s'il avait commis un geste très irresponsable. Ou déloyal, en servant dans l'armée du pays voisin.

— Si vous vivez dans l'ouest de la ville, ce doit être un emploi payant.

Déjà, sa remarque au sujet de sa désignation comme parrain l'avait heurté. Cette fois, il eut vraiment l'impression de se trouver devant Clarisse Payant, version montréalaise.

— Certainement assez pour faire vivre confortablement une personne seule.

Normalement, il aurait dû s'informer de son veuvage et de la présence d'enfants dans sa vie. En réalité, le sujet ne l'intéressait plus du tout.

Ensuite, la conversation porta sur divers sujets, des derniers films aux activités charitables organisées pour le soutien de l'hôpital Sainte-Justine. Quand ils retournèrent dans le salon, Xavier demanda qu'on l'excuse. Inutile de préciser qu'il voulait se rendre au petit coin. Sophie, de son côté, annonça devoir s'assurer que son fils était bien dans son lit. Dans le couloir, elle murmura à l'intention de son ami :

— Offre-lui de la reconduire chez elle, tout à l'heure.

— Tu crois...

— Absolument.

Cela ressemblait à une directive. Pour se réserver un petit tête-à-tête ? Un peu plus tard, quand la maîtresse de maison évoqua les soins à donner à sa fille, madame Rioux dit en quittant son fauteuil :

— Voilà le moment de te dire au revoir.

Sophie protesta bien un peu, mais la visiteuse s'en tint à sa résolution. Les deux femmes échangèrent des bises. Les deux hommes se tenaient maintenant debout.

— Je vais vous reconduire à votre porte, madame, proposa Xavier.

— Ce n'est pas nécessaire.

— Je ne le voyais pas comme une nécessité, mais comme une marque de savoir-vivre.

Elle accusa le coup et accepta en bredouillant des remerciements. Georges alla chercher les manteaux. Après des salutations, ils quittèrent l'appartement. Dehors, l'homme lui offrit son bras pour descendre les escaliers, puis en marchant en silence en direction du carré Saint-Louis.

Tous les deux se firent face devant une très élégante maison. À moins que cet endroit ne soit lourdement hypothéqué, elle s'avérait un excellent parti.

— Je vous souhaite une bonne fin de soirée, madame, dit le banquier en lui tendant la main.

Elle l'accepta et attendit la suite, en vain.

— Vous ne proposez pas de me revoir ?

— Non, ce n'est pas mon intention.

Elle retira sa main et affecta l'allure d'une souveraine offensée.

— De toute façon, je n'aurais pas accepté. Dans cette maison, il y avait une femme que vous ne pouviez pas quitter des yeux et ce n'était pas moi.

— Pas un homme ne me le reprocherait.

Elle serra les mâchoires sous l'insulte. Il eut une brève inclinaison de la tête, puis marcha d'un pas vif en direction de la rue Sherbrooke.

ꝏ

Peu après le départ de leurs invités, le couple Turgeon s'apprêta à se coucher. Quand Georges revint de la salle de bain, il rejoignit sa femme sous les couvertures.

— Nous n'irons pas à un mariage cet été, dit Sophie.

— J'ai trouvé très drôle la répartie de Xavier : assez d'argent pour vivre seul.

— Celle sur son savoir-vivre n'était pas mal non plus.

Tous les deux rirent de bon cœur.

— Mais tu as manqué le meilleur. Quand tu t'es absentée, elle a dit à haute et intelligible voix que mon père aurait dû être le parrain de Clémence, pas lui.

— Quelle vache !

Sophie demeura silencieuse un long moment, avant de confier :

— Je dois manquer de discernement. Cette rencontre me semblait une bonne idée. Aux réunions, elle se montre toujours onctueuse avec tout le monde.

— Aux réunions, il y a des hommes parmi vous ?

Car Jeanne Rioux n'avait pas du tout semblé disposée à se mettre en mode séduction. Ou peut-être l'était-elle… Dans ce cas, il fallait l'imaginer encore plus abrasive à son naturel.

— Parfois un médecin.

— Alors, je suppose qu'il lui faut un membre des professions libérales, pas un banquier.

Ils échangèrent un baiser et éteignirent les lampes de chevet. En se collant à lui, Sophie remarqua encore :

— En tout cas, je pense prendre ma retraite du rôle de marieuse.

— Après une première expérience qui tourne mal ? À part moi, nul ne tombe amoureux de la première personne qu'il rencontre. Pas même toi, non ?

En réalité, toute à sa colère contre ses parents en 1907, Georges n'avait pas pris beaucoup de place dans son cœur. Sa réticence à le revoir à Medford en témoignait.

— Tu as certainement fait la connaissance de quelques autres veuves depuis ton arrivée à Montréal, insista-t-il.

— Oui, mais ce sont des femmes que je connais bien mal. De toute façon, je ne crois pas être faite pour ça... J'ai réussi à mettre ensemble les deux personnes de la ville ayant le moins d'affinités.

— Tu sais comment il est, murmura Georges. Tu ferais bien de lui téléphoner, toi seule pourras le motiver à recommencer.

Sophie serra sa main posée sur son bras, comme pour dire oui. Évidemment, elle tenterait de le convaincre de recommencer, mais cette fois, avec une autre marieuse.

⁂

Le lendemain matin, le lundi 12 mars, Odile eut la surprise de trouver Polydore au coin de la rue Cherrier. D'habitude, elle était toujours là la première. Le jeune homme paraissait mal à l'aise.

— J'espère que tu pourras excuser ma mère pour son attitude d'hier. Elle est possessive, ça l'amène à se comporter comme ça quand elle craint de se voir supplantée par quelqu'un.

Par une autre femme, en fait.

— Tu as souvent invité des jeunes femmes à la maison ?

— Au cours des cinq dernières années, tu es la troisième. Alors, tu veux bien me pardonner ?

— Je n'ai rien à te pardonner. Si tu mettais ma mère et la tienne dans la même pièce, pour une lutte sans pitié, je me demande laquelle l'emporterait.

Elle prit son bras tout en murmurant :

— Allons-y, sinon nous risquons de nous faire disputer par monsieur Hamel.

— Monsieur Hamel ne nous disputera pas, à moins que Sylvio nous dénonce.

Xavier avait passé une bien mauvaise nuit. Si les veuves de Montréal ressemblaient toutes à cette madame Rioux, il s'achèterait un chien. Cela lui ferait une meilleure compagnie. Le lendemain matin, il n'en était pas venu à de meilleurs sentiments pour la vie conjugale. Il s'apprêtait à quitter la banque pour aller dîner dans un restaurant des environs quand son téléphone sonna.

À l'autre bout du fil, Sophie ne se donna pas la peine de dire bonjour :

— Je suis absolument désolée de t'avoir présenté cette femme.

— Tu n'as aucune raison de te sentir désolée.

— Quand je manque autant de bon sens, j'ai le droit de me désoler. Georges m'a répété ses paroles, à propos du choix du parrain de Clémence. C'était de la plus totale indélicatesse pour toi, et pour nous.

— Tout de même, tu n'as rien à te reprocher.

— J'ai peur qu'après ça, tu ne veuilles plus rencontrer qui que ce soit.

— Je suppose que je ne dois pas juger la moitié féminine du genre humain à partir de cette expérience.

— Je suis heureuse de te l'entendre dire.

— D'un autre côté, je me suis senti tellement intimidé.

Alors que devant Odile, il se sentait en contrôle de la situation.

— Comment penses-tu que se sent une femme dans de pareilles circonstances ? Je suis nulle comme marieuse. Alors je me suis dit que je ferais mieux de me fier à une personne plus compétente, ma belle-sœur.

— Penses-tu que je peux me sentir autre chose que minable, dans ces circonstances ? Tu rallies tout le monde pour me caser.

— Une personne. Tu connais Corinne. Imagine ses amies...

Évidemment, une jeune femme aussi rieuse et aimable devait avoir bien peu de madame Rioux dans son sillage.

— Je verrai. Maintenant, si je ne veux pas rater mon repas, je dois mettre fin à cette conversation.

— Oh ! Je m'excuse. Je tenais à te convaincre de tenter ta chance à nouveau, pour que tu ne restes pas sur cette mauvaise expérience. À bientôt.

— Juste une minute encore. Je dois te dire que cette femme a eu des mots qui, répétés dans les cercles que tu fréquentes, pourraient te nuire.

Il y eut un silence, si long qu'elle demanda d'une voix changée :

— Tu ne peux pas me dire ça et ne pas me les répéter.

— Selon elle, hier, je ne pouvais pas quitter une femme des yeux et ce n'était pas elle.

Dans une situation de ce genre, la condamnation ne toucherait pas l'homme qui regardait, mais la femme qui l'aguichait.

— Qu'as-tu répondu ? demanda Odile d'une voix un peu inquiète.

— Qu'aucun homme ne me le reprocherait.

Il entendit un rire bref à l'autre bout du fil.

— Sais-tu ce que je vais faire ? Chercher la plus grande commère de son petit cercle et lui répéter exactement ce que tu viens de me dire. Ça devrait la neutraliser. Elle passera tout bonnement pour une jalouse.

— Vendredi, c'est demain, remarqua Polydore quand sa mère mit l'assiette de fèves au lard sur la table.

Comme le poisson frais coûtait cher en cette saison, et que la morue salée permettait bien peu de prouesses culinaires, les légumineuses s'imposaient dans la plupart des foyers, les jours maigres.

— Si tu veux du bœuf tous les jours, il faudrait demander une augmentation à ton patron.

— Tu pourrais aussi faire des ménages. Tiens, si tu offrais tes services à la logeuse d'Odile ? C'est tout près et tu gagnerais de quoi améliorer l'ordinaire.

La suggestion provoqua un mouvement de recul chez Zénoïde. Depuis qu'il connaissait cette fille, son fils multipliait les commentaires de ce genre. Le gentil garçon avait disparu, il restait un homme devenu irascible.

— Tu veux me faire mourir ? Tu sais que j'ai un souffle au cœur.

Cet autodiagnostic lui servait à justifier son souci d'éviter le moindre effort physique depuis plus de trente ans. Elle prit sa place habituelle et commença à manger.

— Comme ça, ce soir, elle a mieux à faire que de sortir avec toi ?

— Tu le sais, elle va à la Palestre nationale deux soirs par semaine pour ses cours de natation.

— Oui, c'est vrai, tu me l'as dit. Toi, ça ne te dérange pas de penser qu'elle barbote à moitié nue dans une piscine, au milieu de tous ces gars ?

— À moitié nue ! Tu n'as certainement jamais vu un maillot de bain, pour dire ça. C'est pudique comme une robe de bonne sœur.

— En tout cas, tu ne me verras jamais attriquée de cette façon.

L'image de sa mère sur une plage lui traversa l'esprit. « Dieu merci », songea-t-il.

— Tu n'es certainement pas jaloux, pour la laisser au milieu de tous ces hommes. Tu vas me dire que leurs maillots sont aussi pudiques que les robes des frères des Écoles chrétiennes ?

Avec un soupir de lassitude, il expliqua :

— Les hommes et les femmes ne vont pas dans la piscine ensemble. Ils n'y vont pas les mêmes jours de la semaine.

La vieille femme laissa échapper un ricanement, comme pour se moquer de sa naïveté. Polydore avala rapidement son repas, puis il alla se réfugier dans sa chambre.

Si Polydore acceptait de bonne grâce de passer ses mardis et ses jeudis dans sa chambre, depuis plusieurs semaines maintenant, il consacrait ses samedis soir à Odile. Il commençait par l'emmener souper dans un café, puis ils allaient au cinéma.

Ce soir-là, il lui proposa d'explorer un autre secteur de la ville. De nombreux petits restaurants s'alignaient le long de l'avenue du Parc. Ils entrèrent dans celui qui leur parut le plus respectable. Ensuite, ils trouvèrent des sièges assez bien placés au Regent, au coin de la rue Laurier.

— D'après les filles, à la pension, ce film est à l'Index.

Ils assisteraient à la projection de *Queen of the Moulin Rouge*.

— Je suppose que s'il était à l'Index, monseigneur Bruchési en empêcherait la présentation.

Ce n'était pas tout à fait vrai. Dans une ville comptant une minorité protestante très significative, celle-ci aurait contesté bien fort si un ecclésiastique papiste lui avait interdit l'accès aux productions américaines.

— Dans *La Presse*, l'annonce parlait d'une "histoire émotionnante du quartier Montmartre du gai Paris." Tu sais ce que c'est, le gai Paris ?

Polydore eut un petit ricanement, puis répondit :

— Un quartier de la ville qui est particulièrement joyeux, je suppose.

Pour être exacte, l'explication n'était pas très claire. Odile put se faire une meilleure idée du concept dès le début de la présentation. Que des femmes se donnent en spectacle toutes nues lui semblait inconcevable. Évidemment, le film ne montrait pas de réelle nudité, mais les costumes révélaient plus d'épaules, de poitrines et de cuisses qu'elle n'en avait jamais vues.

Son attention étant toute mobilisée par les pouces carrés de peau découverts, elle ne réagit pas quand son compagnon plaça sa main gantée sur la sienne. Le geste lui parut tout naturel. Le court film de Charlie Chaplin, *The Cure*, lui tira quelques éclats de rire. Quand ils quittèrent le Regent, le froid humide de la mi-mars les saisit.

— Polydore, ce film m'a vraiment mise mal à l'aise.

— Je ferai plus attention la prochaine fois. Mais j'ai pensé que tu n'aimerais pas le dernier Valentino.

— Tu dois me trouver un peu habitante… J'ai quitté le couvent en juin dernier. Je ne suis jamais sortie avec un garçon avant toi.

Au moment de prononcer ces paroles, elle ne pensait même pas dire un gros mensonge. Accompagner monsieur

Blain, ce n'était pas sortir avec un garçon. À Douceville, elle quêtait un repas. À Montréal, elle remboursait ses largesses.

Que Xavier ne lui ait pas encore demandé de régler ses dettes l'étonnait toujours. Au contraire, il paraissait disposé à lui donner tout le temps nécessaire.

— Alors voir toutes ces filles dévêtues, ça m'a gênée.

— Je choisirai mieux, juré.

Le cinéma Regent était loin de leurs logis respectifs. Ils empruntèrent donc le tramway de l'avenue du Mont-Royal. Quand ils furent devant la pension, Polydore lui dit:

— La prochaine fois, tu choisiras. J'aime beaucoup sortir avec toi, je ne voudrais pas te froisser.

Puis après une pause:

— Je peux?

Ne sachant de quoi il parlait, elle dit oui d'un geste de la tête. Il se pencha. Odile crut qu'il visait la joue, mais ce furent les lèvres. Le geste la ramena directement à cette nuit à la banque, à Douceville. Moins désespérée maintenant, plutôt que de se raidir, elle s'abandonna.

Quand il se redressa, elle se sentit un peu coupable d'avoir accepté ce baiser.

— Demain, si tu veux, nous pourrions aller voir une exposition.

Odile fronça les sourcils, incertaine.

— Tu as dépensé beaucoup, ce soir.

— Justement. Ça ne coûtera rien.

Assise dans le petit salon de sa pièce double, la mère de Polydore l'accueillit en disant:

— Tu dois passer ta paye avec cette fille.

— Je dépense un peu de l'argent que je gagne avec Odile, pas avec "cette fille". Elle me plaît de plus en plus. Alors tu devrais te faire à l'idée qu'elle prenne une place grandissante dans mon existence.

La vieille femme jura à voix basse, puis elle répéta sa rengaine habituelle :

— On est très bien ensemble, on n'a besoin de personne.

— Toi peut-être, mais crois-moi sur parole, tu ne me suffis pas.

Chapitre 16

La veille, Xavier avait demandé à Odile de le rejoindre dans un café de la rue Papineau. C'était avant que Polydore ne lui propose de l'accompagner à une exposition. Elle s'y dirigea directement après la messe, comme si, en arrivant tôt, elle se libérerait plus vite.

Évidemment, il n'en alla pas ainsi. Le banquier la rejoignit à l'heure convenue, pas une minute avant. Cela avait signifié une demi-heure assise seule à une table, avec tous les yeux masculins fixés sur elle.

— Tu m'attends depuis longtemps ?

— Assez pour me sentir très intimidée.

— Préférerais-tu passer totalement inaperçue ?

Quand ils eurent donné leur commande, Xavier demanda :

— Tu me sembles préoccupée. Quelque chose ne va pas ?

— Je suis absolument désolée, mais après t'avoir parlé, j'ai reçu une invitation.

L'homme demeura interdit. Un bref instant, il eut envie de dire : « Après tout ce que j'ai fait pour toi, tu me remercies de cette façon ? » Il se retint difficilement, et en même temps, il se trouva ridicule.

— De la part de ton collègue ?

Elle acquiesça d'un geste.

— Tu aurais dû me le dire avant que je passe la commande.

— Je ne suis pas forcée de partir tout de suite. Mais je ne pourrai pas m'attarder.

La situation se produisait pour la seconde fois. Xavier eut du mal à contenir sa frustration.

— Alors je ferai tout pour ne pas te mettre en retard.

— Écoute, je peux bien laisser tomber ce rendez-vous. Ce n'est pas si important.

— Non. De toute façon, nous n'avons rien de prévu, sauf manger ensemble. L'affaire de trente, quarante minutes tout au plus.

Ensuite, l'échange d'informations sur les événements survenus au cours de la dernière semaine se révéla tendu. Odile se sentait infiniment mal à l'aise, Xavier plutôt irascible. Il la quitta après une poignée de main et un « bonne semaine » marmonné.

⁂

Au milieu de l'après-midi, Odile et Polydore arrivèrent au musée. Une salle présentait les œuvres des membres de l'Art Association of Montreal. Sur les toiles, elle vit beaucoup de chairs nues. Les voir peintes à l'huile l'affecta moins que dans une salle sombre, sur un écran argenté.

Polydore la troubla plus que ces scènes. Quand ils se tenaient devant une œuvre, invariablement son bras se posait au bas de son dos. Au moment de marcher de l'une à l'autre, sa main prenait la sienne. Il était tout près, au point de la frôler. Elle observait le même comportement chez d'autres couples dans la salle. Des amoureux.

Quand ils marchèrent vers la maison en fin d'après-midi, à nouveau, il caressa ses doigts placés sur le pli de son coude.

— Hier, je te disais aimer sortir avec toi. C'est plus que ça. Tu me plais beaucoup. Tu n'as personne dans ta vie, n'est-ce pas ?

— Non, tu sais bien que non. Nous en avons discuté, déjà.

— Dans ce cas, on peut dire qu'entre nous, c'est sérieux ?

Devant son hésitation, il précisa :

— Comme des fiançailles sans bague. Nous n'avons pas besoin de ça…

Fiancée. La fiancée de Polydore Brissette, commis à la Banque Hochelaga. Elle acquiesça d'un geste de la tête.

— Tu ne le regretteras pas.

Il s'arrêta au milieu du trottoir, puis se pencha sur elle et l'embrassa sur les lèvres, la main posée sur sa nuque. Comme dans les films. Fiancée. Cela voulait dire un mariage. Les images de Xavier et de Clarisse lui passèrent à l'esprit. Les deux personnes régissant son existence.

À nouveau, les parents d'Edmire, le garçon chez qui avait eu lieu le party de Noël suivi de la promenade fatidique sur le mont Royal, avaient eu la bonne idée de sortir, à l'heure du souper, cette fois. Il en avait profité pour inviter ses amis. Autour de la table, l'ambiance était morose. Cela ne tenait pas à un respect minutieux des règles du carême. D'ailleurs, les bouteilles de bière et de vin abondaient sur la table.

— Trois mois ou six mois de travaux forcés ! dit quelqu'un sur un ton chargé de colère.

Lors de la comparution de certains de leurs amis à leur enquête, trois avaient plaidé coupable sur-le-champ, recevant chacun une amende de cinquante dollars. Deux semaines de travail, ou un peu moins. Les autres venaient tout juste de subir leur procès aux assises criminelles.

— Le temps à purger est une chose, commenta Edmire. Mais en prison, ils vont se faire massacrer.

— C'est Léo qui a la meilleure défense, dit un invité. Une épouse au premier rang, c'est comme un sésame.

— Brissette, dit un autre, ta secrétaire habite dans une maison de chambres de la rue voisine… Elle n'aurait pas des voisines avenantes ?

Que ses amis réduisent la place d'Odile dans sa vie à une assurance contre les avatars des rencontres nocturnes dans un parc le heurtait toujours.

— Ça, vous irez le vérifier vous-mêmes. Je ne jouerai certainement pas à l'entremetteur pour une demi-douzaine de timides.

— On n'a pas tous la chance d'avoir des secrétaires enfermées à moins de douze pieds de nous, dix heures par jour.

Celui qui s'exprimait ainsi travaillait dans une boutique de vêtements pour homme. À cet endroit, les présences féminines se réduisaient à néant, tant chez le personnel que parmi la clientèle.

— Maintenant, c'est dans les gares Viger et Windsor qu'ils font la chasse ! Vous avez lu dans le journal ? Ils ont construit une sorte de cage au-dessus des cabinets. Deux policiers se cachaient là-dedans pour surveiller.

— Ouais, à deux dans une boîte grosse comme un cercueil, ils devaient bien s'amuser, ces voyeurs.

L'une des hypothèses favorites de ce petit groupe était que les policiers les plus acharnés à faire la chasse aux homosexuels entendaient dissimuler leurs propres penchants. Cela se pouvait bien. Les imaginer enthousiastes à défendre la jeunesse contre les entreprises des corrupteurs leur paraissait bien peu crédible.

Odile aurait aimé annoncer son nouveau statut à ses voisines, afin de voir leurs mines envieuses. Cependant, des fiançailles sans bague, cela ne comptait pas. Surtout, que dirait Xavier ? Il n'avait certainement pas investi tout cet argent pour rien. Quant à ses affirmations sur sa liberté de choix, comment y croire ? La veille, sa mauvaise humeur était bien perceptible.

Elle avait l'habitude de voir les adultes oublier leurs promesses à son égard. Son père était le premier d'entre eux, lui qui n'avait pas su lui assurer une existence comme celle de ses camarades de classe : un peu d'affection, une demeure chauffée l'hiver et une table raisonnablement garnie. Quant à sa mère ! Les animaux devaient avoir un instinct maternel plus développé que le sien.

Et même si Xavier respectait sa parole, Clarisse pouvait toujours faire voler n'importe quel engagement en éclats. D'ici ses vingt et un ans, elle n'aurait aucune liberté.

Quand la jeune femme se présenta pour le souper, elle se sentait un peu déprimée, au point où Edith demanda :

— Quelque chose ne va pas ?

— Ça va, ça va.

Pour une fois, Adine eut la délicatesse de ne pas ajouter son grain de sel. À la place, elle entendit égayer un peu l'atmosphère en demandant :

— Vous connaissez un livre qui dit qu'on peut embrasser les garçons ?

— Certainement pas dans mon catéchisme, dit Delphine en ricanant. Pourquoi demandes-tu ça ?

— C'était dans le courrier du cœur. La fille évoque l'existence d'un livre de ce genre, sans en donner le titre.

Elle chercha dans une poche de sa robe pour en tirer une coupure de journal de deux pouces sur deux pouces. C'était une nouvelle façon de contourner l'interdit concernant la lecture à table. Elle lut :

Il est facilement compréhensible d'imaginer qu'une jeune fille ne doit pas embrasser les jeunes gens, si ce n'est son fiancé.

Il y eut un ricanement, puis Reine demanda :

— Comment voulez-vous qu'une fille ait un fiancé, si elle n'embrasse personne ?

Odile se souvint du baiser de Polydore. Dans son cas, cela devait être acceptable puisque dès le lendemain, il avait parlé de fiançailles. Mais dans le cas de Xavier ?

— Ma mère affirme n'avoir jamais embrassé mon père avant le mariage, intervint Delphine. Même pas un petit bec sur la joue.

— Seigneur, dit Adine, comme vous êtes huit enfants dans la famille, elle a fait du rattrapage.

Cette fois, ce fut l'hilarité générale. Les deux locataires de sexe masculin présents formulèrent quelques remarques égrillardes, mais un regard de mademoiselle Séguin les amena à se taire.

— Vous, qu'en pensez-vous ? lui demanda Adine.

— Je ne sais même pas de quoi vous parlez.

— Peut-on embrasser un garçon, s'il n'est pas notre fiancé ?

— Vous demandez ça à une vieille fille ?

La voix contenait une forte dose d'autodérision. Elle continua néanmoins :

— Je suppose que les petits baisers sont bien innocents. Mais les gros…

— Ceux avec la langue… précisa Israël.

— Ceux avec la langue, comme le dit si élégamment monsieur Huard, peuvent conduire à plus d'intimité. Et ça, ça cause souvent de gros ennuis.

— Cette Colette qui tient le courrier du cœur est aussi une vieille fille. Ce sont les nouvelles expertes de ce qui se passe entre les gars et les filles ? susurra Edith.

— Il n'y a pas juste ça... intervint Adine.

Elle faisait allusion aux gros ennuis.

— On se fait une réputation de fille facile et il y a aussi la jalousie.

La petite coupure du journal était demeurée près de son assiette. Elle la prit pour continuer la lecture :

Demandez-vous si votre mari, quand vous en aurez un, serait bien aise d'apprendre que tel ou tel de ses amis recevait de vous cette faveur quand vous étiez jeune fille. Et pourquoi voudriez-vous que ces jeunes gens ne bavardent point, s'ils en ont envie ?

— Voyons, dit Delphine d'une voix blanche, les gars ne parlent pas de ça entre eux. Cela ne serait pas être un gentleman.

Cette jeune femme avait exhibé fièrement sa bague lors du souper du 1er janvier. Maintenant, elle paraissait très inquiète des bavardages. Israël le comprit bien ainsi. Alors il commenta, pour ajouter à son malaise :

— Les gentlemans sont plutôt rares à Montréal. Si vous entendiez ce qui se raconte au magasin !

Delphine n'était pas la seule à s'inquiéter. Odile aussi. Les baisers avec la langue, Xavier les lui avait fait connaître. Et Polydore ensuite. Si jamais ce dernier apprenait qu'il n'était pas le premier, c'en serait sans doute fait de son statut de fiancée. De plus, le banquier déçu pouvait-il tout raconter, juste pour lui nuire ?

&

Encore une fois, Zénoïde Brissette présentait sa triste mine. Au marché, elle avait entendu des allusions mesquines à l'égard de son fils : « Votre garçon, il ressemble de plus en plus à son père, hein ? » Ensuite, il y avait eu l'article dans le journal. Quand Polydore revint de la banque, elle demanda :

— Es-tu encore revenu avec cette fille ?

— Si tu veux me parler d'elle, utilise son prénom. Odile.

— Bon, alors es-tu revenu de la banque avec Odile ?

— Comme tous les soirs depuis plus de trois mois.

Il alla se réfugier dans sa chambre jusqu'à ce que le souper soit sur la table. Ils en étaient à la moitié du repas quand elle demanda d'une voix faible :

— Ces garçons… c'étaient tes amis ?

Le commis jugea préférable de ne rien répondre.

— À Noël, tu ne les as pas accompagnés ?

— Qu'est-ce que tu veux savoir, exactement ?

— Tu étais avec eux au dîner, mais tu n'es pas allé te promener sur la montagne, j'espère ?

Pendant des années, la mère avait soigneusement feint de tout ignorer de son mode de vie. Maintenant, la peur la tenaillait.

— Si j'y étais allé, j'aurais eu un rendez-vous avec le juge Choquet le surlendemain.

— Tu es comme lui, tu ne peux pas t'en empêcher…

Lui, c'était son père. Ce n'était pas une question, mais un constat. Comme il ne dit rien, elle changea de tactique.

— Comment ça se fait que des gars ont eu une peine de prison, d'autres, rien qu'une amende ?

— Pour certains, c'étaient la seconde ou la troisième fois. Pour les autres, la première.

Elle hocha la tête.

— Tu devrais venir voir monsieur le curé avec moi.

Polydore la regarda un long moment en serrant les mâchoires.

— Tu souhaites quoi ? Me faire exorciser ?

— Je veux que tu arrêtes avant de te ramasser en prison. Avec la prière, il m'a dit que c'était possible.

Donc, il faisait l'objet de conversations entre sa mère et le curé de la paroisse. Pourquoi s'en surprendre ? Elle avait commencé avec son directeur de conscience chez les frères des Écoles chrétiennes.

— Il n'est pas question que j'aille voir le curé. Ni l'archevêque. Ni le pape.

Pendant un moment, Zénoïde garda ses yeux fixés sur lui.

— La première fois que ton père s'est fait arrêter, c'était pour avoir participé au club du docteur Ulric Geoffrion. Lui aussi a reçu une petite amende, une récompense pour avoir dénoncé les autres. Mais le médecin a écopé de quinze ans de prison.

Pour avoir dirigé un club de rencontre pour homosexuels dans sa propre maison.

— Tu te souviens de cette affaire ?

Oui, il se souvenait. Il avait huit ans à l'époque. Il ne se souvenait pas de l'affaire policière, mais des cris dans la pièce double du côté de la rue et, surtout, d'une répartie de son père : « Si t'es pas contente, prends le morveux et crisse le camp. »

— La deuxième fois, ça se passait dans l'arrière-boutique d'un gars qui vendait du matériel religieux, rue Saint-Hubert.

— J'avais seize ans. Je me souviens très bien.

À l'époque, il comprenait les tenants et les aboutissants de l'affaire. Et il savait partager les mêmes inclinations.

— Dans ce temps-là, les juges étaient moins sévères. Pis ça s'est passé comme pour le petit Cousineau : je me suis présentée à la cour.

Elle avait donc parcouru tous les journaux pour obtenir ces informations.

— Le juge l'a laissé aller en me disant de mieux en prendre soin. Comme si ses vices tenaient au fait que je le négligeais.

Elle hésita un moment avant de continuer :

— La secrétaire, à ton bureau, c'est pour ça que tu lui fais les yeux doux ? Tu comptes sur elle pour prendre ta défense devant un tribunal ?

Pour la première fois de son existence, le jeune homme avait une vraie conversation sur ses préférences avec sa mère. Non, pas une conversation ; plutôt un monologue.

— Tu imagines comment une femme se sent dans ce genre de situation ? Voir un homme lever le nez sur elle pour aller courailler chez un docteur ou chez un vendeur de statues de la Sainte Vierge pour trouver des garçons ?

— Qui te dit que je suis comme lui ?

— Tous tes amis ont été arrêtés !

— Quand on atteint un certain âge, la plupart des gars s'occupent d'une famille. Les vieux garçons, eux, se tiennent ensemble.

— Pourquoi t'as jamais fréquenté une jeune fille ?

— Tu vois ta tête quand il en vient une ici ? Tu les terrorises.

Zénoïde se raidit. Voilà qu'il la tenait encore responsable.

— Avec la prière, tu pourrais arrêter de faire ça et on aurait une vie tranquille. Juste tous les deux.

— Honnêtement, pour les repas en tête à tête, je trouve Odile plus avenante que toi.

— Bon, moi je vais me coucher. Tu t'occuperas de la vaisselle, dit-elle en quittant sa chaise.

La vieille femme se dirigea vers sa chambre. Polydore se promit de tout laisser sur la table. Ou elle reviendrait s'en occuper ce soir, ou elle le ferait demain. Après quelques bouchées, il mit son manteau pour aller se promener dans le parc La Fontaine.

Le vendredi soir, il y avait une plus grande affluence dans les cinémas de Montréal, surtout dans ceux du quartier latin. Les professeurs faisaient relâche le samedi. Polydore se montrait fidèle à son engagement : dans *Les trois mousquetaires*, le peu de peau découverte ne risquait guère de la mettre mal à l'aise. Bon, le décolleté de Lady de Winter était bien un peu plongeant, mais la chose lui paraissait plus acceptable au dix-septième siècle qu'au vingtième.

En plus, elle put apprécier l'athlétique Douglas Fairbanks. Peut-être parce qu'il avait incarné Zorro peu de temps auparavant, il montrait une belle habileté dans le rôle de D'Artagnan, la rapière à la main. Pendant qu'Odile contemplait la fine moustache et les longs cheveux ondulés du héros, elle sentit la main de son fiancé sur sa cuisse. Le contact la fit se raidir. Son premier souci fut de s'assurer que personne ne voie la scène. Heureusement, son manteau posé sur ses genoux la dissimulait aux regards.

Elle glissa sa propre main sur celle de son compagnon et tenta de l'éloigner. Polydore résista à son effort. Pour ne pas attirer l'attention, elle n'osa protester. À son grand désarroi, la surprise passée, le contact devint agréable. Que fallait-il accepter d'un fiancé ? Rien ? Tout ? Qu'en dirait Colette ? L'idée lui vint de lui écrire. Moins d'une semaine plus tôt, elle avait sa langue dans sa bouche ; la main sur sa cuisse avec deux épaisseurs de tissu lui parut presque innocente.

On disait que l'appétit venait en mangeant. Polydore exerça une pression et poussa ses doigts vers l'intérieur de ses jambes. Le film durait deux longues heures. À la fin, la main d'Odile accompagnait celle de son compagnon, sans plus résister. Quand on remit l'éclairage, trop honteuse, elle n'osa le regarder. Pas même quand il l'aida à enfiler son manteau.

Ce ne fut qu'au moment où l'air frais toucha son visage que la parole lui revint.

— Je ne suis pas ce genre de fille.

— De quel genre parles-tu ? Nous sommes fiancés, non ?

— Ça ne veut pas dire qu'on peut tout faire.

— Si tu m'aimes…

Quand il lui offrit son bras, elle l'accepta après une hésitation. L'aimait-elle ? Plus que Xavier ? Elle souhaitait continuer son existence actuelle avec son travail et ses amies. Xavier l'avait amenée jusque-là. Polydore pouvait la soustraire à l'autorité de sa mère et lui permettre de vivre mieux que pendant les dix-huit premières années de sa vie. Malheureusement, il venait avec Zénoïde et elle, avec Clarisse.

L'un et l'autre apportaient avec eux un excédent de bagages.

— Il faut que tu comprennes : je n'ai jamais fait des choses de ce genre.

— J'espère bien. Je ne voudrais pas être le second. Mais si nous voulons nous marier, il faut bien apprendre à nous connaître.

Une demande en mariage, cela se passait ainsi ? Pas de gants blancs ? Pas de genou posé sur le sol ? Sa main sur sa cuisse suffisait pour mieux se connaître, ou il exigerait plus ?

Au moment où ils s'approchaient du parc La Fontaine, Polydore l'entraîna dans l'une des allées. L'été, les buissons de feuillus fournissaient de multiples cachettes. En cette saison, les rares conifères et le froid permettaient une certaine discrétion. L'homme s'arrêta et la força à se tourner vers lui. Il posa ses lèvres sur sa bouche. Lentement, le malaise d'Odile se dissipait. Le baiser la rendit languide. Les mains sur sa taille et sa poitrine, un peu plus. Avant qu'il ne devienne plus audacieux encore, elle le repoussa pour dire :

— Nous sommes sous les fenêtres de ma pension, quelqu'un pourrait nous voir.

— D'accord. Tu viendras à la maison. Ma mère n'osera jamais nous déranger dans ma chambre.

Ainsi, il entendait s'accorder d'autres acomptes sur les futurs plaisirs conjugaux.

Après que Xavier eut reçu un coup de fil de Sophie qui s'excusait, il s'était ensuivi un silence de presque trois semaines. Ou son époux n'avait eu aucun besoin d'un chevalier servant pour l'escorter quelque part, ou le malaise de son amie perdurait.

Puis, le 30 mars, il entendit sa voix au téléphone.

— Alors, chez les protestants vous travaillez un Vendredi saint ?

— Chez les catholiques aussi, tu sais. Je ne pense pas qu'un seul commerce, une seule maison d'affaires fasse relâche aujourd'hui. Mais je m'arrêterai pour une petite prière à trois heures.

— Me voilà rassurée.

La conversation se poursuivit sur les derniers événements : la dent apparue sur la gencive du haut de Clémence et la première communion d'Oliver. Ensuite, Sophie retrouva un ton sérieux afin de revenir sur le sujet de leur dernière rencontre.

— Je ne t'ai pas relancé au sujet des veuves désirant refaire leur vie.

— Tu me considères désormais comme infréquentable ?

Même si le ton se voulait badin, Sophie perçut la déception.

— Jamais je ne penserai ça de toi. Et tu le sais. C'est juste que je me suis rendu compte que je ne connaissais pas tellement de femmes prêtes à se réengager. Tu comprends, je suis arrivée à Montréal en décembre dernier. Mais Corinne vit ici depuis son mariage… Elle aimerait te présenter quelqu'un.

— Que proposes-tu ?

— Tu es invité à souper dimanche chez elle, et une femme de notre âge aussi.

Par notre âge, elle voulait dire plus ou moins trente-cinq ans.

— Chez Corinne ? Je ne la connais pas beaucoup…

— Tu les as vus, son mari et elle, quand nous étions encore à Douceville et ici à Montréal. Et je vais être franche : dans ces rencontres, ma présence n'aide pas si tu gardes les yeux rivés sur moi.

Si ses sentiments étaient aussi perceptibles, il s'étonnait que Georges n'ait jamais abordé la question avec lui.

— Tu sais que je suis facilement intimidé. Alors avoir les yeux des Turgeon sur moi…

— Je sais. Comment penses-tu qu'elle se sentira ?

Pour le rassurer, elle revenait sans cesse sur la réciprocité de ce malaise. Cela n'avait pas conduit à un immense succès, la dernière fois. D'un autre côté, Polydore accaparait Odile depuis un moment. Inutile d'espérer grand-chose de ce côté.

— Bon, j'irai. Après deux grands verres de gin, je serai peut-être aimable.

Chapitre 17

Le dimanche de Pâques, Xavier n'avait pas vu le soleil danser dans le ciel pour souligner la résurrection de Jésus. La journée se déroula très lentement. D'une heure à l'autre, il décidait de se rendre à ce rendez-vous, puis il songeait à téléphoner pour s'excuser. Pourtant, passé quatre heures, il se dirigea vers la rue Saint-Hubert avec une bouteille de vin achetée à la Commission des liqueurs du premier ministre Louis-Alexandre Taschereau.

La fête de Pâques marquait habituellement le moment de l'année où l'on portait des chapeaux de paille et des vêtements aux couleurs claires. Ce 1er avril, le temps s'avérait doux, alors son panama et son complet de lin convenaient tout à fait.

Rue Saint-Hubert, il appuya sur le bouton placé à côté de la porte. Il entendit une voix inconnue :

— Je vais ouvrir, ne vous dérangez pas.

Une brunette se tint devant lui, un sourire un peu figé sur les lèvres. Après une hésitation, plutôt que de le laisser entrer, elle sortit et referma dans son dos.

— Je suppose que vous trouvez cette situation aussi intimidante que moi. Alors je préfère me présenter moi-même. Élodie Daunais.

Xavier accepta la main tendue. Elle avait les yeux bruns, presque noirs, comme ses cheveux un peu ondulés, coupés courts, et une peau hâlée. Un patronyme italien, ou espagnol, lui aurait bien convenu.

— Xavier Blain. Et vous avez raison : je suis certainement aussi intimidé que vous.

Il tint sa main plus longtemps que nécessaire. Le sourire de son interlocutrice se fit plus naturel, chaleureux même.

— J'espère qu'après m'avoir vue, vous allez entrer, pas vous mettre à courir.

Après une pause, elle précisa :

— Mais si vous préférez partir, je comprendrai.

— Ce serait terriblement indélicat de ma part. Et surtout, tout à fait injustifié. Vous êtes ravissante.

Elle eut un sourire un peu gêné. Il craignit de s'être montré trop candide.

— Monsieur Blain, je ne m'attendais pas à entendre ces mots…

Comme il allait s'excuser, elle s'empressa de dire, un peu comme on se jette à l'eau :

— Soyez certain qu'ils ont embelli ma journée ! Je comprends donc que vous allez entrer ?

— Évidemment. Maintenant, parmi les personnes présentes, vous serez la seule avec qui je me sentirai plutôt à l'aise.

— Je connais les Turgeon depuis des années. Jules et mon défunt mari travaillaient dans le même bureau.

Elle ouvrit, puis s'esquiva pour le laisser entrer. Ensuite, elle passa devant. Il apprécia le drapé de la jolie robe grise. Debout dans l'entrée du salon, elle commença :

— Nous avons fait connaissance, mais je ne suis pas assez familière avec lui pour oser vous le présenter.

— Nous le connaissons déjà, dit Jules en quittant son fauteuil.

Il tenait son fils sur son bras gauche replié. René devait avoir deux ans, maintenant.

— Vous allez bien, Xavier ? demanda-t-il en lui serrant la main.

— Si je me plaignais, ce serait de l'ingratitude envers la vie.

Corinne vint le saluer à son tour.

— Je suis contente de vous revoir. Vous vous souvenez de cette demoiselle ?

Flore se tenait un peu en retrait de sa mère. À la fois curieuse et intimidée, elle murmura un : « Bonsoir, monsieur. » Il tendit la bouteille de vin à la mère.

— Je ne suis pas un expert, mais je pense qu'il est bon.

— Comme nous nous y connaissons sans doute encore moins que vous, nous vous croyons sur parole. Après tout, vous avez passé du temps en France.

Pendant cet échange, Jules avait confié son fils à Élodie pour se diriger vers le buffet où il rangeait ses alcools.

— Je ne sais pas si mon beau-père a réussi à vous faire partager son enthousiasme pour les martinis. Je peux vous en préparer un, mais j'ai d'autres choix. Du Vichy au gros gin, avec ce qu'il y a entre les deux.

— Alors j'opterai pour le Vichy.

Élodie eut un petit gloussement. Sans doute appréciait-elle l'effort de Xavier de se présenter sous les traits d'un abstinent. Jules lui tendit un verre d'eau minérale et retrouva son fauteuil. Corinne était retournée dans la cuisine avec sa fille dans son sillage.

— Tout à l'heure, j'ai entendu que vous avez résidé en France, remarqua l'inconnue.

— Avec l'armée américaine.

— Américaine ?

Visiblement, ses hôtes ne lui avaient pas révélé tous les aspects de son existence, lui laissant le soin de le faire lui-même.

— Je vivais aux États-Unis depuis plusieurs années quand ce pays est entré en guerre. Je me suis enrôlé.

— Vous avez participé aux combats ?

— Oui, même si combattre n'était pas mon activité principale.

Devant son air interrogateur, il précisa :

— À peu près aucun Américain ne parlait français. Je m'occupais des relations avec nos cousins.

Le visage de son interlocutrice lui fit penser qu'elle s'inquiétait des séquelles de ce séjour.

— Tout s'est relativement bien passé pour moi, compte tenu des circonstances.

Se voir si facilement devinée lui tira un sourire. Pour ne pas laisser leur hôte en dehors de la conversation, Xavier demanda à Jules :

— Vous avez votre propre cabinet ?

— Non. Je suis associé dans le cabinet Beauregard et Labelle, rue Saint-Jacques.

— Je passe devant régulièrement, quand je vais dîner.

— Et moi devant la Banque Royale. Curieux que nous ne nous soyons jamais croisés dans un restaurant des environs.

Corinne vint leur dire que le repas allait bientôt être servi. Élodie quitta le canapé en disant :

— Désolée, j'aurais dû aller t'aider.

— Marguerite fait l'essentiel du travail. Moi, j'ai assisté Flore.

Plus précisément, elle l'avait occupée pour éviter qu'elle n'embête la cuisinière.

— Maintenant, je vais coucher René. Si nous avons un peu de chance, il acceptera de dormir jusqu'au dessert.

Trois minutes plus tard, ils se trouvaient à table. Le bordeaux fut tout à fait à la hauteur et la conversation se révéla agréable jusqu'après le digestif. Élodie apprit que Xavier occupait un poste important. Elle et Corinne évoquèrent leurs enfants. Xavier sut qu'elle avait une fille qui fréquentait le même couvent que Flore.

ॐ

Vers neuf heures, Xavier profita d'une accalmie dans la conversation pour dire :

— Je pense qu'il est l'heure pour moi de rentrer.

En se tournant vers l'invitée, il continua :

— Madame Daunais, si vous le souhaitez, je peux vous raccompagner à la maison.

— Avec plaisir.

Après les adieux à leurs hôtes, Xavier sortit le premier, laissant le temps à Élodie et Corinne de se faire une dernière confidence. Elle le rejoignit bientôt, un châle sur les épaules.

— Un prêt de Corinne. J'aurais dû y penser, ne dit-on pas : "En avril, ne te découvre pas d'un fil" ?

— Et : "En mai, fais ce qu'il te plaît." Mais comme ces dictons viennent de France, il ne faut vraiment pas les prendre au pied de la lettre ici.

Ils se dirigèrent vers l'intersection de la rue Sherbrooke, pour s'engager vers l'est.

— Je peux vous poser quelques questions ?

— Dans la mesure où je peux aussi poser les miennes, dit Élodie.

— Cela va de soi. Vous avez dit être veuve…

— Depuis 1919. Je n'avais pas trente ans.

— La grippe ?

Il entendit à peine sa réponse positive.

— J'ai perdu mes parents dans les mêmes circonstances. Évidemment, ils avaient fait plus de chemin, mais tout de même…

— C'était un bon mari. Et prudent. Assez prudent et responsable pour avoir contracté une excellente assurance vie.

La précision valait d'être faite. Elle ne se trouvait pas aux abois et n'avait besoin de personne pour faire bouillir la marmite.

— Moi, je suis célibataire, dit-il avant qu'elle ne pose la question. Pour un certain nombre de raisons. J'ai donné mon amour à une personne qui n'en a pas voulu et par la suite, j'ai passé quelques années à ne pas vouloir m'engager. Ensuite, je pense qu'il s'agit de quiproquos successifs.

— Vous savez que j'ai une fille.

— J'ai compris cela... Quel âge a-t-elle ?

— Huit ans. Une petite fille adorable. Puis elle ajouta en riant : Mon portrait tout craché.

Il voulut bien la croire. Ils marchaient depuis un moment quand il remarqua :

— Je ne vous ai même pas demandé où vous habitiez.

— Mais j'aurais protesté si vous aviez pris la mauvaise direction ! J'habite rue Laval.

— Moi, j'habite dans un *flat*, comme disent les Anglais, juste devant l'Université McGill.

— Selon Corinne, qui l'a appris de sa mère, c'est un très bel endroit.

— Ils sont venus habiter chez moi quand ils cherchaient un logis l'automne dernier.

— Je savais ça aussi, dit-elle en riant.

Élodie n'avait pas accepté de le rencontrer sans recueillir quelques informations au préalable.

— Ce soir, ma fille Camille est allée chez un de mes frères. J'en ai deux. Ils sont plus jeunes que moi et mariés. J'ai aussi une sœur de vingt ans, toujours célibataire. Un état qu'elle souhaite quitter très prochainement, à l'entendre.

Après un silence elle ajouta :

— Daunais, c'était le nom de mon mari. Je suis née Fortin. Mon père est notaire.

— Et votre époux était avocat ?

— Oui. Le droit courait dans la famille.

Bientôt, tous les deux s'engagèrent dans la rue Laval. Après avoir parcouru moins de cent verges, Élodie s'arrêta.

— Je vous remercie de m'avoir raccompagnée.

— Je vous remercie de m'avoir permis de marcher avec vous. J'aimerais le faire encore, si vous le voulez.

— Marcher ?

— Vers un cinéma, une salle de spectacle, un restaurant ou juste dans le parc La Fontaine pour contempler l'étang.

— Je serai heureuse de vous accompagner vers n'importe laquelle de ces destinations.

— Si vous me le permettez, je vous téléphonerai cette semaine.

— Vous connaissez mon numéro ?

— Daunais, au 3429, rue Laval. Si je ne sais pas le trouver avec ces informations, honnêtement, vous devriez demander à Corinne de vous ménager un autre rendez-vous.

Il tenait sa main dans la sienne. Elle portait des gants de dentelle.

— Croyez-vous sincèrement que je trouverais mieux ?

Xavier pensa aux paroles de Sophie.

— Sans doute, si vous êtes très très patiente.

Elle eut un petit rire amusé.

— J'attendrai votre appel, Xavier.

— Vous pouvez compter sur moi.

Il lui lâcha la main et murmura « bonne nuit », puis la regarda franchir la dizaine de marches conduisant à sa porte. Elle habitait un bel immeuble de pierre comptant trois logements l'un au-dessus de l'autre. Daunais avait vraiment été un époux prévoyant.

Rentrer chez lui représentait tout juste une marche de santé : un trajet d'une vingtaine de minutes quand il forçait le pas. Ce soir-là, il le ralentit pour se donner le temps de réfléchir. Il avait accepté de rencontrer des femmes en ressentant le plus grand scepticisme. Jeanne Rioux l'avait confirmé dans son attitude.

Puis il avait fallu de beaux yeux noirs pour le troubler. Quel était maintenant le rôle d'Odile dans tout ça ? À Douceville, toutes ses actions étaient des réponses à Clarisse Payant. S'intéresser à sa fille et participer à son « émancipation », c'était détruire son dernier lien avec celle qui l'avait fait tant souffrir. Cette mégère n'avait pas d'autre famille et son caractère l'empêchait d'avoir le moindre ami. Son attitude venait même à bout de la charité chrétienne de Calixte Lanoue.

Odile était certes désirable. Cependant, lors de la plupart de leurs rencontres, son air de petite fille aux allumettes excitait plus sa fibre paternelle que sa libido. Sauf une nuit, dans la banque déserte. Au cours des derniers mois, sous ses baisers plus insistants, Odile se raidissait ou alors s'abandonnait en se disant sans doute qu'autrement, il mettrait fin à ses largesses. Son âge, sa réussite, son pouvoir sur son existence, l'expérience « de la vie » qu'elle lui prêtait, tout devait la paralyser.

À Montréal, la dynamique était différente. Parmi des personnes de son âge, elle accédait à une relative normalité. Avec des voisines devenues des amies et des collègues susceptibles de lui faire la cour. Dont quelqu'un d'aussi peu effrayant que Polydore Brissette. Évidemment, elle se sentait plus à l'aise avec ce grand timide.

Pourtant, ce soir, Odile lui paraissait un peu insignifiante.

Quand Élodie entra dans son appartement, elle entendit une toute petite voix :

— Tu rentres tard…

Elle se tint debout dans l'embrasure de la porte du salon.

— Que fais-tu ici ?

Camille était assise sur le canapé, déjà en pyjama. Ses longs cheveux noirs étaient répandus sur ses épaules.

— J'ai demandé à mon oncle qu'il me reconduise. Je ne me sentais pas très bien. J'ai fermé à clé dès son départ, comme tu me l'as dit.

La mère vint la rejoindre, pour l'attirer contre elle.

— Maintenant, comment vas-tu ?

— Mieux.

— Parce que je suis revenue à la maison ?

Courageusement, la fillette tentait de faire bonne figure dans cette situation nouvelle. Son père était mort et si un nouvel homme entrait dans la vie de sa mère, elle risquait de s'éloigner.

— Penses-tu sérieusement que quelqu'un peut se mettre entre une mère et sa fille ?

Le « non » presque inaudible vint après quelques secondes.

— Entre toi et moi ?

Cette fois, la négation vint toute de suite, plus forte.

— Ce serait dommage que tu te rendes malade pour ça.

Elles restèrent silencieuses un long moment.

— Maintenant, es-tu prête à aller dormir ?

— Il était comment ?

Camille n'irait certainement pas au lit avant d'entendre son compte rendu.

— Il m'a dit que si j'étais très très patiente, je pourrais peut-être tomber sur un homme mieux que lui.

— Quel prétentieux !

La femme éclata d'un rire franc.

— C'est drôle, mais j'espère qu'il le pensait vraiment. Et qu'il pense la même chose de moi !

Comme il convenait pour des femmes de la bonne société, Corinne Nantel et Élodie Daunais prenaient souvent le thé en fin d'après-midi. Quand Élodie arriva chez son amie, après un échange de bises, ses premiers mots furent :

— Il m'a téléphoné à midi.

À voir le sourire sur son visage, elle considérait visiblement que c'était de bon augure.

— Déjà ? Décidément, il est empressé.

L'hôtesse précéda son amie dans le salon. La théière, les tasses et une soucoupe contenant quelques biscuits étaient déjà sur la table.

— Il est tout frais, dit Corinne en versant la boisson chaude.

Élodie enleva ses gants avant de prendre la tasse. Elle demeurait quand même un peu circonspecte à l'égard de cet homme.

— Que sais-tu de lui, exactement ?

— Pas vraiment plus que ce que je t'ai déjà dit. Mais Sophie le connaît depuis bientôt dix ans.

— Tout de même, tu l'as déjà rencontré.

— Chez mes parents. Même s'il vient d'Iberville, c'est à Boston que Georges l'a connu, quand il a commencé son internat là-bas. Littéralement, il a joué Cupidon pour le rapprocher de Sophie. Il travaillait dans une banque américaine. Ils se sont perdus de vue quand il s'est enrôlé dans l'armée. Ce n'est que l'été dernier que leur route s'est croisée à nouveau. Depuis, ils semblent se voir souvent. D'ailleurs, mes parents l'ont invité à leur dernier réveillon.

— Là, il travaille pour la Banque Royale ?

— Comme inspecteur. Il vérifie les comptes des succursales, se rend un peu partout au Canada. C'est comme ça qu'il est venu à Douceville, l'an dernier.

— C'est un bon emploi ?

— En tout cas, ma mère est très impressionnée par son joli petit appartement de l'ouest de la ville.

Les circonstances du séjour de Délia à cet endroit firent l'objet d'un brin de conversation.

— C'est un homme généreux… commenta Élodie.

— Si je comprends bien, tu l'as vraiment apprécié.

— Oui. Il est plutôt drôle, bien élevé et attentionné. Cela dit, qu'un gars de quarante ans demeure toujours célibataire, c'est curieux, non ?

Suspect aurait été un terme plus juste.

— Jamais il ne m'a fait de confidences. Je sais qu'une ancienne flamme le poursuivait de ses assiduités, à Douceville. Vainement.

— Ancienne à quel point ?

— Il y a vingt ans.

— Seigneur ! Il lui avait fait toute une impression. Mais s'il n'y a eu personne entre elle et aujourd'hui, ça tient peut-être à un… empêchement.

Sur ces mots, elle eut un petit rire nerveux. Les motifs d'une solitude prolongée chez un homme allaient d'une misanthropie assumée à un amour exagéré de ses semblables.

— Toi seule pourras trouver la réponse. Il t'a donné rendez-vous ?

— Pour un concert à l'Université McGill.

— Ah ! Tout de même.

Corinne souhaitait plus de sorties de ce genre. Il y eut du bruit dans le vestibule. Bientôt, deux fillettes se tinrent dans l'entrée du salon, vêtues de leur costume scolaire : Camille, la fille d'Élodie, et Flore, celle de Corinne. À huit ans, la première avait raccompagné la seconde à la maison.

— Venez, dit Corinne en désignant la soucoupe avec les biscuits. Je vais vous chercher un verre de lait.

Chapitre 18

Moins de vingt-quatre heures après avoir fait la connaissance d'Élodie, Xavier lui avait téléphoné afin de lui proposer un rendez-vous. Si la femme accepta immédiatement de le revoir, elle n'avait aucun moment disponible avant le dimanche suivant. Pour se faire désirer, sans doute. Ou ne pas donner l'impression qu'elle était désespérée de trouver quelqu'un.

Le dimanche 8 avril, il frappa à la porte de l'appartement de la rue Laval. Elle répondit tout de suite, avec son chapeau sur la tête et son manteau sur le dos.

— Alors, pouvez-vous m'en dire un peu plus sur notre programme ?

Qu'Élodie ne lui permette pas de mettre le pied dans l'appartement l'intrigua. « Ça doit être en désordre », songea-t-il. Plus probablement, elle tenait à son intimité.

— Il y a un récital de musique de chambre à l'Université McGill. Après, nous pourrons souper ensemble.

— Vous êtes du genre à vous intéresser à la musique de chambre, monsieur Blain ?

— Ça vous semble impossible pour un banquier ?

— Oubliez cette question, la condescendance n'était pas voulue. Je voulais juste en savoir un peu plus sur vous.

L'homme regretta le petit moment de susceptibilité, aussi il entendit satisfaire sa curiosité.

— J'ai passé des années seul aux États-Unis. Comme je bois peu et que je ne joue pas aux cartes, fréquenter les spectacles et les salles d'exposition était un excellent moyen de passer le temps. De plus, à Boston, les activités de ce genre sont sans limite.

— Plus qu'ici, sans doute.

Au coin de la rue, il demanda :

— Souhaitez-vous prendre le tramway ou un taxi ?

— Vous êtes venu à pied jusqu'ici ?

— Je ne pratique aucun sport, mais je marche. Ce que j'économise en billets de tramway, je le dépense en chaussures.

— Alors je veux bien essayer. Pour le retour, je ne suis pas certaine.

C'était une façon de dire « il n'en est pas question ». De la porte d'Élodie à la salle de spectacle de l'université, la distance était d'un mille, une vingtaine de minutes pour lui. Une demi-heure pour sa compagne. Xavier adapta son pas au sien.

Le quatuor à cordes venu des États-Unis interpréta des pièces de Beethoven. Xavier lui lançait parfois de petits coups d'œil furtifs. Quand leurs regards se croisèrent, elle lui adressa un sourire. Amusé ? Complice ? Moqueur ? Il ne savait trop. Quand elle se déplaça pour appuyer légèrement son épaule contre son bras, il opta pour la seconde interprétation.

Devait-il prendre sa main ? Cela lui parut prématuré. Quand ils sortirent de la salle, des personnes saluèrent Mister Blain. Il leur présenta sa compagne comme madame Daunais, *a friend*.

Dehors, elle demanda :

— Vous êtes vraiment un habitué pour connaître des spectateurs.

— Je viens souvent, mais ces gens-là travaillent à la banque ou sont des clients. Des gens qui ont des goûts plutôt raffinés.

Il faisait allusion à sa remarque plutôt condescendante. Elle eut un rire amusé.

— Je me suis excusée déjà, n'en rajoutez pas.

Quand ils arrivèrent sur le trottoir de la rue Sherbrooke, Xavier s'arrêta pour lui désigner un immeuble.

— Si je suis un habitué, c'est parce que je suis paresseux. J'habite ici.

Pendant un moment, il parut hésitant, puis il commença :

— Je ne sais pas si je peux…

— Vous étiez bien parti. Alors je suis certaine que vous pouvez.

— J'avais prévu vous emmener à l'hôtel Mont-Royal, tout près. En attendant l'heure du souper, nous aurions pris un apéritif. Maintenant, je me dis que nous pourrions aller chez moi, tout simplement.

Pendant un moment, elle fixa ses yeux noirs dans les siens. Il ajouta :

— Mais je sais que ça ne se fait pas.

— Je ne pense pas que vous présentiez une menace pour moi. Alors j'irai où vous m'inviterez.

⁂

Le tapis, le marbre, les bronzes, tout lui parut très élégant. Quand les portes de l'ascenseur se refermèrent sur eux, Élodie lui dit :

— C'est très joli.

— Ça, c'est la poudre aux yeux pour justifier le coût du loyer.

Tout de même, le *flat* l'impressionna dès l'entrée.

— Je peux prendre votre manteau ?

Il l'aida à l'enlever pour l'accrocher dans la penderie et fit de même avec son chapeau. Au passage, il apprécia la jolie robe bleu sombre et l'encolure plutôt échancrée. Elle voulait faire bonne impression. À nouveau, elle commenta favorablement les lieux, puis demanda de passer à la salle de bain.

— Aimeriez-vous boire quelque chose ?

— Oui, mais pas d'alcool.

Dans la cuisine, il chercha dans la glacière. Le Vichy pour elle. Pour lui, ce serait un Coca-Cola. Il y ajouta tout de même une goutte de rhum. Quand elle revint, son verre se trouvait sur une table basse, devant l'un des fauteuils. Il occupait l'autre.

— C'est très beau, chez vous.

— J'ai eu de la chance.

— Je n'en crois rien, et vous non plus. Vous êtes important, dans votre banque ?

— Moins que si j'étais né Écossais et presbytérien. Mais je n'ai pas eu le courage de vérifier si je pouvais faire mieux en France.

Il avait été tenté de le faire, en 1919. Mais il y avait eu la mort de ses parents et le mal du pays. Sans compter que la France était ruinée par la guerre.

— J'ai eu raison d'accepter de venir. Pour voir tout ça. Les meubles, les livres et les disques. Ça donne une idée de qui vous êtes. Tout est propre, bien rangé…

Xavier éclata de rire.

— Quelqu'un s'occupe du ménage.

— Honnêtement, je m'en doutais.

— Vous avez confié votre fille à un parent ?

— Mon frère. Le même que la dernière fois. Il habite à deux pas et il a trois enfants. Comme me dit ma belle-sœur, une de plus…

— J'ai entendu la même chose de la part de Corinne.

— Oui, je n'en doute pas.

— Vous vous connaissez depuis longtemps ?

Pendant de longues minutes, Élodie évoqua sa relation avec la fille du docteur Turgeon. Elles s'étaient connues alors que leurs maris étaient toujours étudiants. Ensuite, Xavier parla de sa relation avec Georges. Un peu avant six heures, il lui dit :

— Madame Daunais, nous pouvons aller à l'hôtel Mont-Royal ou nous pouvons manger ici. Je peux faire monter un repas.

— Monsieur Blain, je m'apprête à souper en tête à tête avec vous dans votre bel appartement. Je pense que nous sommes au-delà des monsieur et madame.

— Alors, Élodie, je m'empresse de téléphoner à la cuisine.

Bientôt, il décrocha le combiné pour commander. Ils se retrouvèrent assis de part et d'autre d'une petite table dans la cuisine. Elle accepta un verre de vin ; pour faire bonne impression il n'en but pas plus. À neuf heures, il l'aida à endosser son manteau. Avant de mettre son chapeau, elle se planta devant lui et dit :

— Xavier, nous savons tous les deux que jamais vous ne poseriez un geste déplacé. Depuis une heure, j'aimerais que vous m'embrassiez… Si je ne vous le demande pas, vous ne le ferez pas.

Un court instant, il resta interdit, ses yeux dans les siens. Puis il se pencha pour poser ses lèvres sur les siennes. Tout de suite, elle passa ses bras autour de son cou. Alors il mit ses mains sur ses hanches, sous les pans du manteau toujours ouvert. Bientôt, la droite exerça une pression sur un sein. À ce moment, elle le repoussa doucement.

— Décidément, quand je vous demande quelque chose, vous ne lésinez pas. Je vous remercie pour cette journée. Mais le taxi doit attendre devant la porte, maintenant.

— Je vous raccompagne.

— Ce n'est pas nécessaire.

— Je sais. Tout de même, je vous raccompagne.

Élodie avait raison, la voiture se trouvait bien là. Il fallut quelques minutes pour couvrir la distance jusqu'à la rue Laval. Arrivé à destination, Xavier dit au chauffeur :

— Attendez-moi, le temps de reconduire madame à sa porte.

En haut des marches, il se pencha pour un baiser très chaste.

— Si je vous téléphone demain, je ne paraîtrai pas vous harceler ?

— Si vous ne me téléphonez pas, je serai très triste.

Corinne Nantel et son époux étaient venus souper chez les Turgeon. Sophie avait aidé au service. Maintenant, assise à table, elle demanda à la visiteuse :

— Les choses se sont-elles bien passées, quand tu as présenté Xavier à une de tes amies ? Nous avons fait la même chose il y a un moment. Ça n'a pas été un succès…

— Ça, c'est un euphémisme, commenta Georges.

— Je la connais ? demanda Corinne.

— Jeanne Rioux.

Pour tout commentaire, elle eut un rire bref. Sophie se sentit encore un peu sotte pour son manque d'instinct.

— Alors, ça s'est mieux passé pour toi ? insista-t-elle.

— Je ne sais pas ce qu'il lui a dit au moment de la raccompagner chez elle, mais le lendemain, il l'a invitée à un concert. J'en saurai plus ce soir.

Sophie échangea un regard avec Georges. Celui-ci présentait un air satisfait. Que son ami cesse de poser un regard amoureux sur sa femme lui faisait visiblement plaisir. Quant à Sophie, un peu de tristesse passa dans son regard.

— Cela dit, quand je lui ai parlé, elle s'inquiétait un peu des raisons de son célibat prolongé.

— Il est tombé sur les mauvaises personnes, dit Sophie.

— C'est quel genre de femme ? demanda Georges.

Cette fois, Corinne laissa Jules répondre.

— Aussi brune qu'une Andalouse. Jolie, rieuse, gentille. Nous la connaissons bien, parce qu'elle avait épousé un de mes collègues.

— Elle demeure une bonne amie, compléta Corinne. Elle ajouta pour Sophie après une pause :

— Tout comme toi.

&

Une fois rentrée chez elle, Élodie était restée assise un moment dans un fauteuil, songeuse. Un peu honteuse de son audace, aussi. Et en même temps, fière d'avoir osé. Aucune femme respectable n'adoptait ce genre de comportement. D'un autre côté, les veuves n'avaient pas à se soumettre aux mêmes règles que les ingénues.

Ses idées remises en ordre, elle se dirigea vers le domicile de son frère. Heureusement, il habitait tout près. Elle le trouva, de même que sa belle-sœur, assis dans le salon, en compagnie de sa fille. Les enfants du couple étaient déjà au lit.

La conversation commença par des excuses :

— Je suis désolée d'arriver si tard.

— J'espère que ça en valait la peine, dit son frère.

— En tout cas, ç'a été agréable.

— Tant mieux. Tu veux boire quelque chose ?

Elle refusa, mais il alla se chercher un verre à la cuisine. Quand elle et sa belle-sœur furent seules, cette dernière demanda :

— Comment est-il ?

— Cultivé et agréable. Nous sommes allés à un récital de musique de chambre.

Son frère revint avec un verre à la main. Assise sur le canapé, Camille feignait – très mal – de s'intéresser à un livre scolaire. Mine de rien, elle apprit quelques informations sur Xavier Blain.

— Alors vous vous reverrez ?

— J'espère bien.

Elle se leva et dit :

— J'ai l'impression d'empêcher tout le monde d'aller au lit.

— Nous ne nous couchons pas si tôt, protesta son frère.

— N'empêche, je dois aller coucher ma fille et j'avoue que je suis un peu fatiguée.

C'est avec la main de Camille dans la sienne qu'Élodie s'engagea sur le trottoir.

— Tu es revenue tard, dit cette dernière.

— Désolée. Tu sais, parfois on oublie le temps qui passe.

— Il sera ton nouveau mari ?

— Oh ! Je n'en sais rien. Penses-tu qu'on décide d'épouser quelqu'un après une semaine ?

— Si ça arrive, il va être mon nouveau papa ?

Élodie s'arrêta sous un lampadaire puis l'obligea à la regarder :

— Tu as eu un papa, pour toujours. Cette place est prise. Alors si Xavier demeure dans ma vie, tu devras lui en trouver une autre.

Élodie passa son bras autour de ses épaules pour continuer vers la rue Laval.

— Tu préférerais que ça n'arrive pas ? Je veux dire, un remariage ?

— Je ne sais pas.

⁂

Quelques jours plus tôt, Odile avait reçu un coup de téléphone à la banque. Xavier avait tenu à lui dire qu'il ne pourrait la voir cette semaine-là.

— Tu auras au moins le temps de voir ton galant.

Le ton n'avait pas été particulièrement abrupt. Moqueur, peut-être. Ce dimanche, elle s'était donc longuement promenée au bras de Polydore, puis avait accepté de se rendre chez lui pour subir un accueil glacial de la part de Zénoïde. Glacial, mais silencieux. Dans la section de la pièce double qui lui servait de salon, il lui avait montré des photographies et avait parlé de son enfance avec deux parents qui avaient du mal à se tolérer l'un l'autre. Elle avait décrit une situation familiale un peu différente, mais tout aussi inconfortable.

Quand elle fut de retour à la pension, Edith alla la retrouver dans sa chambre. Assise sur une chaise, elle commença, pas très enthousiaste :

— Je suis encore sortie avec le gars du service technique, aujourd'hui.

Il s'agissait d'un employé de la compagnie Bell.

— Ça n'a pas été amusant ?

— Oh ! Une marche dans le parc en face de la gare Viger. C'était correct. Il m'a donné ça.

Edith alla pêcher dans sa poche une petite broche portant des pierres vertes. Très probablement de la verrerie de pacotille.

— C'est beau. La couleur rappelle celle de tes yeux.

C'était la chose à dire, même si elle n'en pensait rien. Son amie pouffa de rire.

— Il a dû gagner ça au parc Dominion. Tu sais, avec les jeux des anneaux qui doivent rester sur le goulot d'une bouteille ou les dards lancés vers des ballons.

Odile avait vu un parc d'attractions de ce genre dans un film avec Buster Keaton.

— Je n'y suis jamais allée.

— Nous pourrions y aller ensemble.

Puis elle se reprit :

— Non, toi tu iras avec Polydore.

Le dépit marquait sa voix. Elle se sentait abandonnée.

— Alors faisons une sortie à quatre ! Il s'appelle Charles ?

Son amie acquiesça d'un geste de la tête. Un peu plus tard, elles se joignirent aux autres pour le souper. Adine les avait habituées aux discussions sur le courrier du cœur.

— Alors, quelle question morale est à l'ordre du jour, cette semaine ? demanda Reine.

— Une fille de mon âge a été demandée en mariage par un monsieur de quarante ans ! Elle a signé "Une qui n'a plus de mère".

— Seigneur ! Il pourrait être son père, dit Delphine.

« Tout comme Xavier », songea Odile. Elle demanda :

— Colette a répondu quoi ?

À ce moment, Edith posa des yeux intrigués sur elle, au point de la faire rougir. Elle aussi avait pensé au banquier.

— Que ce n'était pas nécessairement un obstacle à son bonheur.

Pourtant ce genre d'union était généralement mal vu.

— Ouais, dit Origène en ricanant, un gars de quarante ans, ça ne doit plus être bon à grand-chose.

Comme pour appuyer son affirmation, Israël montra son index plié en deux. Quand mademoiselle Séguin entra dans la salle à manger avec une soupière dans les mains, il l'agita devant elle en disant :

— C'est vrai, hein, mademoiselle Séguin ? À quarante ans, ça ressemble à ça ?

Dans trois semaines, ce serait le 1er mai. Il avait déjà reçu une lettre « recommandée » lui signifiant de quitter les lieux au plus tard à cette date. Il se sentait sans doute ainsi autorisé à ces grossièretés.

— Vous demandez ça à quelqu'un qui n'a jamais été marié. Mais vous, vous devez le savoir. Dans cette pièce, après moi, vous êtes celui qui s'approche le plus de son quarantième anniversaire.

Certains laissèrent échapper un ricanement, d'autres trouvaient que la conversation prenait un tour grossier.

— En tout cas, dit Delphine, un homme de quarante ans doit être bien plus en moyens qu'un gars de vingt ans.

Elle avait commencé à se pencher sur son budget de future femme mariée. Le salaire de son fiancé n'était pas bien généreux, sans compter que dans son domaine, il risquait des mises à pied saisonnières.

Ces pensées venaient aussi à Odile. Avec une différence : il y avait dans sa vie quelqu'un de particulièrement prospère et ce n'était pas son fiancé. Polydore gagnait tout juste sa vie. Finalement, peut-être n'avait-elle pas assimilé certaines des valeurs de Clarisse.

❧

Le lendemain soir, Xavier sursauta quand son téléphone sonna. Sans famille, presque sans amis, il finissait par oublier qu'il possédait un appareil. Quelque chose devait être arrivé à la banque. Tout de suite, il s'inquiéta qu'on l'envoie à nouveau pendant des mois dans une autre ville. Ce serait s'éloigner d'Élodie.

Cette pensée lui tira un sourire. S'inquiéter de ça, c'était déjà avoir quelqu'un dans sa vie. La voix de Sophie le prit totalement par surprise.

— Ce soir je suis seule avec les enfants. Georges passe de plus en plus de temps à préparer sa carrière dans le grand hôpital.

— Et il ne me demande plus jamais de t'accompagner. Est-ce que je deviens persona non grata ?

— Pas du tout, mais maintenant, sachant que les réunions se succèdent, il ne met plus de spectacle à son horaire.

— Il ne regrette plus du tout son déménagement ?

Sophie commença par laisser fuser un petit rire, puis elle expliqua :

— Il en est maintenant au : "Avoir su, je l'aurais fait avant."

Ce fut au tour de Xavier de rire de bon cœur. Cela ressemblait tout à fait à son ami. Hésiter, s'inquiéter, pour ensuite très bien se tirer d'affaire.

— De ton côté, ça veut dire que tu es souvent seule…

— Ça ne durera pas éternellement. En attendant, je sors avec mes beaux-parents ou avec Corinne.

— Ou avec de charmantes accointances choisies dans tes organisations charitables.

Sophie accueillit la taquinerie en riant.

— On n'y trouve pas seulement des Jeanne Rioux. Pour toi aussi, il y en a eu d'autres.

Le banquier devinait que tout ce préambule devait le conduire à évoquer sa dernière rencontre. Il la laissa languir un peu avant d'observer :

— Une seule autre.

— Alors, qu'en penses-tu ?

— Beaucoup de bien.

— Je suis contente. Très contente, même. Ça n'a pas de sens qu'un homme comme toi passe son temps à s'ennuyer.

Il eut envie de répondre : « Ni qu'une femme comme elle s'ennuie. » Mais cela lui parut très présomptueux : Élodie avait sa fille pour lui tenir compagnie. Sa solitude était très différente de la sienne.

— Comment est-elle ?

— Tu ne la connais pas ?

— Je lui ai dit bonjour quelques fois.

— Elle est aussi brune que tu es blonde. Vive et gaie.

« Mon contraire, en quelque sorte », songea-t-il amèrement.

— Ça me fera plaisir de vous recevoir tous les deux.

— Oui, si les choses suivent leur cours, avec plaisir.

Sophie lui dit encore combien elle était contente, tout en précisant : « Enfin, nous pourrons être de vrais amis. » Cela le toucha.

&

— Personne n'est plus important dans ma vie. Personne ne le sera non plus.

Le vendredi 20 avril, Élodie téléphonait à Xavier à son appartement pour lui parler de sa fille.

— J'espère que tu le comprends.

— Si je ne comprenais pas que pour une mère, ses enfants passent en premier, je serais passablement taré, tu ne crois pas ?

Tout de suite, il regretta ses mots. Cela paraissait tout à fait malpoli. Si son interlocutrice s'en offusqua, elle n'en laissa rien paraître.

— Alors, tu ne peux pas faire semblant qu'elle n'existe pas. Viens à la maison pour passer quelques heures avec nous. Assez longtemps pour qu'elle apprécie ta présence.

— Ce n'est pas que je sois indifférent. Je ne connais rien aux enfants… Le malaise risque d'augmenter, pas de diminuer.

Cette conversation n'allait pas dans la bonne direction. Il se reprit, afin d'en changer le ton :

— J'ai le trac. Un trac beaucoup plus grand que le jour où je t'ai rencontrée.

— Je ne veux pas mener des vies parallèles. Une avec toi, une avec elle. Viens dîner à la maison dimanche.

Xavier trouvait que les choses avançaient très rapidement. Assez pour lui donner le vertige. Elle voulait le faire passer de son très long célibat à une vie de famille en moins d'un mois. Malgré tout, il savait qu'elle avait raison. Dans cette histoire, il devait séduire deux personnes. Quelle que soit la qualité de sa relation avec Élodie, une gamine de huit ans en orienterait le cours.

— Je serai là.

— Je t'assure, dans la famille, elle est de loin la plus charmante. Emmène ta gentillesse avec toi, elle s'occupera du reste.

Chapitre 19

En matinée, Odile avait eu la surprise de reconnaître la voix de Xavier au téléphone. Qu'il l'appelle ainsi au travail l'inquiéta. Voulait-il régler les comptes ? Il n'avait même pas à demander le remboursement de ses largesses. Qu'il cesse de soutenir sa mère suffirait à mettre le chaos dans son petit monde.

— Il y a un problème, monsieur Blain ?

La présence de Polydore à moins de dix pieds l'obligeait à tenir ce langage.

— Non. Enfin, pas de mon côté. Je sais que tu veux profiter de ton temps avec Polydore. Je voulais juste t'inviter à dîner avec moi à midi.

— J'ai vingt minutes pour manger…

— Une bonne heure. J'en ai parlé à Jules. Je lui ai dit que nous avions des affaires de famille à discuter.

Voilà qui illustrait très bien son pouvoir sur sa vie. Comment refuser ?

— Je pourrai passer te prendre un peu avant midi. Nous irons au restaurant juste en face de ta banque.

— D'accord. Je vous attends.

Au moment de raccrocher, elle regarda en direction de Polydore. Il s'occupait d'un client. Elle se méfiait de sa réaction : il pouvait se montrer susceptible quand il était question de Xavier. Un peu avant midi, la jeune femme mit son manteau sur le dossier de sa chaise, afin de pouvoir sortir dès son arrivée. À peine entrait-il qu'elle quittait sa place pour aller en sa direction, le vêtement sur son avant-bras.

— Bonjour monsieur Blain. Je suis prête.

Derrière les barreaux entrecroisés de son guichet, Polydore les regarda, plus surpris que fâché.

— Tu devrais nous présenter…

Sans attendre, il se dirigea vers la section au fond de la pièce comme s'il était chez lui, Odile sur les talons.

— Polydore, je te présente monsieur Blain. Puis en se tournant vers ce dernier : Polydore Brissette.

Xavier tendit la main, l'autre accepta de la serrer en murmurant « enchanté ».

— Moi aussi. Ces derniers temps, Odile m'a beaucoup parlé de vous.

Ce n'était pas tout à fait vrai.

— Et elle m'a beaucoup parlé de vous.

Voilà qui correspondait plus à la réalité.

Xavier serra aussi la main de Sylvio Hardais et salua Jules Hamel en passant la tête dans l'embrasure de la porte. Cinq minutes plus tard, Odile et lui occupaient une table dans le petit établissement d'en face.

— Il paraît être un gentil garçon. Il devient important dans ta vie ?

— Il… Il formule des projets d'avenir.

Sa façon de dire la chose lui parut tout de suite plutôt ridicule. Comme dans l'une des lettres adressées au courrier du cœur de *La Presse*. De son côté, Xavier pensa : « Et voilà mon petit scénario de mariage imaginé l'automne dernier parti à vau-l'eau. Je rencontre la fille d'Élodie demain, et ces deux-là parlent de mariage. » Le voir songeur inquiéta beaucoup Odile.

— Si tu me l'ordonnes, je ne le verrai plus…

— Pourquoi diable ferais-je ça ? Si j'avais voulu te forcer... Ce serait déjà fait. Alors vous pouvez bâtir tous les projets d'avenir ensemble.

— Tu ne m'en voudras pas ? Tu ne me feras pas perdre mon emploi ?

— Seigneur ! Que tu penses ça de moi me sidère ! Non, je ne ferai pas ça. Tu es libre.

Elle avait rougi.

— Elle refusera...

Le serveur déposa les assiettes devant eux, puis s'éloigna.

— Ma mère refusera, précisa-t-elle. Je n'ai pas vingt et un ans.

— J'avais compris que tu me parlais d'elle. Force-la à accepter...

Odile haussa les sourcils, sans comprendre.

— Dis-lui que tu es enceinte.

— Je ne suis pas comme ça.

— Je sais. Mais tu peux le lui faire croire. Tu peux même lui dire que les religieuses ne garderont pas la mère d'une pécheresse. Quand on a une fille enceinte, on la marie au plus vite.

Cette fois, le rouge sur les joues, elle dut apporter une précision.

— Il parle de moi comme de sa fiancée, mais je n'ai pas de bague ni de date.

Voilà sans doute pourquoi elle se montrait si disposée à renoncer à tout pour ne pas perdre sa protection.

— J'ai aussi rencontré quelqu'un. Rien d'aussi sérieux qu'une fiancée, même sans bague... Mais le jour où je m'engagerai avec quelqu'un, je ne soutiendrai plus Clarisse. Elle se tournera alors vers toi.

Odile eut l'impression que le plancher se dérobait sous ses pieds. Évidemment, s'il la laissait voir Polydore, c'était parce qu'il envisageait de bâtir des projets avec une autre. Elle ne jouissait d'aucune initiative, dans cette histoire.

Pourtant, elle n'avait d'autre choix que d'acquiescer.

Quand il la raccompagna vers la banque, Xavier marcha directement vers Polydore pour lui dire :

— Odile m'a parlé de vos projets. Je vous félicite.

Le commis haussa les sourcils. Quant à Odile, elle comprit qu'il serait nécessaire de faire un pas de plus.

⁂

Un peu avant six heures, son enveloppe de paye dans sa poche, Polydore attendit Odile près de la porte. Sur le trottoir, elle prit son bras. Après une centaine de verges, elle murmura :

— Je lui ai simplement répété ce que tu m'avais dit. Il a conclu…

— Ce que tout le monde conclurait à sa place. Les fiancés ont des projets d'avenir. Tu es certaine que c'est ce que tu veux ? Il est riche…

— Seigneur ! Pourquoi personne ne me croit ? C'était un prétendant de ma mère et il veille sur moi… Il veille sur moi au point de nous féliciter. D'ailleurs, tu aurais pu lui retourner ses félicitations. Il m'a dit avoir rencontré quelqu'un.

Avant la fin du trajet, il l'invita à manger chez lui le lendemain.

⁂

Même si Xavier se sentait tout à fait ridicule, son trac ne diminuait pas. Son anxiété, plus encore que la confidence faite à Odile la veille, témoignait de l'importance qu'il donnait à Élodie, seulement deux semaines après leur première rencontre.

Devant la porte de l'appartement rue Laval, il attendit en se rongeant les ongles. Comme à quinze ans, quand il attendait Clarisse près de l'église pour une balade en raquettes. Par la fenêtre de la porte, il vit la silhouette d'Élodie avancer, déformée par la surface irrégulière du verre. Et une autre, plus petite.

— Bonjour Xavier, dit-elle en ouvrant. Entre.

Il gardait les yeux sur la petite fille.

— Bonjour.

— Camille, voici le monsieur dont je t'ai parlé.

Elle aussi le regardait, timide.

— Je suis heureux de te connaître.

C'était une version juvénile de la mère. Une fillette vêtue d'une robe blanche allant à ses genoux, avec des bas et des souliers de même couleur. Elle faisait penser à une communiante. La même peau hâlée, les mêmes yeux noirs. Une seule différence : elle portait ses cheveux longs, flottant sur ses épaules.

Le « bonjour monsieur » se révéla presque inaudible.

— Je te montre un peu les lieux, puis je retourne à mes chaudrons.

Le salon se trouvait sur la droite. C'était une grande pièce avec une fenêtre en baie. Les meubles étaient simples et élégants.

— Tu aimes l'art déco ?

— Jean aimait beaucoup…

Il perçut un léger trémolo dans sa voix. Évoquer cet homme dans son propre domicile la troublait encore un peu. Sans doute qu'à ce moment, des images lui revenaient du jour où ils avaient acheté ces meubles ensemble.

— Ma chambre se trouve de l'autre côté.

Elle ouvrit des portes coulissantes escamotables donnant sur une pièce à la décoration très féminine. Il y avait un grand lit, une commode et une coiffeuse. Il était possible d'y accéder par le salon, mais une porte donnait sur le couloir. Ils l'empruntèrent pour aller vers la cuisine qui faisait aussi office de salle à manger.

— Nous n'avions pas besoin de plus grand, dit Élodie. Puis elle ajouta : Camille, peux-tu montrer ton royaume à notre ami ?

Elle les avait suivis en silence, ses grands yeux sombres ne quittant pas le visiteur. Sans dire un mot, elle se dirigea vers la dernière pièce, donnant sur la cour arrière. Élodie fit signe à Xavier de la suivre. Des livres, des bibelots et des poupées étaient rangés sur des étagères.

— C'est joli chez toi.

L'enfant s'était arrêtée devant une photographie placée dans un beau cadre, sur sa commode. L'homme s'approcha.

— C'est ton papa ?

D'abord, elle hocha la tête, puis murmura :

— Il est mort pendant la grippe.

Il n'osa pas mettre sa main sur son épaule, seul le timbre de sa voix lui permit d'exprimer son émotion.

— Je t'offre toute ma sympathie. Mes parents sont morts aussi pendant la grande grippe.

Elle tourna son visage vers lui. Il remarqua les larmes perlant à la commissure de ses yeux.

— C'est moins difficile quand on est une grande personne. Mais des parents, ça reste toujours des parents.

Elle hocha la tête.

— Tu te souviens de lui ?

— Pas très bien. J'étais encore petite.

Plus précisément, elle avait quatre ans.

— Pour me souvenir vraiment, je dois regarder des photos.

— Tu ne crois pas que, d'une certaine façon, il est toujours là ? Et là ?

Il toucha sa poitrine, puis son front. Elle acquiesça de la tête. Maintenant, les larmes coulaient sur ses joues.

— Préfères-tu rester seule un moment ?

À nouveau, un geste de la tête pour dire oui. Quand il revint dans la cuisine, Élodie murmura :

— Ne me parle plus jamais de ton incompétence avec les enfants. Tu la comprends très bien.

Quand elle eut fini de mettre la table, elle dit assez fort pour être entendue de la chambre :

— Camille, peux-tu venir nous rejoindre ?

Quand la petite apparut, Xavier eut droit à un sourire.

&

Alors qu'elle se rendait chez son prétendant, Odile se sentait certainement aussi nerveuse que Xavier. Elle avait quitté ses amies pour rejoindre Polydore et sa mère sur le parvis de l'église. Zénoïde avait répondu d'une brève inclinaison de la tête à son « bonjour madame ».

Polydore ne réduisit en rien la mauvaise humeur de sa mère en offrant son bras à sa fiancée, pour la laisser marcher trois pas derrière. Dans l'appartement de la rue Mentana, le couple se réfugia dans la pièce double donnant sur la cour, afin de lui laisser le champ libre dans la cuisine.

— Je suis certain qu'elle finira par s'y faire. Après tout, je suis majeur, elle ne peut pas s'opposer à mes projets.

— Mais tu es obligé de lui fournir le gîte et le couvert jusqu'à la fin de ses jours. Tu imagines le climat dans la maison ? insista-t-elle.

Polydore perdit un peu de son aménité habituelle.

— Dois-je te rappeler que toi aussi tu es liée à une femme envers laquelle tu as les mêmes obligations ? Et elle peut ruiner tous nos projets en refusant son consentement. Au moins pendant deux, presque trois ans.

Odile ressassait sa conversation de la veille avec Xavier. Pourrait-elle lui forcer la main avec un gros mensonge ?

— Je ne renonce pas du tout à la convaincre. Je pourrais peut-être aller la voir dimanche prochain. Notre dernière rencontre date du jour de l'An.

Après une pause, elle ajouta encore :

— Tu pourrais même venir avec moi. Tu es tellement charmant, ça aiderait à la convaincre.

Comme il présentait une mine sceptique, elle ajouta :

— Tu es vraiment charmant. En plus, tu as l'habitude des vieilles dames acariâtres.

— La tienne est-elle moins pire que la mienne ?

— Je ne suis pas certaine qu'elle soit plus facile. Mais elle est très différente.

Se mettrait-elle en mode séduction pour avoir un gendre acceptant de pourvoir à ses besoins ? À ce moment, il y eut un coup contre la porte.

— C'est prêt.

Quand ils furent à table, Odile accrocha un sourire sur son visage et souligna l'excellence du repas et la gentillesse de l'hôtesse. Zénoïde grogna, en guise de réponse.

— Maman, intervint Polydore, tu ferais mieux de t'y faire. Un jour prochain, Odile va habiter ici.

— Vous venez de vous connaître, vous ne pouvez pas en être rendus à penser au mariage.

— Dimanche prochain, je me rendrai à Douceville afin de rencontrer madame Payant.

Il avait adopté la stratégie de sa compagne. Odile intervint:

— Madame Brissette, ce serait une bonne idée si vous veniez aussi. Après tout, vous serez peut-être les grands-mères des mêmes petits-enfants.

La vieille femme arrondit les yeux. L'argument l'amena à poser sa fourchette pour regarder en direction de son fils.

— C'est possible?

— Aussi possible que ma propre naissance. Ça se fera de la même façon.

Dorénavant, se voir seulement le dimanche ne suffisait plus à Xavier et Élodie. Mercredi, le banquier prit le tramway afin d'être chez lui plus vite et monta à son appartement le temps de prendre deux bouteilles. Puis il grimpa dans une autre voiture, cette fois en direction de la rue Laval. Après qu'il eut frappé, il vit une petite silhouette s'approcher à travers le verre déformant.

— Bonjour monsieur, fit Camille en lui ouvrant.

Son sourire, même s'il était très timide, lui disait qu'il était le bienvenu.

— Bonjour, je suis heureux de te revoir.

Le sourire de la fillette s'élargit.

— Venez. Maman est dans la cuisine.

Il la suivit. La petite portait une robe de laine d'un bleu très sombre, presque noir. L'uniforme de son couvent. Élodie abandonna sa louche le temps de venir lui faire la bise.

— Hello Xavier. Je me sens un peu nerveuse, j'essaie une nouvelle recette.

— Ça sera excellent. Je le devine juste à l'odeur. J'ai apporté du vin. Et ceci pour la demoiselle.

Il sortit une bouteille de Coca-Cola.

— Évidemment, si sa mère lui permet d'en boire.

— Sa mère le lui permet, dans la mesure où cela ne se répète pas trop souvent.

— Je la mets au frais et je viens t'aider.

— Prends plutôt une chaise. Je m'occupe du reste.

Xavier alla s'asseoir à table, où Camille vint le rejoindre. Elle le fixait de ses grands yeux.

— Fréquentes-tu une école de la congrégation Notre-Dame ?

Elle fit non de la tête.

— Les sœurs des Saints Noms de Jésus et de Marie

— Je suis certain qu'elles sont aussi bonnes. Peut-être meilleures.

Près du poêle, Élodie laissa entendre son amusement.

— Maintenant, tu dois être en deuxième année.

— En troisième.

— Déjà ? Je ne pensais pas que tu étais si grande.

Décidément, il commençait à savoir parler aux filles.

❧

Le repas s'avéra très bon, et le vin aussi. Camille sembla contente du Coca-Cola. La conversation porta sur l'école, l'été qui viendrait bientôt et les projets pour les vacances. Xavier constata que la solidarité familiale comptait beaucoup, chez les Fortin. C'est avec ses frères ou ses parents qu'Élodie profiterait un peu de la campagne, en juillet prochain.

Il n'était pas tout à fait neuf heures quand Camille dut gagner sa chambre, après avoir réussi à retarder ce moment à deux reprises. Une présence étrangère rompait sans doute la monotonie de son existence. Élodie alla passer deux ou trois minutes avec elle pour la border.

À son retour dans la salle à manger, elle prit la bouteille à demi vide et les deux verres en disant :

— J'en ai besoin. Viens avec moi dans le salon.

Elle lui désigna un bout du canapé, occupa l'autre et ramena ses jambes sous elle après avoir laissé tomber ses chaussures. Ils se partagèrent le vin qui restait.

Après avoir bu une gorgée, elle allongea sa jambe pour toucher sa cuisse avec ses orteils. Puis elle termina son verre.

— Avant la fin de cette conversation, je vais peut-être te demander le contenu du tien.

— Le voilà.

Il le lui tendit. Cet échange prenait un ton inquiétant. Pourtant, la suite s'avéra plutôt rassurante.

— Depuis ma visite chez toi, tu ne m'es pas sorti de la tête. Surtout la scène du baiser…

La confidence la fit rougir.

— J'aimerais beaucoup que notre histoire ait une suite. Mais je voudrais te poser une question. Ensuite, tu jugeras peut-être préférable de prendre tes distances.

— Voyons, je ne vois pas de raison…

Elle leva la main pour le faire taire.

— Tu connais la moralité ambiante. Tu sais que je suis seule depuis quelques années. Penses-tu qu'une femme qui a… fauté avec un homme – une faute hors mariage – demeure assez bien pour toi ?

— Voyons, je n'ai pas le droit de juger…

— Réponds à ma question. Accepterais-tu de faire ta vie avec une femme de ce genre ?

— Je n'ai jamais été marié et je ne suis pas vierge. J'espère que je demeure digne de toi !

Elle vida le second verre et le déposa sur le sol.

— J'en avais besoin pour me donner du courage. Je n'ai jamais fauté. Ni avant mon mariage ni après. Cependant, j'aimerais que tu m'invites à nouveau chez toi, pour reprendre exactement là où nous nous sommes arrêtés lors de ce baiser.

Comme il ne répondit pas tout de suite, elle reprit, cette fois d'une voix un peu hésitante :

— Je... C'était une très mauvaise idée. Maintenant, j'ai honte.

— Avec ton teint, jamais je ne m'en serais aperçu. Et c'est une excellente idée. Quand tu voudras.

Immédiatement, elle eut un sourire espiègle.

— Si tu es libre dimanche, je pourrais confier ma fille à mon frère.

— Je te recevrai au moment qui te conviendra...

— Merci. Maintenant, j'aimerais que tu partes. Je me sens si honteuse d'avoir dit ça, à vingt pieds de ma fille endormie. Je vais me cacher sous mes couvertures, avec la crainte que Dieu me foudroie dans sa colère.

— Foudroyée par Dieu ! Tu devrais répéter ça dans tous les couvents.

Cette fois, elle cacha son visage derrière ses mains. Xavier entendit son rire. La crise morale avait été très brève.

— Je vais partir.

Il quitta le canapé pour se diriger vers la porte. Pendant un moment, ils se tinrent face à face.

— À moins que tu ne me téléphones pour me dire le contraire, je t'attendrai dimanche, du matin jusqu'à la nuit tombée, lui dit-il. Pour parler, pour se regarder dans les yeux ou pour fauter.

Quand il se pencha pour l'embrasser, à nouveau ses bras s'accrochèrent à son cou. Le baiser se fit brûlant.

— Pars, maintenant.

Puis avec un sourire dans la voix, elle ajouta :

— La privation demeure le meilleur apéritif.

❧

Polydore paraissait résolu à tester la patience de sa mère. Un soir, en rentrant, il avait demandé à Odile :

— Ce soir, tu ne vas pas à la piscine ?

— J'y étais hier, j'y serai demain.

— Que dirais-tu de venir me voir, quand tu auras soupé ? Tu pourrais aussi manger à la maison, mais comme je ne l'ai pas avertie…

— Je ne sais pas…

— Les rues de Montréal sont sûres.

Puis comme elle hésitait toujours, il ajouta :

— Je te reconduirai ensuite.

À la fin, la jeune femme accepta. Ses voisines y allèrent de leurs remarques habituelles sur le chevalier servant. Comme Xavier se faisait discret, elles n'y faisaient presque plus allusion.

Le soir, quand elle frappa à la porte de l'appartement de la rue Mentana, Polydore vint très vite ouvrir. Il devait surveiller son arrivée.

— Elle n'a même pas fait la vaisselle… Elle est allée se cacher dans sa chambre, dit-il en la laissant entrer.

— Je peux m'en occuper.

— Seigneur non ! Je paye le loyer, je la nourris, ni toi ni moi ne ferons le travail à sa place. Veux-tu une tasse de thé ?

Odile secoua la tête.

— Moi, je prends un petit verre de ça, je t'en verse aussi ?

Il lui montrait une bouteille de porto. Elle accepta. Ensuite, ils passèrent dans la chambre donnant sur la cour. Il l'entraîna vers son lit.

— Ça ne se fait pas...

Pourtant, quand il la prit par la main, elle se laissa faire. La jeune femme avait appris à accepter ses baisers et à les lui rendre. Si ses mains ne s'attardaient pas sur les endroits interdits de son anatomie, elle accepterait ces caresses.

Après une heure de ces jeux de lèvres et de mains, Polydore la reconduisit jusqu'à sa porte.

⁂

Odile était dans sa chambre, à la pension, depuis deux minutes à peine quand il y eut des coups contre la porte.

— Je peux entrer ? dit Edith.

— Oui.

Déjà, elle portait sa chemise de nuit et son peignoir.

— Vous êtes sortis ?

— Non, nous avons veillé… au salon.

Si son amie ne fut pas dupe de son hésitation, elle n'en laissa rien paraître.

— Sous le regard de madame Brissette ?

— Avant mon arrivée, elle s'était réfugiée dans sa chambre.

— Vos soirées au coin du feu seront charmantes.

Odile lui fit la grimace. Elle lui avait confié ses projets de mariage en lui faisant promettre de n'en parler à personne aussi longtemps que ce ne serait pas officiel.

— J'aimerais pouvoir dire que mes soirées avec ma mère m'ont endurcie, mais ce n'est pas vrai.

Ne voulant pas s'engager plus avant dans cette discussion, Odile demanda :

— Toi, as-tu accompagné ton technicien du téléphone au cinéma ?

— Oui. Peux-tu croire qu'un film de Buster Keaton puisse émoustiller un gars ?

— En tout cas, je peux te dire que ceux de Douglas Fairbanks ont cet effet.

— Sur Polydore ?

Elle acquiesça.

— Il paraît si sage comparé à Charlie.

Après être sorti trois fois avec une Irlandaise, il avait changé son prénom. Bientôt, il ne parlerait peut-être plus qu'anglais. Odile murmura :

— Jusqu'où tu vas, avec lui ?

— Ça dépend de ma capacité à lui retenir les deux mains. Pas trop loin, d'habitude.

La secrétaire se sentit rassurée. Après tout, il avait fallu à Polydore des jours et des jours de présence quotidienne au travail et de nombreuses sorties avant qu'il l'embrasse légèrement. Selon les critères de Montréal, il se montrait sans doute très respectueux.

Chapitre 20

Même si l'idée venait d'elle, en montant dans le train en compagnie de Polydore, Odile se sentait particulièrement inquiète. Pour tromper sa nervosité, elle demanda :

— Tu es allé à Douceville, déjà ?

— Chez les Brissette, la villégiature demeurait un luxe inaccessible.

— Chez les Payant aussi. Cependant, parfois, les gens ont des oncles, des tantes, des cousins et des cousines qu'ils visitent une fois de temps en temps.

— Nous avons de la parenté du côté de Joliette. Personne le long du Richelieu. Et toi ?

Pendant le reste du trajet, la conversation prit l'allure d'une comparaison de leur généalogie respective. Rendus à destination, ils se dirigèrent vers l'hôpital bras dessus, bras dessous. En passant par la rue Longueuil, Odile s'arrêta devant un immeuble pour lui montrer l'appartement à l'étage.

— Nous habitions là. Les derniers mois, maman ne payait plus le loyer. Moi, je suis partie à Montréal et elle, elle s'est retrouvée à vivre de la charité publique.

Elle préférait ne pas parler de la charité de Xavier, autrement il lui demanderait pourquoi cet homme ne continuerait pas à s'en occuper après leur mariage. Cinq minutes plus tard, ils arrivaient à l'hôpital Saint-Jean.

— Madame Payant est-elle dans sa chambre ? demanda-t-elle à la portière.

— Je suppose. Je viens de la voir revenir de la grand-messe.

Odile s'engagea dans l'escalier avec Polydore sur les talons. Sous les combles, elle frappa à une porte entrouverte. Clarisse occupait sa chaise placée près d'une fenêtre, un vieux journal à la main.

— Seigneur ! Une revenante, fit-elle en voyant la visiteuse.

La jeune femme regarda son ami, les sourcils levés pour exprimer son désarroi, puis répondit :

— Moi aussi je suis heureuse de te revoir. Il y a si longtemps.

Sa mère fut totalement insensible à l'ironie. Ses yeux se fixaient sur son compagnon.

— Maman, je te présente Polydore Brissette. Polydore, voici ma mère.

Il s'avança, la main tendue.

— J'espère que vous allez bien, madame.

— Reniflez un peu.

L'homme fronça les sourcils, mais il fit comme elle lui disait.

— Ça, c'est l'odeur de sainteté. Dans ce milieu, je vais tout droit au ciel. Ce journal, c'est *L'Action catholique*. Il n'y en a pas d'autre dans l'hôpital. Alors je ne pourrais aller mieux.

Comme elle le dévisageait, Odile expliqua :

— Je voulais te le présenter, car nous avons des projets ensemble.

— Des projets ? Tu veux dire…

— Oui, je veux dire de mariage.

— Seigneur, vous vous connaissez depuis combien de temps ?

Les deux belles-mères possédaient au moins une chose en commun : la volonté d'empêcher une union.

— Depuis assez longtemps. Nous travaillons ensemble depuis décembre. Polydore est commis à la banque.

Odile décrivit les tâches de son compagnon et parla de ses perspectives d'avenir. Clarisse ne paraissait pas écouter. Bientôt, elle lui dit :

— Monsieur... Brissette, c'est ça ? Pourriez-vous nous laisser seules un instant ? Juste le temps d'une conversation mère-fille. Des choses entre femmes.

Polydore consulta sa compagne des yeux. Celle-ci acquiesça d'un geste de la tête. Quand il fut sorti, Clarisse alla fermer la porte. Les pensionnaires de cet endroit s'ennuyaient ferme, elle ne tenait pas à les distraire avec son histoire. Une précaution utile.

— Es-tu devenue folle ? Même pas six mois à Montréal et tu me reviens avec un fiancé !

— Je le vois dix heures par jour, six jours par semaine. Soixante heures. Une fille qui reçoit un garçon les bons soirs de la semaine le voit pendant quatre, cinq heures, pas plus.

— Travailler ensemble ne conduit pas au mariage, d'habitude. Ce gars ne possède rien.

— Tu as déjà repoussé quelqu'un à cause de son manque d'argent, ricana la fille. Tu as vu où ça t'a menée ?

— Alors répare mon erreur. C'est avec lui que tu devrais te marier.

— Pour ça, il faudrait qu'il me le demande.

— Avec toutes ses gentillesses pour toi, je suis certaine qu'il en rêve la nuit. Je me demande bien ce que tu as fait pour qu'il renonce.

Odile se posait souvent cette question. Était-ce parce qu'elle ne se montrait pas assez enthousiaste devant ses baisers et ses caresses ? Comme elle ne les lui rendait pas, il s'était fait plus distant. Et si, au lieu de lui demander de lui laisser plus de temps avec Polydore, elle s'était fait inviter dans son bel appartement ? La fin aurait peut-être été différente.

— Je suis certaine que ce n'est pas perdu avec lui. Tu peux encore te rattraper.

— Hier, nous avons dîné ensemble et il m'a dit qu'il avait rencontré quelqu'un. En plus, je lui ai annoncé la nouvelle... Il est venu me reconduire à la banque pour féliciter Polydore. Je ne suis plus rien pour lui.

Après un silence, Clarisse déclara d'une voix blanche :

— Je suis certaine que si tu fais un effort, tu peux revenir en grâce. Il s'agira de savoir y faire.

— Tu vas me donner des cours de charme ? J'ai vu ta performance comme séductrice, l'été dernier. Ce n'était pas très convaincant.

La mère serra les mâchoires.

— Tu ne feras pas cette bêtise. Jamais je ne consentirai.

Odile esquissa un sourire et fit le tour de la pièce des yeux.

— Je me demande si les religieuses accepteront de te garder ici, quand elles sauront.

Cette fois, le visage de Clarisse exprima une véritable inquiétude.

— Savoir quoi ?

— Je suis enceinte. Si je ne me marie pas très vite, tu seras la mère d'une femme de mauvaise vie. Ça doit tenir à l'éducation reçue.

— Avec ce gars ? Il a l'air d'un séminariste. Pas d'un gars qui séduit les jeunes filles.

— Dans l'obscurité, il ne m'a pas fait cette impression.

La jeune femme retrouvait le même ton que l'automne dernier, quand elle n'en pouvait plus de vivre avec cette femme.

— À quoi as-tu pensé ?

Les paroles de mademoiselle Séguin – celles sur les baisers qui conduisaient plus loin – lui revinrent en mémoire.

— Après un moment, je n'ai plus pensé à rien.

Clarisse jura entre ses dents. L'envie la tenaillait de quitter sa chaise pour la gifler de toutes ses forces.

— Ça fait cinq, six semaines maintenant, murmura sa fille. Quand le curé aura publié les bans trois fois, ça se verra. Je devrai faire attention à ce que je porterai pour la cérémonie.

Elle fit semblant de caresser l'arrondi de son ventre.

— Je ne te le permettrai pas…

La voix lui parut un peu chevrotante. Sa détermination faiblissait. Odile quitta le lit pour marcher vers la porte. La main sur la poignée, elle se retourna pour dire :

— Je me rends chez le curé pour lui expliquer la situation. Actuellement, tu as le choix. Je peux épouser le père de mon enfant et personne ne me fera de reproche. Ni à toi. Sinon les bons chrétiens voudront me lapider, et toi aussi.

❧

Littéralement, elle lui avait promis des félicités que les honnêtes femmes réservaient à leur époux. Tout en lui demandant de continuer de la tenir pour respectable.

Il s'était senti à la fois anxieux et excité pendant toute la matinée. Puis, un peu après onze heures, quand la sonnette avait retenti dans son vestibule, il était descendu au rez-de-chaussée pour lui ouvrir.

— Je suis content de te voir, dit-il après une hésitation.

— Moi aussi, même si je me sens affreusement mal à l'aise.

— Je ne suis pas plus rassuré. Allons dîner à côté, dans la salle à manger. Nous réapprendrons à être détendus ensemble.

— D'accord.

Quelques personnes se trouvaient déjà dans la pièce, parmi lesquelles certaines connaissances. Xavier les salua d'un geste de la tête tout en aidant Élodie à enlever son manteau. Son chapeau en forme de cloche tombait assez bas sur ses yeux, ses cheveux bouclés dépassant juste un peu sous le rebord. Cela lui donnait un air légèrement espiègle. À table, elle enleva ses gants pour les poser près de son assiette.

— Se faire servir un repas comme ça sans avoir à sortir pour aller au restaurant, c'est vraiment le luxe.

— Venir ici, c'est comme aller au restaurant. Avec une addition à la fin. Elle arrive directement dans ma boîte aux lettres. C'est un peu comme une maison de chambres.

— Tout le monde est célibataire ?

— Pas nécessairement, mais personne n'a d'enfant.

Du doigt, il désigna discrètement quelques tables.

— Ou des couples de plus de soixante ans.

— Tu as toujours habité dans des endroits de ce genre ?

Il eut un rire bref.

— Quand je suis arrivé aux États-Unis, je louais un lit douze heures par jour. Un gars qui travaillait la nuit l'occupait toute la journée, moi le reste du temps.

— Un inconnu ?

— Si tu veux. Mais tout de même, partager des poux, ça crée des liens.

Elle fit une mine dégoûtée.

— Tu es donc un *self made man*, comme dans les films ?

— Dans les films, ils habitent des châteaux. Dans la réalité, ça ressemble plutôt à ici. Enfin, dans le cas de ceux que je connais.

Pendant tout le premier service, il évoqua le garçon arrivé sans le sou aux États-Unis et son premier emploi dans une banque.

— Toi, qu'est-ce qui t'a conduite ici ?

Cette fois, il la décontenança tout à fait. Ce fut un peu dépitée qu'elle résuma son existence :

— J'ai étudié chez les sœurs de la Congrégation et j'ai gentiment attendu chez mes parents qu'un homme me remarque. Après, mariage, maternité et veuvage.

— Tu veux dire que tu as été amoureuse d'un homme, et qu'après sa mort, au lieu de t'enfermer dans ta chambre pour pleurer toutes les larmes de ton corps, tu as dû surmonter ta douleur parce que tu avais un enfant. Ensuite, tu as choisi de vivre.

Élodie déposa sa fourchette pour prendre sa serviette et s'essuyer les yeux.

— Je pensais mourir de chagrin. Mais tu as raison, avec Camille, je devais me ressaisir. Elle en avait déjà plein les bras avec la perte d'un seul parent, je ne pouvais ressasser ma douleur trop longtemps.

— Elle semble être une très gentille fille. Quelqu'un pour qui il vaut la peine de s'accrocher.

— Tu lui as fait une bonne impression. Elle craignait qu'une nouvelle présence dans ma vie lui fasse oublier son père.

— Nous n'oublions jamais rien, n'est-ce pas ? Il faut faire avec le meilleur et le pire. Je lui souhaite de conserver tous les souvenirs qu'elle a de lui.

— Tu as connu le pire ?

— Le pire, c'est que j'ai cru avoir connu le pire. En réalité, c'était banal.

L'envie lui prit de lui parler de toutes les années perdues et de lui montrer la cicatrice à son poignet. Xavier préféra se concentrer sur le présent. La petite fille fut encore l'objet de la conversation, de même que les personnes qu'ils connaissaient tous les deux – ce qui se limitait aux Turgeon. Bientôt, ils en étaient à déposer leur tasse de thé.

— Je suis toujours invitée à monter ?

— Seigneur ! Mon attitude t'a vraiment amenée à en douter ?

— En réalité, je suis en terrain totalement inconnu.

L'homme quitta son siège et lui tendit la main pour l'aider à se lever. Il décrocha son manteau pour le poser sur son avant-bras, puis la précéda jusque dans l'ascenseur. Quand les portes se refermèrent, son bras passa autour de sa taille, pour l'attirer contre lui. Élodie posa sa tête sur son épaule. Le contact dura jusqu'à la réouverture des portes.

Dans l'appartement, Xavier plaça le manteau dans la penderie et tendit la main pour prendre son chapeau et ses gants. Son hésitation dura juste un instant. Bientôt, il posa ses lèvres sur les siennes et mit ses mains sur sa taille. Comme aucune protestation ne vint, ses paumes parcoururent tout le dos. Il poussa un peu plus bas. Pour entendre un soupir étouffé.

Après un instant, il se releva pour dire :

— Veux-tu quelque chose à boire ?

— Non… Pas d'alcool. Je peux utiliser ta salle de bain ?

Il hocha la tête.

— … Et te retrouver dans ta chambre ensuite ?

À nouveau, il acquiesça d'un geste. Élodie marcha vivement vers la petite pièce et ferma la porte bruyamment. Xavier préféra se verser quelques gouttes de whisky. Que devait-il faire ? L'attendre dans son plus simple appareil étendu sur son lit ? Sur, ou sous la couette ? Il se décida pour une mise en scène plus modeste. Il accrocha sa veste, enleva sa cravate et ses boutons de manchette, puis s'assit sur le lit.

Quand elle revint dans la chambre, vêtue de sa seule combinaison – un fond de robe, disait-on parfois –, un vêtement sans manches, avec de fines bretelles, arrêtant haut sur les cuisses, il se sentit un peu trop couvert.

— Je pensais me précipiter sous les couvertures. Je me sens terriblement nue. Mais tu es sur mon chemin.

Plutôt que de lui laisser la place, il lui ouvrit les bras.

Odile avait décidé d'aller manger au restaurant situé près de la gare. Là où Xavier l'avait invitée quelques fois. Quand ils eurent commandé, Polydore dit, visiblement déçu :

— Le curé aurait pu nous parler tout de suite. Maintenant, nous raterons le train d'une heure. Nous passerons un après-midi à attendre.

— Je n'ai pas osé lui dire de mettre les marguilliers dehors pour nous recevoir à dîner à leur place.

En sortant de l'hôpital, ils avaient fait un saut au presbytère, pour se faire recommander par madame Lanoue de revenir deux heures plus tard. Odile continua :

— Au pire, nous nous assoirons au soleil près de la rivière. Le temps est doux, ça sera agréable après une semaine passée à la banque.

Ce projet semblait lui plaire. Elle ressentait une petite nostalgie pour la ville de son enfance. Après un moment à discuter des joies de l'été à venir, Polydore revint sur la rencontre avec Clarisse.

— Tu avais raison. Ta mère est différente, mais pas plus facile que la mienne.

Il marqua une pause, puis déclara :

— Elle peut tout arrêter.

— Je ne pense pas. Crois-tu que ta mère se ralliera parce que hier tu lui as dit de le faire ? Elle n'en a pas fini de s'opposer. La mienne aussi. Mais je pense que cette idée de grossesse l'amènera à se faire raisonnable.

Son compagnon avait froncé les sourcils quand elle lui avait fait part de sa ruse, sans s'y opposer, toutefois.

— Ça sera aussi l'argument imparable pour la mienne, murmura-t-il.

À tout le moins, ils souhaitaient le croire tous les deux. Un peu avant deux heures, le couple arriva au presbytère de la paroisse Saint-Antoine. Le curé Lanoue vint les accueillir dans l'antichambre de son bureau. Odile lui présenta Polydore: « Un collègue qui est devenu beaucoup plus. » Quand le prêtre les invita à venir s'asseoir, Odile lui dit:

— Monsieur le curé, auparavant, j'aimerais vous dire quelques mots en particulier.

— Bien sûr. Monsieur Brissette, si vous voulez attendre ici.

La demande d'un entretien confidentiel concernait habituellement un problème de moralité. Lanoue pensa immédiatement à Xavier, même s'il avait affirmé ne jamais être allé plus loin que les baisers avec la jeune femme. Maintenant, elle se présentait avec un collègue qui était « beaucoup plus », mais qu'elle voulait tenir à l'écart.

Quand ils occupèrent chacun leur siège, il demanda:

— Pourquoi cet entretien?

— Je vais commencer par vous avouer le plus difficile. Je suis enceinte.

Au moment de dire ces mots, ses joues cramoisies témoignaient de sa honte.

— Xavier...

— Qu'allez-vous penser là? Monsieur Blain s'est toujours montré très respectueux avec moi.

— Ce jeune homme?

Elle hocha la tête pour dire oui.

— Il m'avait dit qu'il me considérait comme sa fiancée... alors j'ai cédé. Quand je me suis rendu compte de mon état, immédiatement, il m'a demandé de l'épouser.

Imaginer que cette jeune fille, si innocente quelques mois plus tôt, soit maintenant enceinte était difficile à croire. D'un autre côté, cela arrivait souvent aux plus innocentes, justement.

— Quelques mauvaises langues compteront peut-être les jours, mais si vous vous empressez de faire la bonne chose, pour la plupart, la naissance sera juste un peu prématurée.

— Le problème, c'est que ma mère vient de me dire qu'elle ne donnera pas son consentement. Au contraire, elle me conseille de me lancer à la conquête de monsieur Blain. Parce qu'il a de l'argent.

Voilà qui ne surprenait guère l'ecclésiastique.

— Alors je me demandais si vous pouviez intercéder…

— D'habitude, les jeunes femmes dans votre état demandent l'intercession de la Vierge Marie.

— Je l'ai fait aussi à la messe ce matin. Mais avec en plus celle de mon curé…

La ville l'avait changée. Ou l'influence de Xavier, ou celle de ce jeune homme dans son antichambre.

— Vous avez parlé de ce projet de mariage à monsieur Blain ?

Elle acquiesça.

— Comment a-t-il réagi ?

— Il m'a félicitée, ensuite il est allé féliciter Polydore à son poste de travail.

— Pour votre état, il le sait ?

— Oui. Il m'a dit que c'était un mal pour un bien, car cela amènerait ma mère à accepter, pour éviter le scandale.

En effet, la plupart des femmes avaient cette réaction, dans des circonstances identiques. Clarisse saurait toujours se distinguer, même en ce domaine.

— Bon, j'irai la voir. Maintenant, je vais échanger quelques mots avec ce garçon un peu pressé.

Quand il s'agissait de trouver le ton juste avec les représentants du clergé, Polydore était incollable. Au départ du couple, Lanoue en était venu à le considérer comme un excellent parti pour son ancienne paroissienne.

Finalement, Élodie et Xavier en étaient venus à se trouver dans la même tenue : sans aucun vêtement. Ce qui signifiait qu'ils avaient remonté les draps jusque sous leurs mentons. Tous les deux couchés sur le flanc pour se faire face, ils étaient demeurés silencieux pendant un long moment, les yeux dans les yeux.

— Je devrais me sentir affreusement coupable, dit Élodie, mais je n'y arrive pas vraiment.

— Pourquoi devrais-tu l'être ?

— Tu veux rire ?

Il prit sa main pour la porter à ses lèvres.

— Si l'une des dames patronnesses de l'hôpital Sainte-Justine m'a vue entrer dans ton appartement, je ne pourrai plus jamais assister à une réunion. Même pas après avoir fait amende honorable à genoux, sur le parvis de l'église de l'Immaculée-Conception.

— Voilà l'avantage de le faire dans l'appartement d'un homme qui habite à l'ouest du boulevard Saint-Laurent. Il y a peu de chances de trouver des catholiques dans les parages.

Pécher en profitant d'une certaine discrétion : c'était l'un des rares avantages qu'offraient les deux solitudes.

— Moi, je sais comment je me suis comportée. Mon jugement sur moi-même est aussi sévère que celui de tous les autres.

— Tu regrettes ?

Élodie resta silencieuse un long moment, puis elle secoua la tête.

— Non. J'en avais tellement besoin. Les hommes semblent penser que pour les femmes… Mais ça ne veut pas dire que je me sens à l'aise. Tu sais comment nous sommes élevées.

— Je crois savoir. Iberville n'est pas vraiment plus libéral que ta paroisse.

— Je ne sais pas si tu comprends. Pour les hommes, ce n'est pas la même chose.

Xavier acquiesça. Personne ne le condamnerait pour sa fréquentation des mauvais lieux. Qu'il le fasse ne lui vaudrait pas une médaille, mais personne ne le mettrait au ban de la société pour autant. Élodie compterait désormais parmi les personnes infréquentables si on avait vent de son incartade.

— Et puis là, je ne sais plus comment iront les choses entre nous.

— Moi qui rêvais de me faire à nouveau inviter à souper chez toi au cours de la semaine.

— Non, sérieusement.

— Je suis très sérieux. J'espère te revoir souvent. Si les choses continuent de la même façon, tu sais bien comment ça finira.

— Non, je ne sais pas.

Xavier allongea le bras pour prendre sa taille et l'attirer vers lui, puis plaça sa main au creux de ses reins. Il toucha son front avec le sien pour la regarder dans les yeux.

— Nous nous fréquenterons aussi longtemps que tous les gens respectables s'attendent à ce que nous le fassions. Ensuite, si nous nous entendons toujours aussi bien dans quelques mois, ça se terminera par une cérémonie.

Ce n'était pas une demande formelle en mariage, mais presque une promesse. Pourtant, elle dit :

— Si nous nous entendons bien…

— Pourquoi devrions-nous mal nous entendre ?

— Je ne sais pas. Le chemin que nous avons pris est tout à fait inédit pour moi. Je me sens ridicule. J'ai pris l'initiative, j'ai même l'impression de t'avoir un peu tordu le bras.

Xavier ne pensait pas qu'elle était allée jusqu'à le forcer. Tout de même, il n'aurait jamais osé proposer un après-midi torride à une presque étrangère.

— Ça n'a pas été le cas, tu le sais bien.

— Quand je te quitterai tout à l'heure, tu m'en voudras si je reviens à des fréquentations plus… conformes aux usages ?

C'est-à-dire aux rendez-vous dans un lieu public, aux invitations dans la famille – celle d'Élodie – ou chez des connaissances, aux bises un peu pudiques en se rencontrant.

— Mais pas tout de suite…

Élodie voulait profiter de leurs dernières minutes d'intimité. Elle y tenait assez pour l'embrasser goulûment.

Une heure plus tard, Xavier raccompagna Élodie vers la rue Laval. Devant sa porte, elle demanda :

— Tu es certain que ça ne te gêne pas ? Je veux dire pour…

— Le retour à l'abstinence ? Après cet après-midi, ça me manquera. Mais tu as raison.

— Tu viendras souper, cette semaine ?

— Ton jour sera le mien, si tu peux m'attendre jusqu'à sept heures. Depuis la banque, le trajet est un peu long.

Ils s'entendirent pour le mercredi suivant. Au moment de rentrer chez lui, Xavier revit Élodie entrant dans sa chambre vêtue de sa camisole. L'image ne quitterait plus son esprit.

Chapitre 21

Quand l'abbé Lanoue se présenta dans le réfectoire de l'hôpital à l'heure du souper, il provoqua un véritable affolement dans l'essaim de religieuses en train de manger. Et parmi les résidentes aussi. Seule Clarisse demeura immobile.

Le saint homme dut échanger quelques mots avec chacune, aussi lui fallut-il un certain temps avant de se rendre jusqu'à elle.

— Je peux vous voir, madame ?

— Comme ça, la petite garce est allée vous voir ?

— Je pense que vous devriez éviter certains qualificatifs. Ils ne font honneur ni à vous ni à votre fille.

Comme tous les deux murmuraient, les autres personnes dans la pièce soupçonnèrent une confession. Le vide se fit dans les chaises voisines. L'ecclésiastique s'assit en face de sa paroissienne.

— Odile est venue me voir pour me parler de son état et de son intention d'épouser le père de son enfant. Un jeune homme que j'ai trouvé estimable.

— Jamais je ne le permettrai. Le père, c'est Xavier. Il aura voulu se payer en nature. Vous avez vu avec quelle cruauté il m'a traitée. Ce n'est pas l'homme à se retenir devant cette innocente.

— Xavier a une autre femme en vue.

Clarisse accusa le coup. L'imaginer avec Odile, c'était croire qu'il se trouvait encore entre ses griffes.

— Lui ? S'il n'a pas pu trouver à se marier au cours des vingt dernières années, vous croyez que maintenant, ça lui vient comme ça ?

— Si vous le trouvez si minable, pourquoi l'avez-vous poursuivi tout l'été dernier, au point de vous rendre ridicule ? Pour tout le monde dans la paroisse, vous êtes une idiote prétentieuse.

Calixte s'en voulut de pécher gravement contre la charité chrétienne, mais elle lui tombait sur les nerfs comme aucune autre paroissienne.

— Je ne donnerai pas mon autorisation à ce mauvais mariage.

— Elle est enceinte. Vous voulez ruiner sa vie comme vous avez ruiné la vôtre ?

Elle plissa les yeux, un air de défi sur le visage.

— Grand bien vous fasse. Je me dois toutefois de vous rappeler certaines vérités. Avec un enfant né hors mariage, jamais Odile ne pourra occuper un emploi. Il lui restera la prostitution. Xavier ne versera certainement plus un sou pour vous maintenir ici. Tout à l'heure, vous l'avez traitée de garce. Je ne ferai rien pour que la mère d'une femme de mauvaise vie profite de la générosité de l'Église.

Dimanche soir, alors que Xavier flottait sur un petit nuage après avoir ramené Élodie chez elle, le téléphone le tira de sa rêverie. À l'autre bout du fil, une voix bourrue répondit à son « allô » :

— Je viens d'avoir une des conversations les plus désagréables de l'année.

— Et nous sommes en avril. Je te dirais bien de lâcher tous les gros mots qui te viennent à l'esprit, mais cet appareil n'est pas aussi confidentiel que ton confessionnal.

— Oui, tu as raison. Alors juste quelques mots. Tu savais qu'elle voyait sa fille aujourd'hui ?

Ainsi, Odile devait avoir utilisé la stratégie qu'il lui avait suggérée…

— Je savais qu'elle le ferait bientôt pour lui faire part de ses projets d'avenir. Elle était accompagnée ?

— Oui… Écoute, tu avais raison, tout à l'heure, sur la discrétion. Je prévoyais voir mon évêque cette semaine. Mardi, en fait… Nous pourrions peut-être discuter ?

— Je peux même me rendre dans le coin de l'archevêché pour t'éviter de venir jusqu'ici.

ꟹ

À l'heure convenue, les deux hommes se retrouvèrent dans un restaurant de la rue Mansfield. Dans cette partie anglaise de la ville, et surtout protestante, la présence d'un ecclésiastique catholique créa son petit effet. L'abbé Lanoue devait en avoir l'habitude, car en marchant vers une table placée au fond de la salle, il salua les clients ayant les yeux rivés sur lui. Comme s'il entendait rapprocher les communautés religieuses de Montréal.

Quand ils eurent parcouru le menu et passé leur commande, ce fut Xavier qui lança la conversation :

— Odile est donc allée voir sa mère en compagnie de son charmant Polydore pour lui annoncer un projet de mariage…

— Tu savais, au sujet de cette histoire sentimentale ?

— Je suis très vite passé du rôle de prétendant officieux à celui d'oncle attentionné. Elle travaillait depuis moins de dix jours à la banque quand elle m'a appris qu'un collègue la raccompagnait jusqu'à sa porte, le soir. Ensuite, elle a bien voulu que je continue de lui offrir à dîner, dans la mesure où je me limitais aux plages horaires laissées libres par Polydore.

Les choses ne s'étaient pas passées exactement de cette façon, mais son récit s'approchait beaucoup de la vérité.

— Mais toi, comment prends-tu ce développement? L'automne dernier tu semblais...

— Fonder de grandes espérances sur cette jeune fille? L'automne dernier, j'aurais pu la mettre dans mon lit, la mettre enceinte, l'épouser. Elle aurait dit oui à tout, mais je n'en ai rien fait. Pour tout te dire, quand j'y repense, je me sens plutôt ridicule. Ça doit être rare, un homme qui se comporte aussi sottement avec la mère et la fille.

— C'est une gentille fille. En la tirant des griffes de sa mère, tu faisais une bonne action.

— Mais rêver d'avoir une épouse ayant moins de la moitié de mon âge...

Xavier discutait de la chose avec un détachement qui surprenait son vieil ami.

— Ça n'aurait pas été très orthodoxe, mais rien ne dit que vous auriez été malheureux. Tu l'aurais tirée d'une vie misérable.

— Et la reconnaissance en aurait fait une épouse docile et aimante?

Aux yeux du confesseur, bien des femmes n'en offraient pas autant.

— Elle aurait eu un mari respectueux et attentionné. Voilà un meilleur scénario que celui de la moitié des couples de ma paroisse.

Après une pause, il murmura:

— Plutôt les deux tiers.

Avec cette opinion de la vie conjugale de ses ouailles, Lanoue devait vivre facilement le célibat.

— En tout cas, ça ne s'est pas passé ainsi, expliqua Xavier. Dans un autre contexte, débarrassée de sa mère, elle s'est fait des amies, s'est entichée de l'un de ses collègues et aujourd'hui, elle veut l'épouser. Devenue libre, son cœur l'a amenée dans cette direction. Je n'ai rien à redire.

Le prêtre fronçait les sourcils, cherchant dans l'expression du visage, dans le ton de la voix, un désespoir rappelant celui éprouvé dix-huit ans plus tôt. Le banquier voulut le rassurer :

— Je vais te faire une confidence, comme lorsque nous avions tous les deux dix-huit ans et que je te parlais de Clarisse. Je serai éternellement reconnaissant à Polydore. Son arrivée dans la vie d'Odile m'a forcé à accepter que les membres du clan Turgeon me présentent des veuves.

Son interlocuteur esquissa un sourire.

— Avec succès, à en juger par ton air satisfait.

Xavier se contenta de sourire. Le serveur revint à ce moment avec les boissons. Lanoue commença par avaler une gorgée de vin. Les occupants des tables voisines commenteraient sans doute le côté bon vivant des membres du clergé catholique, une fois rentrés chez eux.

— Alors, ces veuves ?

— Sophie m'en a fait connaître une aussi aimable qu'une porte de prison.

— Je suis étonné…

— Je pense qu'elle aussi a été étonnée.

Maintenant, le souvenir de cette madame Rioux lui tirait un sourire. Pourquoi diable acceptait-elle le jeu des rendez-vous à l'aveugle, si c'était pour adopter une attitude pareille avec le candidat ?

— La seconde à tenter sa chance fut Corinne. Avec une accointance à son image, en version brune aux yeux noirs.

— Tu veux dire aimable et aimante, souriante et encline aux fous rires ?

Cette description d'Élodie correspondait tout à fait à l'impression qu'elle lui avait faite.

Le prêtre continua :

— Au point de faire d'un garçon plutôt taciturne, un homme heureux ?

Xavier eut envie de lui dire : « Si tu savais quel après-midi j'ai passé, dimanche… » Cependant, certaines choses méritaient de demeurer secrètes.

— Je l'ai rencontrée le dimanche de Pâques, alors il est bien tôt pour parler de bonheur. Mais je n'ai plus un atome de regret concernant Odile.

Malgré le côté optimiste de ses paroles, Xavier affichait une mine un peu désolée.

— Le seul malheur, dans tout ça, c'est la moitié de ma vie gaspillée. J'aurais pu faire la même rencontre il y a vingt ans.

— Gaspillée ? Tu n'as connu que des malheurs après avoir quitté Douceville ?

Évidemment, c'était exagéré. Son existence lui avait procuré plusieurs satisfactions. Cependant, le souvenir de ses visites dans des endroits glauques, pour acheter un brin de tendresse factice, lui pesait.

— Disons un seul pan de mon existence. Je devrais plutôt me réjouir de cette rencontre et oublier le reste. Surtout que je n'ai pas eu à m'en remettre à Délia. Ses amies esseulées doivent avoir un âge respectable.

— D'un autre côté, si elles lui ressemblent…

Xavier comprit que le charme de cette paroissienne séduisait le confesseur. Une constatation qui lui tira un sourire. Lanoue hésita avant d'aborder un dernier sujet.

— Odile t'a-t-elle fait part d'autre chose, au sujet de son désir de se marier ?

Tout de suite, son interlocuteur comprit qu'il faisait allusion à son « état intéressant », comme disaient les plus pudiques.

— Elle est enceinte. Elle me l'a dit, je lui ai conseillé de se presser de se présenter devant l'autel.

— Clarisse refuse de lui donner son autorisation.

— Elle tient absolument à ruiner son existence ?

Chaque nouvel épisode rendait cette femme encore plus odieuse.

— Elle rêve encore de la voir se jeter à ton cou. Tu ferais un meilleur parti.

— À côté de Clarisse, la femme de Putiphar ressemble à une enfant de Marie.

La référence à l'Ancien Testament tira un sourire à son ami.

— Je ne lui ferai pas la grâce d'aller le lui dire de vive voix, mais tu pourras le lui répéter : il n'existe pas l'ombre d'une chance que j'épouse Odile. Je ne vais pas lui réclamer ce que je lui ai donné, mais je ne paierai plus.

Le curé hocha la tête. Évidemment, son ami ne pouvait pas continuer à la faire vivre. Lui-même, quoique bardé de charité chrétienne, la trouvait détestable. Xavier continua :

— J'espère qu'Odile comprend que même mariée, elle sera dans l'obligation d'entretenir sa mère.

— Même si elle travaille, elle ne sera pas propriétaire de son salaire. Il appartiendra à son mari.

— Qui, en l'épousant, s'oblige à soutenir sa belle-mère. Lui qui a déjà sa propre mère sur les bras... Voilà une vie matrimoniale qui ne commencera pas sous les meilleurs auspices.

L'abbé Lanoue paraissait tellement surpris de cette information que Xavier hocha la tête, pour souligner son affirmation. Puis, il ajouta avec un sourire en coin :

— Odile avait raison. Le seul moyen d'échapper à cette obligation, c'était de devenir religieuse. Après le vœu de pauvreté, plus rien ne lui aurait appartenu. Là, elle remet Clarisse à la charge de Polydore.

L'ecclésiastique devait convenir que Clarisse avait raison: si l'objectif du mariage était de s'enrichir, Xavier représentait le meilleur candidat.

Lanoue préféra en venir à un sujet plus gai.

— Alors, comment s'appelle la veuve que tu as rencontrée à Pâques?

— Élodie.

— Elle a des enfants?

— Une fille qui paraît adorable. Mais encore là, je la connais à peine.

Il tentait de demeurer circonspect, de ne pas se faire de faux espoirs. Lanoue comprenait cette prudence.

— Quand tu seras certain que la mère et la fille sont aussi adorables que tu oses le croire aujourd'hui, j'aimerais que tu nous les présentes, toutes les deux. À moi et à ma mère.

— Crois-tu devoir à nouveau venir à Montréal un jour prochain?

Déjà, il s'imaginait avoir tout ce monde avec lui autour d'une table, dans un bon restaurant. Ou peut-être dans la salle réservée aux ecclésiastiques, chez Dupuis Frères.

— Dans mon métier, nous sommes assez casaniers, mais si les astres s'alignent comme il faut, ce n'est pas impossible.

— Dans le mien, c'est peut-être un peu plus facile. Élodie veut me présenter ses parents, sans doute pour qu'ils vérifient que je suis un parti convenable. Toi et ta mère pourriez la soumettre à un examen du même genre.

Après s'être rendu désagréable au cours des derniers mois, Israël Huard avait reçu une lettre recommandée – Simone Séguin avait préféré payer un timbre et s'éviter une conversation désagréable – lui signifiant de quitter les lieux. Sa femme Henriette était bien venue plaider, la larme à l'œil, sans succès.

Le couple avait fait le plaisir à Simone de partir le 29 avril. Le même jour, elle s'entendait au téléphone avec une femme pour une visite le lendemain. En début d'après-midi, une châtaine de grande taille se tenait sur le perron, vêtue d'une robe bleue, avec un manteau de drap léger d'une teinte assortie. Son chapeau portait quelques fleurs.

— Madame Oligny ?

— Mademoiselle Oligny. Blanche.

La visiteuse eut un petit sourire en donnant son prénom et elle tendit sa main gantée. Après l'avoir fait entrer, la logeuse proposa :

— Je vais vous montrer la chambre tout de suite.

Elle s'engagea dans l'escalier. Sur le palier, elle expliqua tout en glissant une clé dans la serrure :

— Il s'agit de la chambre donnant sur la rue. Jusqu'à hier, un couple l'occupait.

Mademoiselle Oligny entra dans la section de la pièce servant de salon, avec ses deux fauteuils et une table. Ensuite, elle passa du côté de la chambre. Le lit double, la commode et la penderie lui procureraient un certain confort.

Pendant son examen des lieux, la visiteuse regardait tout autant la propriétaire que l'aménagement.

— Ça me convient tout à fait.

— Pour onze dollars ?

Elle accepta.

— Vous ne voulez pas voir la salle de bain ?

— Oui, bien sûr.

Simone Séguin lui montra ensuite la salle à manger. À cet instant, la nouvelle pensionnaire sortit un petit sac de la poche de son manteau et posa les onze dollars sur la table.

— Je peux m'installer tout de suite ?

— Comme ça, sans rien ?

— Si je peux donner un coup de fil, quelqu'un m'apportera mes affaires avant l'heure du souper.

— Le téléphone est dans le petit salon, à côté.

Elle la conduisit dans la pièce sans fenêtre lui servant à la fois de salon et de bureau, tout en détachant une clé de son trousseau.

— Si vous voulez lire un peu, vous pouvez aller dans la pièce à l'avant.

Blanche Oligny préféra se réfugier dans sa chambre, pour ne redescendre qu'au moment où un taxi apporta une grosse malle. Quand elle redescendit au souper, mademoiselle Séguin fit les présentations. La conversation languit d'abord.

La nouvelle venue était mieux vêtue et mieux coiffée que les autres. À la fin, ce fut Adine qui demanda :

— Que faites-vous dans la vie ?

Puis elle rougit un peu de sa propre audace, ce qui n'était pas habituel dans son cas.

— Coiffeuse. Je travaille chez Dupuis Frères.

— Alors quand je vois dans *La Presse* : “Faites-vous coiffer à la mode de Paris !”, c'est vous ?

— Moi et deux autres collègues.

Tous les grands magasins offraient des services de ce genre.

— Vous travaillez pour le magasin ?

— Je travaille pour moi-même, mais je paye un loyer aux Dupuis.

Les mystères du commerce de détail occupèrent la discussion une bonne partie du repas. Ensuite, la conversation se porta sur le mariage de Delphine. La cérémonie était prévue dans un mois.

❧

Élodie avait dit à Xavier: «Nous pourrions commencer par aller prendre l'air au parc La Fontaine. Après, nous irons dans ce petit restaurant dont tu nous parles.»

Sur le trottoir, Xavier offrit son bras à son amie, et elle le sien à sa fille. Ainsi, ils en occupaient toute la largeur.

— C'est une belle journée, fit-il remarquer.

En ce 20 mai, le soleil brillait depuis quelques jours, la température à midi avait atteint les soixante-dix degrés. Dans les circonstances, la mère et la fille portaient des robes blanches et des chapeaux de paille. C'était dimanche, alors elles s'endimanchaient.

— Mais le fond de l'air est frais. C'est pour ça que j'ai pris ceci.

Elle portait deux vestes pliées sur son avant-bras.

— Tu as raison. L'air du large...

Pour répondre à son ton moqueur, elle le pinça un peu. De son côté, Camille demeurait songeuse. Ce fut avec une hésitation qu'elle demanda:

— Monsieur Blain, allez-vous toujours à la première messe du matin?

— Seulement quand je veux aller prendre l'air ensuite avec deux très jolies filles.

Cela lui valut un sourire.

— À quel endroit?

— À l'église Saint-Patrick.

— C'est un peu loin de chez toi, dit Élodie.

Xavier comprit que sa pratique religieuse devrait se faire régulière si cette femme occupait une place dans sa vie. Moins par religiosité que par souci de se conformer aux convenances.

Bientôt, ils marchèrent dans une allée du parc La Fontaine. Pendant la grand-messe, ils avaient l'endroit presque pour eux seuls. Un étang de forme très irrégulière, étroit mais très allongé, leur donnait l'impression de longer une rivière. Quelqu'un louait de petites embarcations.

— On peut y aller ? demanda Camille.

— Si tu veux.

Déjà, la fillette courait vers l'étang. Ils la rejoignirent un instant plus tard. Xavier régla le coût de la location. Au moment d'embarquer, Élodie déclara :

— Allez-y tous les deux, je vais m'asseoir sur ce banc et vous regarder découvrir l'Amérique.

— Donne-moi ta main, dit-il à Camille. Je vais t'aider à monter à bord.

— Il y a de l'eau au fond, dit-elle en essayant de ne pas mouiller ses chaussures noires fraîchement cirées.

— C'est normal, les planches en laissent toujours passer une petite quantité.

Comme le regard de la fillette indiquait un doute, il continua :

— Tu sais, debout au milieu de ce lac, j'aurais de l'eau jusqu'ici.

Il indiqua sa taille.

— Assise sur mes épaules, tu ne mouillerais même pas le bas de ta robe.

L'argument parut la convaincre.

— Installe-toi à la poupe.

Après lui avoir expliqué la différence entre la proue et la poupe, il monta à son tour et s'aida d'une rame pour éloigner l'embarcation de la rive. Ensuite, il occupa le siège au milieu du canot, envoya la main à Élodie, puis commença à ramer.

Camille était une jolie petite fille. Dans dix ans, ce serait une jolie jeune femme et un garçon de son âge lui conterait fleurette, peut-être sur ce même étang. Elle posait ses mains sur le rebord, de chaque côté, comme il avait vu sur quelques peintures d'impressionnistes français.

— Tu n'as pas peur ?

De la tête, elle fit non. Il ne la crut pas tout à fait.

— Tu sais, je ne ferais rien de dangereux avec toi.

Cette fois, elle acquiesça et lui sourit. Il remarqua une dent manquante, à l'avant. Sa dentition d'adulte commençait à apparaître. Après un silence, elle demanda :

— Vous aimez maman ?

Sa franchise le prit un peu par surprise.

— On ne se connaît pas depuis longtemps, mais oui, elle me plaît beaucoup.

— Vous allez vous marier, même si je suis là ?

Pour elle, à cause des contes pour enfants, le scénario était le suivant : un homme et une femme se rencontraient, s'aimaient, se mariaient et avaient beaucoup d'enfants. Quelqu'un, sans doute à l'école, lui avait parlé de sa présence comme d'une nuisance pour sa mère. Ou alors, après l'affaire Aurore Gagnon largement publicisée dans les journaux, la perspective d'avoir un beau-père l'inquiétait.

— J'aime que tu sois là. J'espère que tu n'en doutes pas.

Comme elle ne souffla mot ni ne bougea, il ajouta :

— Si jamais ça ne fonctionne pas entre ta mère et moi, ce ne sera certainement pas ta faute.

— Je ne veux pas qu'elle soit malheureuse.

— Je vais faire très attention. Promis.

Il eut droit à un sourire reconnaissant. Ailleurs que dans un canot un peu instable, elle serait sans doute venue se blottir dans ses bras. Ils parcoururent l'étang d'une extrémité à l'autre. Quand la promenade fut terminée, il fit en sorte que l'avant glisse doucement sur l'herbe. Il sortit de l'embarcation et la tira un peu sur la rive pour permettre à Camille de descendre à pieds secs.

— Comme ça, tu n'abîmeras pas tes souliers.

Il tendit la main pour l'aider. Une fois ses deux pieds sur le sol, la fillette ne la lâcha pas. Quand ils s'approchèrent, Élodie demanda :

— Alors, cette exploration ?

— Épuisante. Nous mourons de faim. Tellement que nous prendrons le tramway de la rue Papineau et ensuite celui de la Sainte-Catherine pour nous rendre au restaurant.

— Où allons-nous ?

— Dans un petit établissement de l'ouest de la ville, rue Peel. Camille va adorer.

Effectivement, la gamine parut enchantée par les hamburgers et le Coca-Cola du Traymore. La mère se montra moins enthousiaste, mais elle apprécia l'endroit très moderne, éclairé et propre.

La dernière fois, il était venu là avec Odile. Pourtant, pas une fois il ne pensa à elle.

Après trois semaines, Blanche Oligny s'était coulée dans la vie de la pension de mademoiselle Séguin. Personne ne regrettait le départ du couple qui occupait la pièce double, et les deux locataires de sexe masculin toujours là comprenaient que mieux valait se souvenir de leur manuel de bienséance.

Ce dimanche, presque tous les habitants de la maison se retrouvèrent à table pour le souper. Adine demanda à Odile :

— Qu'avez-vous fait cet après-midi ?

— Comme il faisait beau, nous avons marché dans la ville, jusqu'au Square Dominion.

— Ce sont les riches Anglais qui habitent par là.

— Nous nous sommes attardés devant les vitrines. Je ne ferai pas des achats chez Morgan de sitôt.

Les commerces à l'ouest du boulevard Saint-Laurent firent l'objet de quelques échanges. Puis Delphine demanda :

— Mademoiselle Oligny, pourriez-vous me coiffer, pour le mariage ?

Malgré la cohabitation quotidienne, les quelques années de plus de la nouvelle venue faisaient qu'on lui donnait du « mademoiselle », en plus de la vouvoyer. Celle-ci comprit le sous-entendu : la coiffer gratuitement.

— La cérémonie se déroulera à Sainte-Rose ?

Delphine acquiesça. Il s'agissait de la paroisse d'origine de la jeune femme. Le mariage aurait lieu le dernier samedi de mai.

— Si c'est le matin, tu devras partir la veille. Je veux bien coiffer tes cheveux vendredi, mais la nuit les mettra à mal.

— Elle n'aura qu'à demeurer assise et penser à sa nuit de noces à venir, ricana Adine.

L'allusion mit tout le monde mal à l'aise. Odile plus que les autres.

— Je pourrais passer chez Dupuis Frères à l'heure du souper, avant de prendre le train.

Comme il arrivait toujours après l'évocation du mariage de l'une d'elles, les autres se livraient à une espèce de compte rendu de leur propre situation.

Après le repas, quelques-unes des jeunes femmes se réunirent dans le salon. Mademoiselle Oligny avait l'habitude de monter chez elle sans participer plus avant aux conversations. Dans le couloir, elle croisa mademoiselle Séguin.

— Simone, passerais-tu chez moi ? demanda-t-elle dans un murmure.

Toutes les deux avaient sensiblement le même âge, aussi le tutoiement prévalait-il.

— J'ai encore à faire… Ça ne sera pas avant neuf heures.

Et à l'heure dite, elle frappa à la porte de la pièce double. Elle portait un plateau avec une théière et des tasses.

— Quelle bonne idée ! Entre.

Dans la section de la grande pièce donnant sur la rue, elles prirent leurs aises sur les deux fauteuils placés de part et d'autre d'un guéridon. Blanche versa le thé. Quand elle prit sa tasse, elle déclara :

— Pauvre petite. Son fiancé gagne vingt dollars par semaine, il s'expose à chômer l'hiver. Dans six mois, les coutures de ses robes se déferont sous la pression de son ventre, alors elle ne travaillera plus.

Et alors, l'hiver menacerait déjà. Mademoiselle Séguin hocha la tête pour acquiescer à ce sombre présage.

— Elle enterrera un enfant sur deux…

Avec de pareils arguments, chacune pouvait se féliciter d'avoir choisi le célibat.

— Les perspectives semblent meilleures pour la jeune Payant, dit encore la coiffeuse. Son fiancé travaille à la banque.

— D'autant plus qu'elle ne risque pas d'élever une famille nombreuse.

Blanche souleva les sourcils, intriguée.

— Tu te souviens de l'histoire de Joseph-Ernest Careau ? dit Simone.

— Le vendeur de chapelets de la rue Saint-Hubert ?

Son interlocutrice opina du chef. À cette époque, toutes les deux étaient dans la vingtaine, donc assez âgées pour connaître les « choses de la vie ».

— Papa Brissette a été arrêté à cette époque. Et le fils Brissette marche dans ses traces.

— Elle le sait?

— Si elle ne le sait pas, c'est qu'elle ne veut pas le savoir. Un bel homme était prêt à l'épouser, elle a préféré l'autre.

— Elle doit bien voir que quelque chose cloche.

Simone souleva les épaules pour exprimer son ignorance. Puis elle murmura:

— Tu ne trouves pas que c'est un bien mauvais sujet de conversation?

— Je vais te coiffer.

Tout un nécessaire se trouvait sur une console. Elle prit une brosse, puis s'approcha. Quand ses doigts touchèrent ses cheveux pour les replacer, Simone saisit sa main pour y poser ses lèvres. L'instant d'après, leurs bouchent se joignirent.

Chapitre 22

Pour un prétendant, la première rencontre avec une éventuelle belle-famille représentait toujours une épreuve. Que cela survienne tard dans la vie ne rendait pas l'exercice plus facile. D'ailleurs, la petite procession au moment de faire cette visite en disait long sur les états d'âme d'Élodie. Camille et elle, toutes les deux vêtues de blanc, marchaient devant, et Xavier suivait trois pas derrière, comme s'il souhaitait se réserver la possibilité de prendre la fuite.

Une fois de temps en temps, Élodie tournait la tête pour voir s'il était toujours là, un sourire amusé sur les lèvres. Elle savait que cette rencontre lui pesait beaucoup. Qu'il surmonte ce malaise lui paraissait être une promesse d'avenir. Le petit groupe s'engagea dans la rue Saint-Denis vers le sud. Bientôt, ils atteignirent leur destination : une maison en pierres de taille située tout près de l'Université de Montréal.

Debout sur le perron, Élodie se retourna pour demander :

— Tu n'as pas changé d'idée ?

— S'ils sont juste à moitié aussi gentils que toi, ce sont les plus charmants habitants de cette rue.

Le sourire de son interlocutrice devint franchement moqueur, puis elle se donna un air d'exécutrice des hautes œuvres en appuyant sur le bouton de la sonnette. Bientôt, la porte s'ouvrit sur une femme dans la cinquantaine.

— Ah ! Vous voilà enfin.

Xavier eut envie de consulter sa montre, tellement cela ressemblait à un reproche adressé à des personnes en retard. Puis l'hôtesse ouvrit les bras à sa petite-fille, qui s'y précipita. Élodie l'embrassa ensuite chaleureusement et se tourna à demi pour dire :

— Voici Xavier Blain. Je vous ai parlé de lui.

« J'aurais aimé entendre cette conversation », songea Xavier. Madame Fortin – il s'agissait du nom de jeune fille d'Élodie – accepta sa main tendue et se déclara enchantée. La même poignée de main se répéta dans le salon pour le maître de la maison, un homme grand, un peu voûté avec le visage barré d'une moustache rappelant celle des ancêtres sur les photographies pendues aux murs du couloir.

— Monsieur Fortin, merci de me recevoir chez vous.

— Vous êtes le bienvenu !

Cet homme se réjouissait sans doute que quelqu'un s'intéresse à sa grande fille. Ce n'était pas évident, pour une veuve avec un enfant à sa charge. À titre de notaire, il comprenait très bien que l'obligation de fournir des aliments à sa descendance lui incombait, si celle-ci se trouvait dans le besoin. Un mariage lui procurerait une certaine sérénité.

Comme il convenait, avec sa fille sur les talons, Élodie se rendit dans la cuisine afin d'aider à la préparation du repas.

— Vous prendrez quelque chose à boire ? demanda-t-il.

Comme la réponse tardait, son hôte continua :

— Avec cette chaleur, je pensais ouvrir une bière. Nous pourrions la partager.

Xavier accepta. Quand monsieur Fortin disparut, il examina la pièce où il se trouvait. Les meubles, vieillots, étaient de qualité. La maison était avantageusement située dans le quartier latin. Sur les murs, en plus de l'inévitable crucifix, il y avait encore des photos de quelques aïeuls.

Monsieur Fortin revint avec un verre dans chaque main, il lui en donna un.

Une fois assis, il entreprit la conversation :

— Ma fille me disait que vous aviez un emploi à la Banque Royale.

Xavier acquiesça d'un geste de la tête.

— Au siège social ?

Il acquiesça à nouveau.

— Vous devez bien être le seul Canadien français à vous trouver là. Peut-être le seul catholique, aussi.

— Je ne suis pas le seul à parler français, mais j'admets que nous ne sommes pas très nombreux. Pour la religion, je vous avoue ne pas m'en être préoccupé.

Tout de suite, il regretta cette remarque. Aucun bon catholique, aucun bon Canadien français ne pouvait dire cela à haute voix. Il convenait de détester les protestants. Aussi il expliqua :

— J'ai occupé mon premier emploi aux États-Unis. Là-bas, les employeurs ne se demandaient pas où j'allais à l'église, mais si je pouvais enrichir l'entreprise.

Ce n'était pas tout à fait vrai. De nombreux groupes sociaux étaient l'objet d'ostracisme dans le pays voisin. Toutefois, dans la région de Boston, les catholiques étaient nombreux et sa maîtrise de l'anglais lui permettait de passer plutôt inaperçu parmi eux.

— À votre retour au pays, vous n'avez pas voulu enrichir la Banque Hochelaga ou la Banque canadienne nationale ?

— Dans ces institutions, personne ne m'a offert un emploi, et je ne me sentais plus d'âge à les quémander.

L'homme hocha la tête et prit une gorgée de bière. « S'il aime les personnes humbles et modestes, je ne lui ferai pas une bonne impression », se dit Xavier.

— En Europe, j'ai connu des gens de l'état-major canadien qui m'ont affirmé pouvoir m'embaucher au moment de ma démobilisation, continua-t-il.

Heureusement, la maîtresse de maison vint leur dire que le repas était servi, ce qui permit de mettre fin à cet interrogatoire.

Dans la salle à manger, le visiteur se retrouva à la droite du père de famille, Élodie à ses côtés, madame Fortin à la gauche de son époux, et Camille près d'elle. Un couvert était posé devant une chaise vide. L'absente amena monsieur Fortin à froncer les sourcils. Visiblement, il tentait de réprimer sa mauvaise humeur.

À cet instant, il y eut du bruit du côté de la porte d'entrée.

— La voilà ! dit la maîtresse de maison en se levant.

Une jolie jeune femme arriva dans la salle à manger.

— Je m'excuse, je suis absolument désolée. Il y a eu un problème avec le tramway, rue Sainte-Catherine.

Camille fut la première dans ses bras, elle reçut des bises sonores, puis ce fut au tour de la mère et de la grande sœur. Le maître des lieux ne daigna pas quitter sa chaise, mais il tendit la joue. De son côté, si Xavier s'était levé, il demeura immobile. Ce fut Élodie qui le présenta.

— Amélie, ma petite sœur. Ensuite, en se tournant vers elle : Je t'ai parlé de Xavier.

Décidément, il avait été au centre de plusieurs conversations. Quand Amélie fut assise, il soumit la nouvelle venue à un examen discret. La vingtaine, une brunette elle aussi, le sourire facile – les deux filles tenaient cela de leur mère, visiblement –, jolie et vive.

— Alors, il y a eu un ennui avec le tramway ? demanda le père.

— Vous savez ce que c'est… Aujourd'hui, les collégiens ne sont pas à l'école. Ils sont nombreux à se défier pour décrocher la perche.

Les tramways étaient mus par des moteurs électriques. Une perche entrait en contact avec les fils tendus au-dessus de la chaussée. Les étudiants avaient la mauvaise habitude de la décrocher du fil, ce qui obligeait le conducteur à quitter son poste pour la replacer. L'accumulation de ces facéties pouvait évidemment mettre les passagers en retard.

— Des gamins, oui bien sûr…

Le bonhomme paraissait un peu sceptique. Xavier soupçonna que le vieux notaire vérifierait le nombre de ces interruptions auprès de la société de transport. D'autres motifs de retard devaient lui traverser l'esprit.

À nouveau, Xavier dut raconter ses séjours aux États-Unis et en Europe. Quand le téléphone sonna, le visiteur vit l'inquiétude dans le regard d'Amélie. Il appartenait au chef de la maisonnée d'aller répondre. Son « allô » fut bien peu aimable, tout comme les mots : « Ce n'est pas le moment, nous venons de nous mettre à table. » Il raccrocha bruyamment.

Quand il revint, la cadette paraissait au bord des larmes.

— J'aurais pu le lui dire moi-même.

— Je pense qu'il comprend mieux quand c'est moi.

La jeune fille baissa les yeux et renifla un peu. Le silence pesa longuement sur la petite assemblée. Les femmes présentes – y compris la jeune Camille – fixaient leur couvert. À la fin, le notaire n'y tint plus.

— Monsieur Blain, vous paraissez être un homme raisonnable. Alors donnez-moi votre avis : un père a le devoir d'empêcher sa fille de faire un mauvais mariage, non ?

Xavier écarquilla les yeux. Dire qu'il s'était présenté dans cette maison en craignant de commettre un impair ! Un autre s'en chargeait très bien.

— Vous savez, à titre de vieux garçon, je ne suis pas très compétent dans ce domaine.

— Tout de même, ce n'est pas bien difficile de se faire une idée. Vous avez une jeune fille d'une famille honorable, courtisée par un jeune homme qui ne pourra probablement jamais lui procurer le confort auquel elle est habituée.

Il s'agissait là du souci de tous les pères : confier leur fille à un homme responsable, capable de bien la faire vivre, c'est-à-dire comme eux y arrivaient. Le « bien » d'un ouvrier n'était certainement pas celui d'un notaire.

— Quel âge a ce garçon ? demanda Xavier.

— Vingt ans, dit Amélie en le regardant par en dessous.

— À vingt ans, après avoir travaillé en usine, j'occupais mon premier emploi de commis dans une banque dans un pays dont la population se soucie peu de l'endroit d'où l'on part, mais de celui où on peut arriver. Me voici à votre table vingt ans plus tard.

« Et c'est à ce moment que le visiteur indélicat se fit mettre à la porte », songea-t-il. À la fin, il murmura :

— Je m'excuse si ma réponse heurte votre sensibilité.

Il y eut un silence. Tout le monde attendait la conclusion de cet échange.

— Bah ! Si j'étais si sensible, je n'aurais pas posé la question, dit le maître de céans.

Il continua après une pause :

— Vous avez passé un long moment à Douceville, l'an dernier. Nous y avons passé quelques semaines, certains étés…

Le sujet de la villégiature sur les rives du Richelieu les retint assez longtemps pour que l'atmosphère se détende.

&

Au moment de quitter la table, Amélie demeurant toujours chagrine, les autres passèrent d'un sujet léger à l'autre avec l'espoir de l'égayer. Les femmes entendirent ensuite unir leurs efforts afin d'expédier la corvée de vaisselle au plus vite. Cela incluait aussi Camille. Le notaire regarda son invité en disant:

— Si ça vous dit, nous pourrions partager une autre bière dans la cour. La soirée est douce.

Xavier hocha la tête en se disant: «J'en serai quitte pour une leçon de savoir-vivre.» Il avait toujours le loisir d'offrir ses services pour la corvée ménagère pour éviter ce tête-à-tête. Pourtant, il accepta. Ils se retrouvèrent dans la petite cour toute en friches, assis sur des chaises de fonte qui avaient vu de meilleurs jours.

— Pour tout à l'heure… commença-t-il.

— Ça va. Je n'aurais pas dû vous mêler comme ça à un… différend familial.

Chacun d'eux avala la moitié de son verre.

— Tout de même, vous m'avez semblé très convaincu à ce sujet.

— Au point d'oublier d'abonder dans le même sens que vous.

Son interlocuteur ricana dans sa moustache. Xavier décida de se montrer tout à fait candide.

— Voyez-vous, il y a vingt ans, une femme me repoussait parce que j'étais trop pauvre. Peut-être ses parents l'y ont-ils incitée, je ne sais pas. Aujourd'hui, devenue veuve, elle vit de la charité publique à l'hôpital de Douceville. Pas moi. Alors oui, je suis sensible à ce sujet.

— Vous me donnez à réfléchir. Tenez, un de ces dimanches, je vous inviterai ainsi que ce garçon. Ensuite, je vous demanderai votre avis.

Cette fois, Xavier rit franchement. Élodie ne tenait peut-être pas que de sa mère, après tout. D'invité indélicat, il se retrouvait promu conseiller d'un père inquiet. Bientôt, ils rentrèrent afin de se joindre aux femmes dans le salon.

Un peu avant dix heures, les visiteurs saluèrent leurs hôtes. Finalement, Xavier avait fait une impression suffisamment bonne pour recevoir une invitation pour le jour de la fête de la Confédération. « Ça vous donnera l'occasion de rencontrer le reste de la famille », lui avait dit le notaire. Il parlait de ses deux fils, de leurs épouses et des enfants de ces derniers.

Cette fois, sur le trottoir, le trio ressemblait à une véritable famille, avec Camille tenant un bras de chacun des adultes. Ils échangèrent un regard au-dessus de la tête de la fillette.

— Ce n'était pas si terrible, n'est-ce pas ?

— Effectivement, mais ce n'était pas tout à fait serein non plus.

— En tout cas, tu viens de te gagner la reconnaissance éternelle d'Amélie.

— Monsieur Blain, murmura Camille, vous êtes d'accord avec son choix ?

Elle levait vers lui un visage souriant, comme si elle se réjouissait déjà à l'idée de profiter de son ouverture d'esprit un jour.

— Je n'ai pas à l'être, ce n'est pas moi qui épouserai ce garçon.

Il ne s'agissait pas d'une véritable réponse. Il continua donc :

— Toutefois, je pense qu'une femme devrait choisir en fonction de ce que son futur mari amène comme promesse de bonheur, pas en fonction de son métier.

La fillette fronça les sourcils, comme si elle n'était pas certaine du sens de ces paroles. La mère devrait sans doute les lui clarifier lors d'une prochaine conversation. Après cela, ils demeurèrent silencieux.

Quand ils arrivèrent devant l'immeuble de la rue Laval, Xavier monta l'escalier avec elles. Devant la porte, Élodie proposa :

— Veux-tu entrer un instant ?

— J'ai encore du chemin à faire avant d'être chez moi. Tu es toujours d'accord pour une longue promenade dimanche ?

— Si tu nous fais faux bond, il y aura deux filles qui seront très déçues.

Il se pencha pour lui embrasser la joue, puis il répéta le même geste pour Camille.

⁂

Depuis que son mariage était de notoriété publique, Odile devait vivre avec les réactions de ses collègues. Le directeur, Jules Hamel, évoquait ses « projets d'avenir » d'un ton paternel. Il alla même jusqu'à lui murmurer à l'oreille :

— Même si ce n'est pas la politique de la compagnie, je ne dirai rien. Comme ça, tu pourras travailler après le mariage. Tu vas voir, ça coûte cher à un ménage pour s'installer.

Elle l'avait remercié chaudement, un peu rougissante. Elle n'avait même pas imaginé que son changement de statut pouvait avoir une incidence sur son emploi. La perspective de perdre son salaire, et la petite indépendance venant avec lui, l'inquiéta.

Quant à Sylvio Hardais, chaque fois qu'elle et Polydore échangeaient un mot, il prenait une voix goguenarde pour dire :

— Hey, les amoureux ! Janvier ne vous paye pas pour vous conter fleurette.

Janvier, comme dans Janvier-A. Vaillancourt, le président de la Banque Hochelaga. La meilleure attitude était de faire semblant de n'avoir rien entendu, sinon il n'en finissait plus de lancer ses remarques malvenues.

Bazile Ménard, de son côté, agissait comme s'il n'était pas au courant. Toutefois, un jour, au moment où elle revenait des toilettes, le comptable ouvrit la porte de son bureau sur son passage.

— Ah ! Mademoiselle Payant, puis-je vous dire un mot ?

Tout de suite, elle imagina qu'il lui reprocherait une erreur dans ses colonnes de chiffres. Elle s'assit sur la chaise devant son pupitre en serrant les genoux, ses mains croisées sur ses cuisses, comme devant la directrice du couvent de Douceville.

— Mademoiselle, vous vous êtes toujours montrée aimable avec moi. Je me sens la responsabilité de vous retourner la politesse. Ces projets de mariage dont j'entends parler, c'est sérieux ?

— Oui. Avec Polydore.

— Vous y avez bien réfléchi ?

Cette fois, elle écarquilla les yeux, surprise.

— Bien sûr, nous y avons réfléchi.

Le comptable hocha la tête. Le silence se prolongea, comme s'il se perdait dans ses pensées.

— Vous savez, au cours des dernières années, nous ne l'avons pas souvent entendu parler de jeunes filles.

Elle était tout à fait étonnée du cours que prenait la conversation. L'autre continua :

— Excepté de sa mère, mais ça ne compte pas, n'est-ce pas ?

— Voilà bien pourquoi il me plaît, c'est un garçon sérieux.

— D'un autre côté, il semble avoir beaucoup d'amis...

— Ça se comprend aisément, c'est un garçon aimable.

Ménard hocha la tête, songeur. Odile ne paraissait pas avoir la moindre notion de ce qu'il cherchait à évoquer à mots très couverts.

— Il vous a déjà présenté certains d'entre eux ?

La secrétaire secoua la tête, cette fois rougissante.

— Je voulais simplement vous rappeler que c'est une décision qu'il faut peser soigneusement. Comme le prescrit notre Sainte-Mère l'Église, le mariage est indissoluble.

— Oui, je le sais bien, monsieur Ménard.

Il la laissa enfin aller en lui souhaitant tout le bonheur possible.

Quand Xavier avait proposé un aller-retour à Douceville pour lui présenter son « seul ami d'enfance », Élodie avait répondu en souriant :

— Toi, je te soupçonne de vouloir te venger, après toutes les personnes que je t'ai fait rencontrer. Moi aussi, je suis timide.

— Tu verras, tu vas l'aimer. Tu pourras même demander à sa mère comment j'étais à six ans.

— Tu devais être mignon.

Ainsi, le dimanche 17 juin, ils étaient trois à monter au petit jour dans un wagon de première classe. Camille paraissait particulièrement impressionnée. Pas par le train, mais par les gens qu'ils s'en allaient rencontrer.

— Nous allons vraiment aller manger dans un presbytère ?

— Vraiment, dit Xavier.

— Avec monsieur le curé et sa maman ?

La fillette regarda sa mère, comme pour s'assurer qu'il ne la menait pas en bateau.

— À la campagne, les prêtres habitent parfois avec leurs parents, lui expliqua Élodie.

Camille voulut bien croire sa mère. Elle passa tout le trajet le front collé contre la vitre. À destination, la gare de Douceville tout comme les trottoirs en bois et les bâtiments de modeste envergure ne l'impressionnèrent pas du tout.

Xavier avait prévu assister à la grand-messe. Pour la première fois, il le ferait assis sur un banc placé dans une allée latérale, et non debout à l'arrière. Cela eut une conséquence imprévue : il somnola pendant tout le sermon.

Au moment de sortir, avec Camille tenant la main de sa mère, et cette dernière accrochée à son bras, il croisa Aristide Careau et sa nouvelle épouse, Fleurange.

— Monsieur Blain, dit celui-ci en tendant la main, je suis heureux de vous revoir.

— Moi aussi. Et vous aussi, madame. Vous n'habitiez pas Notre-Dame-Auxiliatrice ?

— Plus depuis le 1er mai dernier.

Après l'échange des poignées de main, Xavier présenta Élodie comme une amie, ce qui la fit ciller. Le mot lui semblait inconvenant pour évoquer leur relation.

— Vous savez que monsieur McDonald parle de prendre sa retraite ? demanda ensuite le jeune homme.

— J'en ai entendu parler.

— Seulement après six mois ici !

En abrégeant ainsi son séjour, il bouleversait un peu les projets de carrière d'Aristide.

— Il est venu ici pour se rapprocher de sa maison de campagne. Alors ce n'est pas tellement étonnant. À Montréal, nous tenterons de le convaincre d'allonger un peu sa carrière. La bonne nouvelle, c'est qu'il recommande la même personne que son prédécesseur pour lui succéder.

Careau parut incertain du sens à donner à ces mots. Pour Fleurange, ce fut limpide :

— Merci beaucoup, monsieur ! Bon dimanche, nous vous laissons à votre famille.

Quand ils s'éloignèrent. Xavier l'entendit murmurer :

— Ne fais pas cette tête, il vient de te dire que le vieux te recommande pour le remplacer.

Puis, en se tournant à demi, il aperçut Clarisse Payant qui s'était avancée jusqu'à eux. Elle portait une robe sombre, comme si son deuil se poursuivait toujours. Ou qu'elle entendait imiter le costume des religieuses. Le rouge montait sur ses joues, elle paraissait sur le point d'exploser. Il prit les devants :

— Oh ! Madame, je vous félicite pour l'heureux événement qui se prépare.

Comme elle ne broncha pas, il ajouta :

— Il y a eu publication des bans pour Odile, non ?

Elle hocha la tête pour dire oui.

— Alors encore une fois, félicitations. Excusez-nous, nous sommes attendus au presbytère.

Ensuite, il passa son bras autour de la taille d'Élodie, pour l'entraîner avec lui. Un geste un peu déplacé à la porte de l'église.

— Tu ne nous as pas présentées ?

— Madame Payant paraissait indisposée.

— Moi, je pense que je viens d'assister à un règlement de compte.

— C'était le point final à un trop long chapitre, plutôt.

Camille avait assisté à ces conversations en se disant que le monde des adultes était bien étrange. Elle n'avait pas lâché la main de sa mère un seul instant.

❧

Quand Xavier frappa à la porte du presbytère, madame Lanoue vint ouvrir. Son accueil fut aussi chaleureux que d'habitude.

— Ah ben, t'es pas mal beau, habillé de même. Si j'avais vingt ans de moins…

Il portait son plus beau costume de lin et tenait son panama à la main. Elle lui tendit la joue, il y posa les lèvres.

— Ou moi, vingt de plus.

— Ouais. Presse-toi pas, c'est pas si amusant, dépasser soixante ans… Tu vas me présenter à ces deux belles personnes ?

— Voici Élodie Daunais et sa jolie fille Camille.

Puis à leur intention :

— Madame Lanoue, la mère de mon ami Calixte.

Madame curé fixa Xavier et dit avec un sourire :

— Je suis la mère de ton ami, mais elles, c'est qui pour l'ami de mon gars ?

Il rougit un peu pendant qu'Élodie, de son côté, s'amusait ferme.

— Deux personnes devenues très importantes pour moi.

Le rire de madame Lanoue ressembla à un gloussement. Elle les fit entrer tout en disant :

— Calixte est dans son bureau. Moi, j'ai à faire dans la cuisine.

Les présentations se répétèrent avec le prêtre. Ils échangèrent des informations biographiques.

— Vous connaissez Xavier depuis longtemps ? demanda Élodie en s'adressant à Lanoue.

— Depuis le premier jour, à la petite école.

— Comment était-il ?

Il eut une foule d'anecdotes à raconter jusqu'au moment de passer à table. Dans la salle à manger, Xavier commença par compter les couverts, puis il dit :

— Madame Lanoue, vous ne pensez pas manger seule dans la cuisine, j'espère ?

— Quelqu'un doit s'occuper du service.

— Alors je vais vous aider, offrit Élodie. J'ai l'habitude, moi aussi j'ai un enfant.

Madame curé la remercia d'un sourire. Quand les deux femmes eurent disparu, le prêtre dit :

— Je comprends pourquoi les derniers… événements te laissent indifférents.

Le regard de Xavier se tourna vers Camille. Calixte comprit l'invitation à la discrétion.

— Tout à l'heure, j'aimerais te dire un mot.

Les deux femmes revinrent dans la pièce, madame Curé avec son couvert, Élodie avec une soupière dans les mains. Le sourire de cette dernière fit penser à Xavier qu'elle avait glané quelques informations supplémentaires, lors de ce petit aparté. Ses mauvais coups, et ceux de son ami, meubleraient l'essentiel de la conversation.

Un peu plus tard, dans le bureau de Calixte, Xavier expliqua :

— Nous l'avons croisée sur le parvis de l'église. Je pensais qu'elle se mettrait à hurler après moi. Ou après Élodie.

— Peut-être espère-t-elle encore que tu lui reviennes.

Xavier commença par s'amuser de la remarque, pour bientôt retrouver son sérieux.

— Elle ne peut pas penser ça.

— Elle le pensait bien il y a un an, et même il y a un mois. Remarque, après avoir vu Élodie, elle n'y croira plus. Et moi, j'aurai sans doute droit à une nouvelle visite...

Une perspective qui ne lui plaisait visiblement pas.

— Le mariage doit avoir lieu dans une semaine. Elle menace encore de refuser son consentement?

— Si elle croit encore qu'Odile a une chance avec toi, ce mariage ruinerait tout...

— Elle est folle.

Lanoue préféra ne pas s'engager dans une discussion sur un diagnostic médical. Le présent lui paraissait autrement plus intéressant.

— Si tu laisses filer celle-là... plutôt ces deux-là, ma mère va te mettre en pénitence dans un coin.

— Je fais mon possible, je t'assure. Et si jamais les choses vont dans la bonne direction, j'aimerais que tu sois mon témoin.

Voilà! Pour la première fois, il venait de formuler ses désirs à haute voix.

— Ce sera un honneur.

— Et ta mère sera invitée.

Bientôt, ils rejoignirent les femmes sur la grande galerie en façade du presbytère. Madame Curé paraissait entichée de Camille. Avant de repartir, la vieille dame réussit à répéter la directive de son fils, à peu près dans les mêmes termes.

❦

L'abbé Lanoue avait vu juste : le lendemain matin, Clarisse se présenta au presbytère afin de lui parler. Madame Curé tenta bien de la convaincre que l'horaire de son fils était surchargé, mais Clarisse décida de poireauter dans la petite antichambre. Quand Lanoue revint de sa visite aux malades, à peine avait-il entrouvert qu'il entendit :

— Monsieur le curé, je dois absolument vous parler.

Au même moment, sa mère lui murmura :

— J'ai pas pu l'empêcher.

— Je vois ça.

Puis il poursuivit pour la visiteuse :

— J'ai juste un instant, madame Payant.

Il la laissa entrer la première dans son bureau. À peine eut-il refermé qu'elle commença :

— Ce mariage ne peut pas se faire.

— Pourquoi ? Xavier se meurt d'amour pour Odile ? Vous n'avez pas vu la dame qui l'accompagnait ?

— Vous, vous l'avez vue ?

— Elle a mangé ici.

Clarisse se sentit trahie. Recevoir cette étrangère dans la paroisse, et même au presbytère !

— Il fait semblant avec elle. Ce n'est plus de moi qu'il est amoureux, ni de cette femme, mais d'Odile.

— Seigneur Dieu ! Arrivez-vous à croire tout ce que vous racontez ?

Le regard de la visiteuse le défiait. Comme si, à force de le répéter, son propre délire deviendrait véridique.

— Ma fille n'est pas enceinte de ce grand insignifiant. Le père, c'est Xavier. Tout le monde les a vus ensemble, l'année passée.

— Votre fille identifie le père, Polydore reconnaît son enfant, et vous, ça ne vous suffit pas ?

— À la cérémonie, si je me lève pour m'opposer au mariage en disant : "Elle porte le bébé de Xavier Blain !", ça va faire tout un effet...

L'abbé Lanoue devait convenir que la commotion créée alimenterait les discussions dans les veillées pendant tout le prochain siècle.

— Ça vous donnerait quoi ?

— Il va bien falloir qu'il s'occupe d'elle, et de son bébé.

— Et de sa mère, je suppose... Je vous préviens : Xavier ne paiera plus un sou. Avec un enfant sur les bras, Odile ne le fera pas non plus. Votre salut repose sur Polydore.

Un garçon mal payé qui entretenait déjà sa propre mère.

— Rentrez chez vous. Ça vous étonnera, mais j'ai d'autres paroissiens, qui parfois ont d'autres préoccupations que de savoir quelle personne charitable les fera vivre.

Clarisse mit un moment avant de comprendre qu'il la chassait.

Chapitre 23

Pour la première fois, Élodie et Xavier avaient accepté une invitation en tant que couple, chez les Turgeon. Sophie vint répondre elle-même. Ses premiers mots furent :

— Vous arrivez juste à temps pour la démonstration.

Après une pause, elle continua, un peu rougissante :

— Je suis terriblement mal élevée. Bienvenue chez nous, Élodie.

Elle lui fit une bise sur chaque joue. Les deux femmes se connaissaient un peu en tant que dames patronnesses.

— Bonjour, Xavier.

Les vieux amis échangèrent une poignée de main. Puis l'attention de l'hôtesse se porta sur la fillette, qui se tenait un peu en retrait.

— Toi tu es Camille. Ta maman m'a parlé de toi, tu sais.

Le regard de Xavier allait d'une femme à l'autre. Leur présence à toutes les deux en même temps lui paraissait un peu étrange. Sophie demeurait aussi belle, aussi charmante que d'habitude, mais quelque chose avait changé entre eux. Quand il y eut un silence, il demanda, pour mettre fin à son malaise :

— Alors, de quelle démonstration s'agit-il ?

— Venez dans le salon.

Sophie passa la première, un bras passé sur les épaules de Camille. Xavier échangea un regard amusé avec sa compagne. D'abord, il y eut des présentations. Georges rencontrait Élodie pour la première fois.

Délia et Évariste étaient déjà là. À nouveau, les présentations prirent un instant. Camille reçut les compliments habituels quand des adultes voulaient mettre un enfant à l'aise : tu es belle, tu es grande, tu portes une jolie robe… Un peu à l'écart, Olivier la fixait de ses grands yeux. Entre eux, il y eut moins de cérémonies.

— Salut, ça va ?

— Ça va.

Puis l'attention se porta sur un curieux appareil placé au milieu du tapis.

— Bon, maintenant, je vous présente cette merveille : un aspirateur Premier Duplex acheté chez Morgan.

Sophie paraissait si fière. Elle prit un biscuit soda sur la table du salon, l'écrasa entre ses mains et jeta les miettes sur le tapis. Quand elle pesa sur un bouton, il y eut un bruit de moteur.

— Vous voyez, il ne reste rien ! s'extasia-t-elle après deux passages.

— Maintenant, Olivier, tu pourras salir toute la maison, commenta Georges. Ça fera plaisir à ta mère.

— Ça prend bien un homme pour se moquer. Si tu t'occupais de faire le ménage, ton opinion serait différente.

Gentiment, il se priva de rappeler qu'aucune des femmes présentes ne balayait elle-même la poussière. Il déclara plutôt :

— Olivier, oublie ce que je viens de dire.

— Bon, je range ça pour devenir une hôtesse raisonnablement compétente.

Quand elle fut partie, Georges dit tout bas :

— Si jamais un remède miracle guérit toutes les maladies et que je me retrouve sans emploi, ma femme et moi, nous ouvrirons un magasin d'aspirateurs. Son enthousiasme nous rendra riches.

— Elle a raison, dit Délia. C'est aussi important que toutes les nouvelles machines qui aident le travail des hommes.

— Bon, si ma mère et ma femme se liguent contre moi, je me tais. Vous voulez boire quelque chose ?

En se dirigeant vers un buffet, il ajouta :

— Mesdames ?

Les visiteuses s'entendirent sur un vermouth.

— Papa, un martini ?

— À mon âge, on garde ses vieilles habitudes.

— Xavier ?

Le visiteur réclama la même chose que le vieux médecin. Tout en servant les femmes, Georges dit à Olivier :

— Que dirais-tu d'aller voir dans la glacière s'il y a quelque chose pour Camille et toi ?

Le garçon obéit en invitant la fillette à le suivre. Sophie revint à ce moment avec Clémence dans les bras. Sans un mot, elle la posa dans les bras de Xavier.

— Voilà pour toi.

Le visiteur s'efforça de paraître le plus naturel possible pour impressionner favorablement sa compagne. Le poupon collabora de son mieux en émettant un petit gloussement. Cela ne pouvait manquer, Élodie se colla contre lui et lui demanda :

— C'est ta filleule ?

— Oui.

Quand ils passèrent à table, Délia demanda :

— Vous vous connaissez depuis longtemps ?

— Le jour de Pâques. Grâce à Corinne.

Même si Xavier sentait la chaleur sur ses joues, il répondit de bonne grâce à toutes les questions qu'on voulut lui poser. Élodie ajoutait son grain de sel. Au moment de rapporter les assiettes dans la cuisine, après le second service, Sophie demanda à Xavier de l'aider.

Dans le couloir, elle murmura :

— Je suis contente. Très contente. Tu la couves des yeux.

Quand ils partirent de la maison avec Camille, Georges lui répéta la même chose, à peu près dans les mêmes termes.

— Tu as de la chance d'avoir des amis comme eux, dit Élodie.

Xavier prit sa main pour la porter à ses lèvres.

Le temps passait très vite et l'anxiété d'Odile croissait à la même vitesse. Aristide Careau, son collègue à Douceville, lui avait envoyé un mot. Cela se résumait à peu de chose :

Je me suis marié avec Fleurange. Il y a eu publication des bans annonçant ton mariage avec un homme de Montréal. Je te félicite et ma femme se joint à moi. J'ai rencontré monsieur Blain, dimanche dernier. Une très jolie femme tenait son bras. C'est drôle, je n'avais pas soupçonné qu'il avait quelqu'un, l'an dernier.

Pour elle comme pour Xavier, les événements s'étaient précipités. À la banque, l'ambiance devenait étrange. Sylvio Hardais se montrait désagréable, ne cessant de dire :

— Alors, les amoureux, hâte au grand jour ? Je devrais dire à la grande nuit ?

Après une journée où il s'était montré particulièrement pénible, en revenant du travail, Odile déclara, rageuse :

— Sylvio… j'aimerais qu'il se taise.

— Pourtant, il n'en a pas fini. Chaque jour de la semaine prochaine, il va nous seriner avec : "Puis, est-ce que c'était agréable ? Ça vaut la peine de sacrifier son célibat pour ça ?"

Cela, c'était sans parler des demandes de détails scabreux, « d'homme à homme ». Ils se quittèrent au coin de la rue Cherrier, comme d'habitude. Quand la jeune femme entra dans la maison de chambres, mademoiselle Séguin vint lui dire :

— J'ai quelque chose pour vous, Odile.

Elle la suivit jusqu'à son petit salon, où l'attendait un grand sac de papier brun.

— Un taxi a déposé ça pour vous, tout à l'heure. Un cadeau de noces, je présume.

— J'en doute. Je ne connais personne à Montréal.

Elle monta à sa chambre. Le sac contenait une robe, des bas, des gants, un chapeau assorti et un mot de Xavier.

Voici un cadeau de mariage de ma part.

Il y en a un autre : considérez-vous quitte de toutes mes dépenses pour vous. Et de celles pour votre mère. Cessez de vous demander quel remboursement j'exigerai de vous.

La meilleure des chances.

Xavier

À l'égard d'une femme presque mariée, le vouvoiement s'imposait. Mais cette quittance, cela voulait aussi signifier la perte de son ange gardien. Elle se jeta sur son lit, en sanglots. Comme protecteur, son futur époux ne lui semblait pas de taille.

Quand Xavier quitta son lit le lendemain matin, il eut une pensée affectueuse pour Odile. Ce jour-là, la jeune femme deviendrait madame Brissette. Un choix effectué librement.

— Bonne chance, murmura-t-il à son miroir.

Quand il pensait à son attirance pour elle, il se sentait ridicule. Les hommes ne tombaient pas amoureux d'un petit chat errant. Elle n'était même pas désirable à l'époque. À moins d'aimer les yeux cernés et les visages un peu émaciés. Même son innocence n'avait rien de séduisant. Il ne s'agissait pas d'une jeune femme romantique, amoureuse, à la fois excitée et un peu mal à l'aise de son propre désir. Ce n'était pas une Amélie, autrement dit.

Odile voulait juste s'éloigner de sa mère. Grâce à un voile de religieuse ou à un mariage improbable avec quelqu'un sorti du passé de Clarisse. Au moment de marcher vers la Royal Bank of Canada, il n'y pensait plus. Il aurait bien des colonnes de chiffres à examiner et le lendemain, il renouerait avec la conduite automobile. Tout en vivant sa première véritable sortie en famille.

Dans la salle à manger de la pension de mademoiselle Séguin, l'atmosphère avait quelque chose de funèbre. D'abord, il s'agissait du dernier jour d'Odile à cet endroit. La jeune femme avait déposé la quasi-totalité de ses affaires dans l'appartement de la rue Mentana la veille, elle transporterait le reste en allant rejoindre son futur époux.

Ensuite, parmi les locataires, il y avait ses premières véritables amies. Après avoir joué un peu avec sa nourriture, elle quitta la table avec Edith sur les talons. Ses vêtements de nuit, sa brosse à cheveux, sa brosse à dents et deux mouchoirs se trouvaient dans un sac. Un bref instant, elle flancha.

— J'ai tellement peur !

— C'est normal, dit son amie. C'est pour la vie.

Le rappel n'avait rien pour la rassurer.

— J'ai passé la nuit à penser à monsieur Blain.

— Voyons, tu ne veux pas dire que…

Oui, c'était exactement ce qu'elle voulait dire. Cet homme pouvait la protéger, la mettre à l'abri des aléas de la vie. C'était beaucoup moins évident avec Polydore.

— Non, non, murmura-t-elle pourtant. Mais je lui dois tant. Tiens, même cette robe vient de lui.

De tous les habitants de la pension, Edith était la seule à deviner que la relation avec cet homme était beaucoup plus complexe que celle avec un simple « ami de la famille ». Cependant, elle en ignorait la véritable nature.

— Il sera là ?

Odile secoua la tête.

— Je dois descendre, maintenant.

Les deux amies s'enlacèrent. En se faisant la bise, chacune goûta le sel des larmes sur les joues de l'autre.

— Rien ne nous empêchera de nous voir, n'est-ce pas ?

— Rien. Je te jure. Tiens, tu viendras prendre le thé chez moi.

Tout en formulant ces mots, Odile songea à madame Brissette. Son petit espace de liberté dans cette maison devrait être gagné bec et ongles.

Les pensionnaires qui ne se dirigeaient pas déjà vers leur travail se tenaient dans le couloir, près de la sortie. Mademoiselle Séguin fut la première à lui serrer la main en lui souhaitant « bien du bonheur », puis elle retourna à ses occupations. Ensuite Reine, Delphine et deux autres pensionnaires lui firent la bise. Quand ce fut à son tour, Adine lui demanda :

— Tu continueras à venir nager avec nous ?

— Oui. Je vais habiter dans la rue d'à côté.

Bientôt, elle quitta la maison pour se rendre rue Mentana. Polydore devait se tenir tout près de la porte, car il ouvrit dès que ses doigts touchèrent le bois.

— Ah ! Te voilà.

— Je suis en avance…

— Je sais, mais j'ai besoin d'un appui.

Odile comprit que madame Brissette ne s'était pas montrée sous son meilleur jour ce matin-là. Elle avait déménagé ses pénates dans la pièce du fond, laissant la grande chambre et le salon aux nouveaux mariés.

Son futur époux paraissait au moins aussi angoissé qu'elle par la cohabitation à venir. Il prit son sac pour aller le mettre dans la pièce double donnant sur la rue. La jeune femme l'accompagna jusque dans la cuisine pour trouver sa belle-mère assise à table, toute de noir vêtue, comme pour des funérailles.

— Vous allez bien, madame ?

— Ben oui, je vais ben. Pourquoi ça irait mal ? Je suis juste chassée de chez moi.

— Mais Polydore paie le loyer, non ?

Zénoïde n'osa répondre.

Bientôt, le trio quittait la maison pour aller prendre le tramway qui les mènerait à la gare. Polydore donnait le bras à sa mère, Odile venait derrière. Zénoïde se contenterait de cette petite victoire.

⁂

Pendant le trajet en train dans une voiture de deuxième classe, madame Brissette conserva sa tête d'enterrement.

À la gare de Douceville, Odile regarda l'horloge dans la salle des pas perdus. Au moins, elle ne serait pas en retard à son propre mariage.

Comme elle était la seule à connaître le chemin de l'église Saint-Antoine, cette fois, elle précéda le fils et la mère sur le trottoir. Revenir dans ces lieux lui faisait un curieux effet, comme si elle les avait quittés depuis une éternité. En arrivant sur le parvis, de façon bien inutile, elle précisa :

— Nous allons dans la sacristie.

Un mariage à l'église aurait été hors de prix pour Polydore. D'habitude, les parents de la mariée s'occupaient de cette dépense. Clarisse n'irait pas plus loin que d'assister à la cérémonie. Et encore, Odile s'était déjà faite à l'idée que ce serait peut-être le bedeau qui signerait le grand registre.

Ils longèrent l'église pour accéder directement à la sacristie. Personne ne se trouvait encore sur les lieux. Le trio s'installa sur le dernier banc, les deux femmes de part et d'autre du futur marié. Pour se donner une contenance, la promise affecta de s'absorber dans une prière.

Enfin, l'abbé Lanoue arriva. Odile s'empressa de le rejoindre.

— Monsieur le curé, je commençais à être inquiète.

— Ma pauvre enfant, avez-vous souvenir d'un mariage où le célébrant est en retard ?

Se sentant un peu ridicule, elle secoua la tête.

— Les mères… est-ce qu'elles sont en retard, parfois ?

— En tout cas, il y en a une qui le sera aujourd'hui. Vous devriez me présenter…

En s'approchant, Odile commença :

— Monsieur le curé, je vous présente madame Brissette.

L'ecclésiastique se déclara enchanté.

— Vous connaissez déjà Polydore, mon fiancé.

Ils se serrèrent la main. Le curé dit ensuite, après avoir consulté sa montre, un sourire un peu forcé aux lèvres :

— Je suppose que le temps que je mette mes habits sacerdotaux, madame Payant sera ici.

Le prêtre se dirigea vers les grandes armoires pour en tirer un surplis et l'endosser. Il fit ensuite semblant de classer à nouveau ses chasubles. Comme il en avait seulement deux, cela ne pouvait l'occuper très longtemps. Un nouveau coup d'œil discret à sa montre lui permit de constater que la mère de la mariée serait bel et bien en retard à la cérémonie. Un moment, il tenta de se souvenir de l'horaire de travail du bedeau. Lui aussi le voyait comme un témoin potentiel.

Il se préparait à aller voir dans l'église quand du bruit parvint de l'antichambre. Clarisse faisait son entrée.

— Je craignais de devoir aller vous chercher à l'hôpital, lui dit-il plutôt abruptement.

— Je me suis dit que si ma fille était si pressée de se marier, moi, je pouvais prendre mon temps. La honte ne tiendra pas à mon petit retard.

— Maman, dit Odile en s'approchant, je vais vous présenter.

Elle prononça les formules habituelles. Les deux vieilles femmes se regardèrent en chiens de faïence et aucune ne prit l'initiative de tendre la main.

— Vous auriez pu lui apprendre à se retenir, dit Clarisse.

— Si votre fille a le feu au…

— Mesdames, mesdames ! intervint vivement l'abbé Lanoue, ce n'est vraiment pas le moment ! Commençons.

Odile et Polydore allèrent se placer devant l'autel, flanqués chacun de leur mère. La bénédiction du mariage fut rapidement expédiée. Les jeunes gens s'engagèrent à s'aimer et à se soutenir mutuellement jusqu'à la fin de la vie terrestre de l'un d'eux. Le baiser se révéla très chaste. Puis les deux mères signèrent le registre sans grand enthousiasme.

Quand ce fut fini, ils restèrent plantés debout les uns en face des autres.

— Bon, je vais enlever ça, dit Lanoue en désignant vaguement son surplis.

— Monsieur le curé, puis-je vous dire un mot en privé ? demanda Odile.

— Vous croyez que c'est le moment ?

— Une courte confession.

Madame Brissette ricana.

— Venez, dit le prêtre d'une voix lasse.

Il l'entraîna dans la salle au fond de la sacristie. Quand elle fit mine de se mettre à genoux, il dit en lui désignant une chaise :

— Ce n'est pas nécessaire. Dieu entend tout aussi bien les gens assis.

— J'ai menti. Je ne suis pas enceinte.

— Quoi ? Et ce jeune homme…

— Polydore est au courant. Nous en avons convenu ensemble.

Lanoue se sentit soulagé. Commencer un mariage par un très gros mensonge entre conjoints lui paraissait de mauvais augure.

— Pourquoi diable ?

— Parce qu'autrement, jamais ma mère ne m'aurait donné l'autorisation.

— Et quand le bébé ne viendra pas ?

— Je lui dirai l'avoir perdu. Ça arrive, elle-même a fait quelques fausses couches.

Quand il lui donna l'absolution, le prêtre se dit que Dieu devrait reconnaître des circonstances atténuantes à la pauvre fille.

Quand ils retournèrent dans l'église, ils constatèrent que Clarisse avait quitté les lieux. Non, Dieu n'en voudrait pas à Odile pour ce mensonge. Il souhaita un bonheur sans nuage aux nouveaux mariés, et une bonne journée à la vieille femme vêtue de noir.

Le retour à la maison fut morose. La présence d'un témoin maussade leur enlevait toute envie de se dire des mots doux. Le repas du soir fut frugal et sans joie. Tout de suite après, Polydore et Odile passèrent au salon. Comme madame Brissette choisit de regagner ses propres quartiers, au moins, l'atmosphère se fit plus légère. Ils s'installèrent sur le canapé, blottis l'un contre l'autre, sans trop savoir quoi dire ni quoi faire.

L'idée de regagner la chambre effrayait Odile. Elle s'était faite à leurs jeux, mais là, ce serait «pour de vrai». Au moment d'aller au lit, Polydore alla dans la salle de bain pour se déshabiller. Quand il revint, elle était en chemise de nuit, sous les couvertures.

Ils demeurèrent tournés l'un vers l'autre, toutes les lumières éteintes.

— Avec elle sous notre toit, et ta mère qui rappliquera à la fin du mois, nous ne pouvons pas partir une famille tout de suite.

La pension de Clarisse à l'hôpital était réglée pour quelques jours encore. Ensuite, il revenait à sa fille – et au mari de celle-ci – de lui procurer le gîte et le couvert. Eux partageaient la chambre à l'avant de l'appartement, les deux vieilles, celle à l'arrière. Un enfant n'y trouverait pas sa place, sans compter la modestie des ressources financières.

— Alors si tu veux, nous ferons comme les autres fois.

C'est-à-dire rien qui pourrait la mettre enceinte. Non seulement elle le voulait, mais cela la soulageait.

Le lendemain matin, quand il récupéra sa voiture de location, Xavier songea qu'exactement un an plus tôt, à la Saint-Jean 1922, il passait une première journée à la banque de Douceville. Il renouait aussi avec Clarisse Payant et faisait la connaissance du petit chat perdu… Il poussa un long soupir. Voilà un autre épisode de son existence à oublier.

Quand il frappa à la porte de l'appartement, ce fut Camille qui vint répondre. À nouveau, il apprécia le joli visage et les cheveux noirs fraîchement lavés répandus sur ses épaules.

— Bonjour. Prête à faire une promenade ?

La fillette allongea le cou afin de voir la voiture, puis donna son impression :

— Elle est jolie. Vous pourriez me montrer à conduire ?

— Pourquoi pas. Ce ne sera pas aujourd'hui, par contre. Avant dix ans révolus, la police ne serait pas d'accord.

Elle hocha la tête comme si l'argument était raisonnable, puis s'esquiva pour le laisser entrer.

— Maman n'est pas encore prête. Vous pouvez vous asseoir dans le salon.

Camille le regarda prendre place sur un fauteuil, puis dit d'une voix un peu désolée :

— Je pourrais vous offrir un café, mais il est froid.

— Ça ira.

— Moi non plus, je ne suis pas prête. Si vous acceptez de m'aider, ça ira plus vite.

— Je veux bien, si tu me dis quoi faire.

Elle s'élança en disant : « Je reviens. » Trente secondes plus tard, elle tenait un ruban.

— Pouvez-vous faire ma tresse ?

— Je n'ai jamais fait ça, il ne faudra pas être trop sévère sur le résultat.

La fillette vint s'asseoir sur ses talons devant lui.

— J'espère qu'elle ne sera pas toute de travers, dit-il encore.

Xavier prit ses cheveux pour les ramener vers l'arrière, puis les divisa en trois pour faire la tresse. La confiance de cette enfant envers lui le touchait.

— Tu as des cheveux très épais, tu as de la chance. Maintenant, tiens le bout, sinon elle va se défaire avant que j'aie compris comment nouer le ruban.

Il mit le bout de la tresse sur son épaule. À ce moment, il vit Élodie debout dans l'embrasure de la porte, un sourire ému sur les lèvres. Elle le laissa nouer le ruban sans venir l'aider. Quand Camille la vit, elle se releva en disant :

— Je suis prête avant toi.

— C'est vrai. On y va ?

Elle lui tendit la main. L'homme apprécia la tenue estivale : un chemisier blanc et un pantalon de même couleur. Élodie remarqua son regard.

— Tu crois que je me ferai regarder, habillée comme ça ? Je peux mettre une robe.

— Tu te feras certainement regarder. Mais ne change rien. C'est très joli.

Il les rejoignit dans l'entrée. Camille s'empressa de descendre les quelques marches pour aller vers la voiture. La mère murmura à son compagnon :

— Vous étiez vraiment charmants, tout à l'heure.

Elle tendit la main pour prendre la sienne. La fillette était heureuse d'occuper seule la banquette arrière du cabriolet. Quand les adultes furent assis, elle appuya ses coudes sur le dossier et avança sa tête entre les leurs.

— Où allons-nous ?

— Que dirais-tu de Sainte-Rose ? Nous pourrions nous promener sur la rive et nous installer à l'ombre sur une couverture. Il y en a une dans le coffre. Auparavant, nous irons manger dans un café.

Camille se déclara enchantée par ce programme.

Chapitre 24

Sainte-Rose était un petit village bucolique situé au nord de l'île Jésus, le long de la rivière des Mille-Îles. Dans cette localité essentiellement agricole, certains Montréalais possédaient des maisons habitables seulement l'été. Et parmi tous ces logis ne payant souvent pas de mine, il y avait quelques véritables résidences secondaires où des familles bourgeoises passaient l'été pour éviter la chaleur de la ville.

De la rue Laval, le trajet prenait plus d'une heure. D'abord il se faisait dans des rues urbaines pavées, puis dans de véritables routes de campagne. Il était près de midi quand Xavier se stationna sous les arbres, juste en face de l'église Sainte-Rose-de-Lima. Quand ils furent descendus de la voiture, Élodie prit son bras en remarquant:

— Tu parais habitué à la conduite automobile.

— J'ai pourtant un peu perdu la main. Pendant la guerre, j'ai servi de chauffeur à quelques pontes de l'armée.

— Tu n'es pas tenté de t'en procurer une?

— Pas vraiment.

— Je sais que c'est un jouet qui coûte très cher. Mes frères aimeraient en avoir une, mais mes belles-sœurs tentent de réfréner leur enthousiasme.

— Elles ont bien raison. Mettre de l'argent sur quelque chose d'utile, d'accord. Pour une machine dont j'aurais besoin une fois par mois, c'est ridicule.

Le côté un peu pontifiant de sa propre remarque ne lui échappa pas. C'est en riant qu'il continua :

— Quand je dis des sottises, ne m'écoute pas. Comment tu trouves cet endroit ?

Le trio se tenait maintenant devant un restaurant opportunément baptisé La Rose. La vieille maison d'un notable du village avait été convertie à cet usage.

— J'aime bien. Nous mangerons dehors ?

Quelques tables placées sous les arbres accueillaient des dîneurs. Un employé les guida vers l'une d'elles. En parcourant la demi-douzaine de verges, Élodie remarqua qu'on la suivait des yeux. Au moment de s'asseoir, elle murmura :

— Même si j'apprécie le confort, je crois que je rangerai mes pantalons dans le grenier.

Xavier allongea le bras pour lui toucher légèrement la main.

— Parmi les choses qui me font m'ennuyer des États-Unis, il y a cette tendance qu'ont les Américains à ne pas chercher à contrôler le comportement des voisins.

Sa compagne lui jeta un regard vaguement inquiet.

— Au point de vouloir y retourner ?

— C'est toi qui te vois imposer une façon de t'habiller, pas moi. Ça te paraît un motif suffisant ?

Elle secoua la tête.

— Quand même… je les réserverai pour les journées à la campagne.

— Nous sommes à la campagne.

Une serveuse vint leur donner les menus. Le temps de commander, ils revinrent à leur conversation sur ce qui était convenable et ce qui ne l'était pas.

Après le repas, ils récupérèrent la couverture dans le coffre de la voiture et se rendirent sur la grève. Après un long moment passé à l'ombre d'un saule, Xavier proposa :

— Quelqu'un aimerait que je loue une embarcation pour aller explorer l'île Darling ?

Du doigt, il désigna la petite étendue de terre à deux cents verges.

— Qu'est-ce qu'il y a là-bas ? demanda sa compagne.

— Des arbres et de hautes herbes.

— Nous avons des arbres ici. Les hautes herbes, pour moi, ça veut dire qu'il y a des couleuvres. J'aime mieux m'en priver.

Les animaux rampants la rebutaient, et surtout, elle préférait s'étendre à l'ombre. Elle s'allongea, posant la tête sur son bras. Camille était assise sur un coin de la couverture, surveillant les alentours. Son intérêt se porta sur deux fillettes jouant avec un cerceau.

— Je peux aller les rejoindre ?

— Seulement si tu te tiens loin de l'eau, dit la mère sans relever la tête.

La gamine marmonna :

— Bien sûr.

— C'est important, ajouta Xavier en haussant la voix pour être sûr d'être entendu.

— Je vais faire attention, répondit-elle, cette fois très sérieuse.

Puis elle s'éloigna. Il la vit engager la conversation avec les deux autres fillettes. Trois jeunes beautés ensemble, cela attira tout de suite des garçons du même âge.

— Si moi j'ai peur des couleuvres, intervint Élodie, toi c'est de l'eau, on dirait...

Elle demeura étendue, les yeux fermés, mais elle mit sa main sur sa hanche et exerça une caresse. Cela suffit à l'exciter. Élodie le tenait toujours à un régime sévère : des baisers brûlants quand aucun regard ne se posait sur eux et des jeux de mains plutôt sages.

— S'il fallait qu'il lui arrive quelque chose…

— Les enfants nous font cet effet-là. On tresse leurs beaux cheveux une fois, et ensuite on s'inquiète pour la vie.

— Si je comprends bien, les garçons sont laissés-pour-compte.

— Dans le cas des garçons, je pense que les coups de peigne ont le même effet. Tu demanderas à mes belles-sœurs.

Chacune devait le savoir, elles avaient contribué à peupler la moitié masculine du genre humain. Xavier se déplaça un peu pour caresser son flanc. Voilà qui n'arrangerait rien à son état. Le silence dura un instant, ensuite il dit tout doucement :

— Je suis ignorant des usages. À mon âge, dois-je m'acheter des gants blancs pour faire la grande demande à ton père ?

— Je ne pense pas que ce soit nécessaire. Mais il conviendrait que tu le demandes à l'élue de ton cœur avant.

— Alors, veux-tu m'épouser ?

Élodie se releva pour le regarder.

— J'en serais très heureuse. J'attends que tu le demandes depuis notre seconde rencontre.

Le jour où elle avait réclamé un baiser. Il se pencha sur elle pour l'embrasser et posa sa main sur son ventre.

— J'y ai pensé aussi très souvent, mais je ne voulais pas commettre d'impair. Je n'ai aucune idée de la durée habituelle des fréquentations avant d'en arriver là…

— As-tu pensé à une date ?

— Demain, ce serait sans doute trop rapide.

— L'école est terminée… ma fille pourrait assister à la cérémonie.

Elle lui adressa un sourire amusé.

— Alors on ne peut pas aller plus loin que la fin août. Avant la rentrée scolaire. Que penses-tu du 11 ? Cela nous donnera le temps pour la publication des bans.

Compte tenu du silence de sa compagne, il jugea nécessaire de préciser :

— C'est un samedi.

— Un samedi. Tu as vérifié… Tu étais donc certain de ma réponse ?

— Pas certain. Ni de ta réponse ni de la réaction de Camille.

Son regard allait de la mère à la fille.

— Nous le lui dirons au retour. Elle se sentira infiniment intimidée. Autant que toi. Mais tout ira bien.

À nouveau, elle l'embrassa, puis alla se blottir contre son épaule.

Camille accueillit la nouvelle avec un plaisir mêlé d'un peu d'appréhension. Elle en était venue à penser qu'il lui serait très difficile de trouver un meilleur beau-père. En même temps, ne pas en avoir du tout lui paraissait encore mieux.

Il roulait dans l'île de Montréal depuis un moment quand il proposa :

— Que diriez-vous de venir souper chez moi ?

Élodie se tourna à demi pour consulter sa fille des yeux. Celle-ci hocha la tête pour dire oui.

— Ça nous ferait plaisir à toutes les deux.

Plus tard, il se gara rue Sherbrooke en précisant :

— Je dois rendre la voiture demain, alors je pourrai vous reconduire tout à l'heure.

Dans le hall d'entrée, Camille ouvrit de grands yeux sur le décor luxueux. En déverrouillant la porte de son appartement, Xavier lui dit :

— Ce n'est pas très grand, pas assez pour nous. Le mieux serait de nous y mettre à tous les trois pour chercher quelque chose.

La fillette était songeuse. Les prochaines semaines seraient éprouvantes. Les changements s'accumuleraient, souvent bouleversants. Sa mère posa sa main sur son épaule pour la rassurer un peu.

— Xavier, tu nous fais visiter ?

L'usage du pluriel tira un sourire à son fiancé. Évidemment, même une enfant de huit ans ne devait pas soupçonner que les lieux lui étaient déjà familiers. Deux minutes plus tard, dans le salon, il demanda à Camille :

— Tu aimerais un peu de musique ?

— Oui.

— Alors je vais mettre un disque.

Bientôt, une musique joyeuse emplit la pièce. En attendant que l'on monte le souper, elle se blottit contre sa mère, sur le petit canapé, et adressa un sourire à son nouveau beau-père, assis dans le fauteuil juste en face.

Finalement, ces changements ne seraient peut-être pas pour le pire.

Le 1er juillet 1923, un peu après le dîner, Polydore et sa nouvelle femme se tenaient près d'un quai, à la gare Windsor. Le train en provenance de Douceville arriva à l'heure. Ils virent Clarisse descendre d'un wagon de seconde classe.

— Tu aurais pu venir me chercher à la maison.

Ce reproche faisait office de « Bonjour ma fille, comment vas-tu ? »

— Personne ne distribue les billets de train gratuitement.

— Moi, je n'ai pas l'habitude de voyager.

— Belle-maman, comme vous êtes arrivée ici, voilà la preuve que vous n'aviez pas besoin d'aide.

«Et si vous vous étiez perdue en route, je n'aurais fait aucun effort pour vous retrouver», songea-t-il.

— Suivez-nous, dit encore Polydore.

Il tourna les talons.

— Vous allez me laisser porter ma valise?

L'homme se retourna pour lancer:

— Vous avez quarante ans, non? Vous n'êtes pas déjà sénile. Viens, prends mon bras, ajouta-t-il pour Odile.

Clarisse demeura immobile un instant, puis elle accéléra le pas pour les rattraper. Ce fut sans dire un mot qu'ils prirent le tramway. Vers la rue Sherbrooke d'abord, puis vers l'est. Dans la maison, ils la précédèrent jusqu'à la cuisine. Madame Brissette se trouvait assise à la table, immobile, les mâchoires serrées.

— Vous vous connaissez déjà, inutile de vous présenter. Vous partagerez la chambre du fond. J'y ai déjà fait mettre un second lit. Vous vous répartirez le travail de maison comme vous voudrez.

Sur ce, il tourna les talons.

Exactement une semaine plus tard, Xavier se présenta à nouveau chez les Fortin, cette fois en tant que fiancé de leur fille aînée. Aussi, la mère et le père l'accueillirent-ils en lui adressant des félicitations. Camille écoutait en se tenant un peu à l'écart. Pour mettre un vrai sourire sur son visage, il fallut qu'Amélie la prenne dans ses bras pour la serrer contre elle.

Ensuite, Xavier ressentit une véritable compassion pour un grand jeune homme efflanqué qui se tenait derrière tout le monde, rougissant.

— Voici Vincent, dit Amélie.

Le banquier tendit la main et se déclara enchanté.

Quand ils eurent pris place dans le salon, le notaire demanda :

— Monsieur Blain, je vous sers une bière ?

— Oui, je veux bien.

— Et vous, monsieur Rodier ?

— Oui monsieur. Merci monsieur, répondit Vincent.

Il faudrait du temps avant que ces deux-là se parlent familièrement et se donnent de grandes tapes dans le dos… Madame Fortin était déjà partie vers la cuisine, Élodie se dépêcha de dire :

— Je vais aller l'aider.

En quittant la pièce, elle fit signe à Amélie de la suivre. Celle-ci parut hésiter, comme si elle tenait à demeurer à proximité de son ami, pour venir à sa défense si nécessaire. La benjamine revint très vite avec un plateau garni de verres et de bouteilles. Elle s'adressa ensuite aux visiteurs :

— Je les ai prises dans la glacière. Si vous les préférez à la température de la pièce, je peux les changer.

— Ça me convient très bien, dit Xavier.

Et bien sûr, cela convenait aussi au jeune homme. Il y eut un long silence, Xavier vit le regard de son hôte posé sur lui. Comme pour lui rappeler son engagement à se faire une idée des perspectives d'avenir de ce prétendant.

— Monsieur Rodier, que faites-vous dans la vie ?

— Je travaille pour… Je travaille avec mon père. Nous construisons des maisons à logements.

— À Montréal ?

— Oui. Au nord de la voie ferrée. À la hauteur de la rue Beaubien.

— C'est loin, mais la ligne de tramway qui se rend à Sault-au-Récollet traverse ce coin de la ville.

— Heureusement, sinon ça n'aurait aucune valeur.

Ce fut au tour de Xavier d'acquiescer. Le prix des terrains, comme des maisons, s'établissait en fonction de la proximité ou de l'éloignement des moyens de transport.

— Vous arrivez à trouver des terrains ?

— Ce n'est pas simple.

Cependant, son sourire en coin indiquait que son père et lui y parvenaient. Le jeune homme portait un complet sans doute acheté dans une grande surface, au tissu un peu trop chaud pour la saison.

— Vous construisez pour vendre ou pour la location ?

Vincent ne répondit pas directement à la question. Il dit :

— La difficulté, c'est le liquide… Enfin, le manque de liquide.

— Donc vous construisez pour vendre et financer la suivante.

— C'est ça, oui… Et ce serait infiniment plus payant si nous menions trois, quatre chantiers en même temps.

Monsieur Fortin suivait la conversation. Xavier se demanda s'il se faisait une opinion plus favorable du jeune homme en entendant ces mots.

— Les banques existent pour ça, dit Xavier.

— Elles ne sont pas tellement prêteuses…

Son regard se posa sur monsieur Fortin. Il devait avoir l'impression de se confesser en public. Il tenta de se reprendre :

— Nous travaillons sur un plan d'affaires. C'est difficile. Il nous faudrait de l'aide.

C'était presque un appel du pied. En tout cas, Xavier le prit ainsi. Sur ces entrefaites, madame Fortin arriva dans l'embrasure de la porte pour dire que le repas était prês. Les hommes se déplacèrent vers la salle à manger en emportant leur bière avec eux. Quand ils furent assis, le banquier dit à Vincent :

— Notre conversation risque d'ennuyer ces dames. Si vous le désirez, nous pourrions nous rencontrer un soir prochain. Je regarderai vos chiffres.

— Je ne voulais pas…

— Ça me fera plaisir.

Après une hésitation, il dit oui d'un geste de la tête. Élodie le regarda avec un petit sourire. Madame Fortin paraissait résolue à faire porter la conversation sur un sujet autrement plus important que les projets d'affaires.

— Pensez-vous faire un voyage, après la cérémonie ?

La question s'adressait à Xavier.

— Mon employeur me doit quelques congés. J'ai proposé à ces dames d'aller voir la mer.

Des yeux, il désigna la mère et sa fille.

— Ce sera la première fois, précisa Camille.

Les projets d'avenir les occupèrent pendant tout le reste du repas.

&

À neuf heures, les visiteurs décidèrent de quitter leurs hôtes. Les poignées de main et les bises s'échangèrent dans le vestibule. Xavier entendit le notaire dire à Vincent :

— À la prochaine, jeune homme !

C'était une acceptation. Amélie essuya une larme à la commissure de son œil droit. Elle sortit sur le perron pour souhaiter bonne nuit à tout le monde.

— Vincent, que diriez-vous de prendre une bière dans le café juste en face du cinéma, mardi soir prochain ? proposa Xavier.

De la main, il désigna le théâtre Saint-Denis.

— Oh oui, certainement.

— À huit heures. Apportez tous vos chiffres.

Puis il descendit les quelques marches, tenant la main de Camille dans la sienne, Élodie accrochée à son bras. Quand ils eurent parcouru une vingtaine de verges en direction de la rue Sherbrooke, sa fiancée murmura :

— Tu tiens à te rendre utile aux membres de ma famille ou à quelqu'un qui en fera peut-être partie un jour...

— Après une heure, je saurai si ce jeune homme deviendra un entrepreneur immobilier ou non. Le constat sera utile à trois personnes.

Après encore quelques pas, il ajouta :

— C'est simple. Si son père et lui réalisent des profits raisonnables, une banque acceptera de les soutenir. Si ce n'est pas le cas, il vaut mieux qu'il le sache tout de suite.

Quant à la relation avec une jolie brunette de vingt ans, cela n'avait rien à voir avec des colonnes de chiffres. En 1924, Amélie pourrait se marier sans l'autorisation paternelle. Comme ils approchaient de la rue Laval, Xavier dit :

— Tes frères ne devaient pas être là ?

— Je pense que maman a souhaité s'épargner de passer une semaine à préparer le repas et d'emprunter des chaises chez les voisins.

Ces frères, leur femme et leurs enfants représentaient une dizaine de personnes.

— Ce n'est que partie remise, tes deux prochains dimanches te serviront à faire connaissance avec eux.

Sans attaches au cours des dernières années, voilà qu'il entrait dans une véritable tribu.

Xavier ne pouvait continuer à négliger ses devoirs religieux. Ne serait-ce que pour faire bonne figure dans sa nouvelle belle-famille. Dorénavant, il se levait tôt tous les dimanches pour marcher en direction de la rue Laval. Il y rejoignait deux personnes joliment endimanchées, portant chapeau et gants blancs. Camille tenait un missel relié de satin immaculé. Une petite catholique exemplaire.

Ensuite, ils se dirigeaient vers l'église de l'Immaculée-Conception. Élodie avait gardé le banc familial, une fois devenue veuve. Il écoutait la cérémonie d'une oreille distraite, s'assurant seulement de se lever, de s'asseoir et de se mettre à genoux en même temps que les autres.

Entendre son nom du haut de la chaire lui fit un curieux effet.

— Il y a promesse de mariage entre madame veuve Élodie Daunais, née Fortin, de cette paroisse, et Xavier Blain, de la paroisse Saint-Patrick.

Camille se pencha un peu vers l'avant pour le regarder et esquisser un sourire. Cette fois, ce projet prenait une tournure officielle. Quand ils sortirent sur le parvis, Élodie lui tira la manche.

— Je pense reconnaître une de tes vieilles accointances.

Des yeux, elle lui désigna Clarisse Payant qui se tenait à côté de sa fille. Une autre femme plus âgée se trouvait tout près de Polydore Brissette. Les quatre avaient les yeux rivés sur lui. Il enleva son panama au moment de s'approcher.

— Madame Payant, quelle surprise de vous voir ici.

Il tendit la main à Odile et à Polydore qui lui présenta sa mère. La vieille dame le salua d'une voix sèche. Xavier reporta son attention sur le couple.

— Je ne vous ai pas vus depuis votre mariage. Je crois qu'il est encore d'usage de vous souhaiter tout le bonheur possible.

Le nouveau marié le remercia.

— Vous aussi, vous caressez des projets conjugaux, dit Clarisse comme dans un croassement.

Ses yeux ne quittaient pas Élodie et Camille.

— Oui. Les choses ont évolué depuis le moment où vous nous avez vus la dernière fois.

Xavier présenta ses compagnes. Polydore et sa femme tendirent la main.

Avant de partir, il ajouta à l'intention de Clarisse Payant, un peu gouailleur :

— C'est curieux, nous semblons voués à nous croiser sur le parvis d'une église. À Douceville et maintenant ici.

Les habitants de l'appartement de la rue Mentana formaient une drôle de procession. Polydore offrait son bras à Odile. Derrière, venait la vieille madame Brissette, et encore trois pas plus loin, Clarisse Payant. Ces deux dernières faisaient des efforts surhumains pour ne pas s'entendre, ne pas se voir, ne pas se parler.

— C'est une très jolie femme, apprécia le jeune homme.

— Oui, tu as raison.

— Remarque, il a un bon emploi et une certaine allure.

« Si j'avais su y faire, songea la jeune femme, ça aurait pu être moi. » Il lui semblait maintenant que Clarisse avait eu raison sur toute la ligne. Xavier était parfait pour elle. Avec un homme comme lui, sa vie se serait déroulée tout en douceur.

— Pour avoir le même type de revenu, ça me prendra combien de temps ? demanda son époux sans s'adresser à une personne en particulier.

Après une pause, sur un ton dépité, il conclut :

— Sans doute que ça n'arrivera jamais.

Le 11 août, la famille Fortin était réunie dans l'église de l'Immaculée-Conception, du côté droit, devant l'un des deux autels latéraux. Les invités de Xavier étaient tous des «étrangers»: l'abbé Calixte Lanoue, sa mère et les Turgeon. En arrivant dans le temple, Sophie lui avait fait la bise franchement, comme si maintenant personne ne pourrait penser à mal. Quant à Georges, il avait l'air satisfait en lui serrant la main.

La cérémonie se fit rapidement. Le temps de l'échange des serments, du passage des anneaux aux doigts, de la bénédiction, et madame veuve Daunais devint madame Blain. Elle portait une jolie robe grise et un chapeau assorti, alors que Camille ressemblait à une communiante. Quelques minutes plus tard, le notaire signa le grand registre le premier, et ensuite l'abbé Lanoue, à titre de témoin du marié. Puis ce fut le temps des félicitations.

— Ah, mon jeune, tu m'as fait attendre longtemps, mais enfin, j'ai assisté à tes noces! dit madame Curé en prenant ses deux mains.

Il y eut un échange de bises.

— Ç'a été long avant de trouver la bonne.

— Ouais. Ça, c'est parce qu'il y avait la mauvaise sur ton chemin.

Des yeux, elle lui désigna la nef. Clarisse Payant se tenait tout à l'arrière, une silhouette lugubre. Calixte vint les rejoindre à ce moment. Lui aussi l'avait aperçue.

— Tu veux que j'aille lui parler?

— Non, elle n'existe plus.

Xavier se dirigea vers sa femme pour l'embrasser d'une façon qui, même pour des époux, était un peu trop osée. Surtout dans la maison de Dieu. Les Turgeon vinrent le féliciter. Les femmes multipliaient les bises et les hommes les poignées de main.

Ensuite Xavier marcha vers les Fortin pour dire :

— On nous attend au restaurant. Vous venez ?

C'est avec Élodie à son bras qu'il traversa la nef pour sortir à l'arrière. La mère du curé intercepta Camille.

— Toi, ma grande, tu vas guider une vieille. Tu ne voudrais pas que je me perde dans la grande ville.

Ce fut en tenant la main de madame Lanoue que Camille suivit sa mère. Avec tous les Fortin ensuite, dont Amélie qui tenait le bras de Vincent Rodier. Celui-là avait maintenant quatre maisons en chantier. Le directeur de la succursale de la Banque Hochelaga de la rue Sainte-Catherine lui accordait son support. Pour ne pas mêler affaires et famille, Xavier lui avait demandé d'éviter la Banque Royale.

Profitant de l'occasion, Évariste Turgeon fit part au père d'Élodie de son désir de devenir membre de la société Saint-Jean-Baptiste. Le vieux notaire lui assura que cela se ferait sans mal.

En fin d'après-midi, Camille posait sa petite valise avec les deux autres, sur la banquette arrière d'un cabriolet Ford. La voiture n'avait pas de coffre – la capote rabattue en prenait la place. Il restait juste assez de place pour que la jeune fille puisse voyager dans un certain confort.

— Saint-Andrew, c'est loin ? demanda-t-elle pour la dixième fois.

— Assez… Nous coucherons un peu après Québec, et demain, nous roulerons toute la journée.

Assis derrière le volant, Xavier se tournait à demi afin de regarder Camille, et aussi Élodie, qui verrouillait l'appartement de la rue Laval après avoir vérifié pour la troisième fois que toutes les fenêtres et la porte arrière étaient bien fermées. Pour une expédition aussi longue, elle avait ressorti son pantalon. Ce serait l'occasion de constater si les gens du Nouveau-Brunswick avaient vraiment l'esprit plus ouvert concernant la tenue vestimentaire des femmes.

— Je m'excuse, dit-elle en occupant la place du passager. Je ne quitte jamais la maison.

— Tu veux dire que tu ne quittes jamais la maison en compagnie d'un nouveau mari. Tu as le trac.

Il avait parfaitement raison. Maintenant, les dés étaient jetés. Elle avait lié son sort, et celui de sa fille, à quelqu'un rencontré seulement quatre mois plus tôt.

— C'est le cas pour moi aussi, continua Xavier. Et pour la demoiselle assise derrière. Cependant, si nous réunissons nos bonnes volontés, tout ira pour le mieux.

Sa femme lui adressa son meilleur sourire et allongea la main pour la poser sur sa cuisse.

— Tu as raison.

Il actionna le démarreur et le moteur toussota avant de commencer son ronron envahissant. La voiture s'engagea dans la rue et roula jusqu'à l'intersection de la rue Sherbrooke. Au moment de s'engager vers l'ouest, Élodie demanda :

— Alors, Saint-Andrew, c'est loin ?

— Telle fille, telle mère !

Derrière, Camille pouffa de rire.

Encore un mot

Si vous désirez garder le contact entre deux romans, vous pouvez le faire sur Facebook à l'adresse suivante :

Jean-Pierre Charland auteur

Au plaisir de vous y voir.

Jean-Pierre Charland